William Shakespeare

Comme
il vous plaira

Traduction de *Jean-Michel Déprats*
Maître de conférences à l'Université de Paris Ouest Nanterre La Défense

Édition présentée, établie et annotée
par Gisèle Venet
Professeur émérite à la Sorbonne Nouvelle

ÉDITION BILINGUE

Gallimard

La présente édition est destinée à paraître
dans la Bibliothèque de la Pléiade.

PRÉFACE

De Rosalynde à Rosalinde,
ou l'atelier de la réécriture

Passer de la Rosalynde *de Thomas Lodge, roman
pastoral publié en 1590, à la comédie de Shakespeare
et à sa Rosalinde dans* Comme il vous plaira, *écrite
entre 1598 et 1600, c'est entrer dans l'atelier de la réécriture, assister à la mise en œuvre d'une culture de
l'emprunt[1], sans que l'on sache ce qui l'emporte, de la
matière en soi d'une histoire déjà là, des personnages
qui la portent, ou de la manière de redire ce qu'ils sont
ou ce qu'ils font dans un autre registre, pour être lu, vu,
entendu, ou remémoré autrement. Et toujours avec cette
versatilité ou cette réversibilité du même en l'autre qui
caractérise toutes ces pratiques de l'imitation légitime
encouragée par des siècles de réécriture humaniste des
modèles et favorisée par la nouvelle « manière », ludique*

---

1. Voir Marie Couton et al. (éd.), *Emprunt, plagiat, réécriture aux XVe,
XVIe et XVIIe siècles. Pour un nouvel éclairage sur la pratique des lettres à la
Renaissance*, Clermont-Ferrand, Presses universitaires Blaise Pascal, 2006.

et moqueuse, de la génération des maniéristes[1] *de remettre
en jeu ces héritages dans toute l'Europe en cette fin du
XVI*[e] *siècle.*

Thomas Lodge *commence son roman pastoral,* Rosalynde, *par une courte autobiographie littéraire qui ne
manque pas de sel, si l'on peut dire, sachant que le
manuscrit de* Rosalynde *doit arriver chez l'imprimeur
« encore trempé des embruns du grand large*[2] *». C'est
en effet « un marin », « un soldat », qui écrit la délicate
pastorale pour se désennuyer à bord tandis qu'une voile
l'emporte vers les Canaries. Ce texte, il dit l'avoir
« conçu sur l'océan déchaîné de tempêtes », achevé
« dans la houle de mers périlleuses*[3] *», mais il l'ouvre
sur des églogues pour bergers intemporels, nous invitant
à lire les plaintes d'un amant sur l'écorce des arbres, à
nous enfoncer dans la profondeur terrienne s'il en est
d'une forêt.*

Sa *méthode est toute de modestie bien qu'il soit lettré
d'Oxford, définissant son œuvre en creux par tout ce à
quoi elle ne peut prétendre — ni aux lauriers de Pallas
Athéna, ni à la pose du poète lauréat, ni à la noble
veine de l'éloquence, à quoi l'on reconnaît déjà la désin-
volture maniériste devant le poids des héritages. Il ne
visera pas plus haut que le lacet de sa chaussure, façon*

---

1. Voir *Maniérisme et littérature*, Orizons, 2013, sous la direction de
Didier Souiller, dont son introduction, « Le maniérisme en question »,
pp. 9-30.
2. Thomas Lodge, *Rosalynde, Euphues Golden Legacie* (1590), dans la
dédicace « à ses Lecteurs », qui suit celle adressée à Henry Carey, premier Lord Hunsdon, alors Grand Chambellan, sous le patronage duquel
est aussi placée la troupe d'acteurs de Shakespeare, The Lord Cham-
berlain's Men.
3. *Ibid.*

*narquoise d'éviter au cordonnier qu'est tout critique
de le juger au-dessus de la semelle selon le proverbe
familier à qui connaît ses classiques et les recycle avec
humour*[1].

Lodge ne revendique l'éclat d'une écriture que si elle
lui vient d'un autre, déjà parée de prestige. Il feint une
origine accidentelle à la découverte du manuscrit « *trouvé
dans une grotte* », dont à ce titre il ne saurait s'enor-
gueillir d'être l'auteur, selon cette manipulation des
leurres[2] *dans la fiction qui marquera l'émergence du
genre romanesque dans l'Europe du XVIIe siècle. Surtout, il donne à son roman un sous-titre qui rend
compte de tout un projet :* Rosalynde, ou le Legs d'or
d'Euphues. *S'il emprunte à John Lyly le nom du
personnage éponyme de son roman d'apprentissage,*
Euphues, ou l'Anatomie de l'esprit, *inscrit au
Registre des Libraires dès 1578, c'est pour mieux en
vanter, en l'imitant, l'écriture spirituelle, agile, imperti-
nente avec laquelle Lyly écrivait ses comédies pastorales
inspirées des* Métamorphoses *d'Ovide, « euphuistes »
par ce « style stylisé*[3] *» qui accumule synonymes et anto-
nymes, parallélismes, foisonnement et renversement des
figures, un style proche de l'autre écriture précieuse et
railleuse, celle des maniéristes dans le reste de l'Europe.
Une liberté singulière de parole et de sentiment y est*

1. *Ibid.*, citant ledit proverbe en latin, *Ne sutor ultra crepidam.*
2. Sur ces subterfuges, voir Baudouin Millet, « *Ceci n'est pas un
roman* » : *l'évolution du statut de la fiction en Angleterre de 1652 à 1754*,
Peeters, 2004.
3. Voir John Greenwood, *Shifting Perspectives and the Stylish Style.
Mannerism and his Jacobean Contemporaries*, University of Toronto
Press, 1988.

aussi donnée aux femmes pour critiquer avec esprit la pesanteur des idées reçues sur l'amour figées depuis presque trois siècles dans les normes de l'amour pétrarquiste. Shakespeare en a déjà fait l'insolente poétique de ses Peines d'amour perdues, *l'une de ses toutes premières comédies, écrite sans doute sous l'influence de Lyly.*

De ce modèle, Rosalynde, *choisi pour son charme, sa célébrité, ses potentialités dramatiques, son style poétique, on ne sait, mélange de prose « euphuiste » revendiquée dès le titre et de sonnets et d'églogues qui s'y glissent sans rupture de ton, comme un simple jeu de variations, Shakespeare à son tour retient tout, dont cet art de la prose qu'il annexe à sa poétique. Peut-être même un titre : — Lodge dédicace sa pastorale à ses lecteurs en leur laissant le choix ou non de l'accepter — « If you like it[1] », autrement dit « Comme il vous plaira ».*

Il conserve aussi tout ce que Lodge avait tacitement gardé de sources antérieures et qui forme le sombre début de la pastorale, comme de ce lai breton, le Conte de Gamelin, *que l'on dit transmis au XIVᵉ siècle par cet autre passeur d'histoires pour imaginaire anglais, Geoffrey Chaucer[2] : récit d'un exil, on y voit le jeune Gamelin poussé à fuir et à chercher refuge auprès de hors-la-loi. Une violente querelle a opposé deux frères pour un testament transgressé par l'aîné, « testament de Jean de Bordies » dans le conte médiéval ou de*

---

1. Thomas Lodge, *Rosalynde*, « À ses Lecteurs ».
2. En fait, l'attribution à Chaucer est tardive et reste douteuse, voir la notice, *infra*, sur les sources.

« *Jean de Bordeaux* » *dans la pastorale, devenu celui de* « *Sire Roland des Bois* » *dans la comédie, avec les mêmes conséquences pour le cadet rebelle dans les trois textes : il devra fuir la haine jalouse de son aîné, non sans avoir au préalable exercé sa force contre un lutteur de profession, soudoyé par ce frère pour l'éliminer ; ce qui n'empêchera pas le sentiment chevaleresque ou fraternel de lui revenir, dans la pastorale et dans la comédie, malgré des tentations d'en finir avec ce frère indigne : le jeune rebelle le sauvera des griffes d'un lion, comme il a sauvé de l'épuisement le vieil Adam, déjà serviteur de son père et compagnon d'exil dans le conte.*

Dès le conte aussi, la forêt est le lieu refuge, comme dans Rosalynde *où elle prend le nom de la déjà célèbre Forêt d'Ardenne, et déjà sous sa forme anglaise* Arden, *déni moqueur aux interprétations en quête d'un réalisme des sources de l'invention shakespearienne qui voudraient que ce nom, dans* Comme il vous plaira, *ait surgi des profondeurs d'une enfance en étant celui de la mère de Shakespeare[1] ; ou encore, défi non moins ironique aux réminiscences proustiennes avant l'heure, que le modèle du cottage élu par Aliéna[2] lui soit resté de ses promenades de jeunesse du côté de chez Anne Hathaway avant qu'il ne l'épouse.*

En fait, cette Forêt d'Ardenne est d'abord littéraire, avec ses migrations de la lointaine Chanson de Roland *vers le canto III de l'*Orlando innamorato *de*

---

1. Cf. Katherine Duncan-Jones, chapitre « Another Eden, Another Arden » de sa biographie *Ungentle Shakespeare. Scenes from his life*, The Arden Shakespeare, 2001, pp. 7-8 en particulier.

2. *Comme il vous plaira*, IV, III, 76-80.

Boiardo, avant d'être empruntée par l'Arioste à sa suite pour son Orlando furioso[1]. *Elle figure en toutes lettres dans le titre d'un sonnet de Pétrarque, de 1347, le sonnet CLXXVI :* « *En traversant la Forêt d'Ardenne* ». *Pétrarque s'attend à entrer dans un lieu repoussant,* « *au milieu des bois inhospitaliers et sauvages[2]* », *selon l'esthétique du paysage alors dominante. Mais pour le poète de la* « *blessure d'amour* », *ce* locus horridus *qui devrait s'opposer à l'espace riant de verts paysages, au* locus amoenus, *selon l'antithèse inévitable de l'imaginaire classique, devient paradoxalement le lieu refuge pour y vivre son mal. L'amant meurtri ne cherche plus les aménités d'un jardin mais l'espace sans qualité,* locus secretus[3], *à l'écart de tous, requis par la nouvelle sensibilité, celle de la* voluptas dolendi, *du plaisir de souffrir qui va associer pour les siècles à venir pétrarquisme et mélancolie et modifier, voire renverser, la perception du paysage :* « *Jamais le silence et l'horreur solitaire / d'une ombreuse forêt ne me plurent autant[4].* »

Même lorsqu'on découvre, dans la forêt de Comme il vous plaira, *un duc banni assimilé à la figure du rebelle Robin des Bois, figure anglaise s'il en est, trouvant son bonheur par-delà la mélancolie dans un nouvel âge d'or mis en chansons, c'est encore de réécri-*

---

1. Chant XLII, v. 44.
2. Pétrarque, *Canzoniere*, Gallimard, « Poésie », 1983, p. 151.
3. Voir Hervé Brunon, « *Locus secretus* : topique et topophilie », in *Petrarca e i suoi luoghi. Spazi reali e paesaggi poetici alle origini del moderno senso della natura*, éds. Domenico Luciani et Monique Mosser, Trévise, Edizioni Fondazione Benetton Studi Ricerche / Canova, coll. « Memorie », 2009, pp. 41-55.
4. Pétrarque, *ibid.*

*ture qu'il s'agit. Non seulement la « scène » est déjà
toute prête depuis le* Conte de Gamelin *où le jeune
fugitif était accueilli dans les bois par des hors-la-loi,
leur roi lui offrant d'abord à manger et à boire, en
accueillant aussi Adam le serviteur. Mais d'autres échos
littéraires, dans* Pierre le laboureur *(*Piers Plowman,
1377) *de William Langland, annonçaient les chansons
en Arden : « Je ne connais pas les patenôtres que chante
le prêtre / Mais je connais les chansons de Robin des
Bois[1]. » Cette réécriture est sans doute plus encore sti-
mulée par ce qui se passe sur une scène rivale, au théâtre
de la Rose, vers 1598, où les « Comédiens de l'Amiral »
jouent deux pièces d'Antony Munday,* La Chute de
Robert, duc d'Huntington, *puis sa* Mort, *la figure
centrale, ce duc Robert, étant l'ultime avatar du mythique
rebelle, Robin des Bois.*

« Une tenace fièvre d'amour »

*Toutes ces péripéties pathétiques qui manquent tour-
ner au tragique dans le conte et dans la pastorale se
retrouvent dans* Comme il vous plaira, *fournissant à
Shakespeare l'occasion de se conformer à une norme
au moins de la structure comique telle que l'a déjà for-
mulée John Lydgate : passer d'un triste commencement
à un heureux dénouement[2]. Encore fallait-il quelque
personnage de légende à la fois héroïque et amoureux*

---

1. *Piers Plowman*, Passus V, vers 395-396.
2. Dans son histoire de Troie, *Troy Book*, II, 847-851, terminé vers
1420, publié en 1513.

*pour y subir pareilles aventures et y braver pareil exil.
Le frère aîné, Saladin chez Lodge, devient Olivier chez
Shakespeare, sans y retrouver toute la noblesse rega-
gnée par sa bravoure dans le texte de Lodge, selon le
code chevaleresque inhérent à la littérature pastorale ;
mais il permet au frère cadet, le Rosader de Lodge,
de devenir Orlando, soit pour rester associé à Olivier
comme le preux Roland à Roncevaux, et proche ainsi
de l'esprit, sinon de la lettre, de la chanson de geste, soit,
pour emprunter à héros plus romanesque encore, le plus
célèbre de la littérature européenne au XVIᵉ siècle, l'Orlando de l'Arioste dans son* Orlando furioso, *publié
entre 1516 et 1532, qui faisait suite au non moins
célèbre poème de Matteo Boiardo,* Orlando innamorato, *publié incomplet en 1483. À moins que le nom ne
lui vienne à nouveau de la scène contemporaine et
d'une pièce de Robert Greene publiée et peut-être jouée
en 1592,* L'Histoire d'Orlando furioso.

*Le poète Thomas Wyatt, par ses traductions et ses
imitations de Pétrarque, avait déjà familiarisé l'Angleterre dès avant 1540 avec la* voluptas dolendi *de
l'amant meurtri et la forme concise du sonnet. La
« maladie élisabéthaine[1] », la mélancolie, se reconnais-
sait, comme partout en Europe, dans les formes poétiques et dans la psychologie du poète italien de
l'oxymore et de la contradiction, toujours entre dépres-
sion et exaltation : « Je crains, espère, brûle, en la glace
gelé », écrivait Wyatt, traduisant le sonnet* CXXXIV *de*

---

1. Cf. l'étude pionnière de Lawrence Babb, *The Elizabethan Malady.
A Study of English Literature from 1580 to 1642*, Michigan State College
Press, 1951.

Pétrarque, « Je vole aux plus hauts lieux, mais ne peux m'envoler », ou, plaisir du déplaisir, « Je me repais de pleurs et ris de mon chagrin[1] *».*

*Inséparable de cette mélancolie perpétuée par trois siècles de pétrarquisme, l'*Innamorato *fait partie de l'iconographie poétique ou graphique au XVIᵉ siècle, y compris comme personnage obligé de la commedia dell'arte, et jusqu'à l'édition plus tardive de l'*Anatomie de la Mélancolie *de Robert Burton, où un frontispice, en 1632, le montre encore comme illustration principale du mélancolique, le regard ombrageux maintenu dans l'obscurité par un vaste chapeau et les bras croisés, comme ligotés par l'inhibition.*

Il se devait d'apparaître comme tel dans la Rosalynde *de Lodge : sous les traits de Rosader, en Forêt d'Ardenne, la dégradation de la « passion mélancolique » qu'il subit saute aux yeux de Rosalynde et d'Alinda qui voient « le changement soudain de son apparence, ses bras croisés » en entendant « ses soupirs passionnés ». Dès sa victoire remportée contre le lutteur, Rosader remercie Rosalynde pour l'envoi d'un joyau en décrivant dans un sonnet ses yeux comme deux soleils, métaphore pétrarquiste s'il en est. Le sonnet, après le blason hyperbolique de Rosalynde, se termine sur la non moins hyperbolique prise de conscience du malheur d'aimer puisque les circonstances désormais éloignent les amants, qui ne savent pas encore qu'ils se retrouveront en Ardenne.*

Shakespeare, qui écrit avec un sens iconique des

---

1. Thomas Wyatt (1503-1542), in *Tottel's Miscellany*, 1557.

*positions de ses acteurs en scène, radicalise pour son Orlando la pétrification de l'*Innamorato. *Non sans un regard ironique sur l'iconographie devenue cliché, sous couvert des reproches taquins que Rosalinde travestie en Ganymède fait à Orlando en relevant l'absence sur lui des signes de la passion amoureuse :* « Une joue creuse, que vous n'avez pas ; un œil cave et cerné, que vous n'avez pas ; un esprit taciturne, que vous n'avez pas », *dessinant au passage la graphie attendue de l'*Innamorato — « vos chausses devraient être sans jarretières, votre chapeau sans rubans, vos manches déboutonnées, votre soulier délacé, tout en vous traduisant l'abandon et le désespoir[1]. » *Elle voudra bien malgré tout tenter de guérir celui qui* « semble avoir en lui une tenace fièvre d'amour[2] ».

Pourtant, recevant une chaîne après le combat des mains de Rosalinde, loin de pouvoir écrire un poème, Orlando ne peut pas même dire « Je vous remercie » : « Le meilleur de moi-même / Est terrassé ; ce qui reste debout / N'est qu'une quintaine, un bloc de bois sans vie. » *La* Rosalynde *de Lodge, avec devant elle le dédale des interprétations narratives qu'offrait l'écriture romanesque, se donnait le temps de vérifier l'authenticité des déclarations de Rosader ; la Rosalinde de Shakespeare, dans le temps plus immédiat de l'écriture dramatique, tombe victime symétrique par la graphie d'un même mot* — « terrassé » — *au cours de la lutte engagée contre Charles, osant l'aveu :* « Monsieur, vous

---

1. *Comme il vous plaira*, III, ii, 382-386, cliché qui inspire Ophélie décrivant Hamlet hagard et les vêtements défaits (*Hamlet*, II, i, 77-83).
2. *Comme il vous plaira*, III, ii, 368-369.

*avez bien lutté, et vous avez terrassé / Plus que vos
ennemis*[1]. »

Cette même mélancolie amoureuse, Lodge l'explore
sous les formes variées d'écriture poétique qui sont
propres à cette tradition. Ce peut être la plainte répétée
du berger éconduit, Montanus, poème qu'il nomme
« passion », mot venu de la théorie des humeurs mais
tout près de ne plus devoir servir qu'à la passion amoureuse. Ce peut être aussi le style délicieusement musical
du madrigal de Rosalynde : dans un moment de soli-
tude, elle confie à son luth, dans des accents eux-mêmes
aériens, combien l'amour est léger comme l'abeille, même
lorsqu'il lui perce le cœur de son aiguillon. Shakespeare
y ajoute des formes graphiques avec l'à-propos moqueur qui caractérise son théâtre : quand Célia, dans la
comédie, décrit un Orlando enfin identifié, on pourrait
le confondre avec quelque portrait de Henry Percy par
Nicholas Hilliard[2] le montrant dans la position héritée
de siècles de représentations de l'humeur mélancolique
— « Il était là, étendu de tout son long, comme un chevalier blessé[3]. »

Le contexte maniériste de cette fin du XVIe siècle
réserve toutefois des surprises même dans les situations
apparemment les plus figées et les dialogues les mieux
rodés transmis par l'héritage pétrarquiste. L'Innamorato qui s'égare en Forêt d'Ardenne ignore tout de ce

---

1. *Ibid.*, I, II, 251-252.
2. Portrait de 1592 (Rijksmuseum, Amsterdam), voir aussi Raymond
Klibansky, Erwin Panofsky, et Fritz Saxl, *Saturne et la Mélancolie*, [1964],
Gallimard, Bibliothèque des Histoires, 1989, et les multiples exemples
de cette position, en particulier les figures 45, 46 et 47, pp. 336-337.
3. *Comme il vous plaira*, III, II, 248-249.

qui s'est préparé dès la pastorale de Lodge et se continue dans Comme il vous plaira, *où deux audacieuses jeunes filles, s'émancipant de l'arbitraire d'un duc et père usurpateur, ont préféré la liberté de l'exil malgré ses dangers, dont elles se protègent par le déguisement. L'une, déjà « la plus grande*[1] *» dans Lodge, se travestit en garçon, l'autre en bergère, et leurs identités fictives, Ganymède pour Rosalynde et Aliéna pour sa cousine, passeront de la pastorale dans la comédie sans changement. Comme passe aussi, avec la « fièvre d'amour », l'idée venue à la Rosalynde de Lodge de se faire courtiser sous les traits de Ganymède avec pour prétexte d'aider son amant à guérir.*

L'Innamorato, *qu'il se nomme Rosader ou Orlando, ne trouvera de fait la « guérison » à sa blessure amoureuse qu'en acceptant la « cure » proprement renversante que lui proposent Lodge et Shakespeare, dans l'esprit de subversion maniériste qui fait suite à des siècles de convention de la « cour » amoureuse : dans la pastorale comme dans la comédie, l'*Innamorato *devra faire sa cour d'amour à un garçon* — O tempora, o mores ! — *et un garçon* — horresco referens ! — *qui dit s'appeler Ganymède, nom déjà lourd de sous-entendus littéraires : enlevé par un Jupiter « brûlant d'amour » pour cet éphèbe de Phrygie dans la dixième* Métamorphose *d'Ovide, Ganymède devient le fidèle échanson du dieu en son Olympe et grand symbole des amours homophiles.*

La comédie, en gardant de la pastorale l'astucieux stratagème de la « cure » d'amour pour sa Rosalinde, y

---

1. Sur la taille de Rosalinde, et la probable erreur de copiste ou de Shakespeare lui-même, voir dans la partie des notes, la n. 1, p. 123.

*gagne ainsi un aspect non encore intégré aux normes
littéraires à cette date*[1] *mais déjà latent dans la* Poétique *d'Aristote : celui d'une catharsis. Non celle qui
sera réservée à la tragédie par les graves théoriciens
de l'aristotélisme au théâtre, mais celle qui, comme ici,
sous couvert de « cure » à l'issue heureuse, paraît en
catharsis comique pour le moins imprévue. La comédie
en conserve aussi ce qui séduit la génération maniériste,
de Lodge à Shakespeare, en passant par Lyly : jouir des
incertitudes du genre et des ambiguïtés du désir grâce à
des personnages androgynes capables de changer d'apparence sexuelle sans heurt. Même dans la très vertueuse
pastorale protestante de Sir Philip Sidney,* L'Arcadie*,
elle aussi publiée en 1590, l'auteur sacrifie à l'éros
maniériste et ses amants ne trouvent à s'aimer que sous
l'apparence du sexe identique conféré par le travestissement, l'homme ayant ici à paraître en femme, fût-elle
une amazone*[2].

« Que me diriez-vous, à présent,
si j'étais votre vraie, vraie Rosalinde ? »

*Shakespeare, le premier, pour avoir été ou être encore
acteur*[3], *quand il écrit* Comme il vous plaira, *sait*

---

1. L'utilisation de la *Poétique* d'Aristote comme source normative
pour le théâtre est en fait tardive, malgré la bonne connaissance qu'en
transmet Sir Philip Sidney dans son *Éloge de la poésie*, publiée en 1595,
après la mort du poète en 1586.
2. Dans *L'Arcadie* de Sidney (livre I), le prince Pyrocles part à la
recherche de celle qu'il aime, Philoclea, en se déguisant en amazone
sous le nom de Cleophilia.
3. La légende voudrait que Shakespeare ait joué le rôle d'Adam dans
Comme il vous plaira, voir *infra*, la Notice, p. 469.

combien sont peu crédibles les jeux de masques au
théâtre en termes de « ressemblance » réaliste et ce qu'il
faut de complicité entre l'auteur et son public pour
laisser croire qu'on y croit. À moins que le jeu soit de
n'en rien croire et d'en faire un artifice de plus dans
l'art du détournement maniériste où auteur et public
sont de connivence dans la manipulation des leurres.

Le dramaturge a saisi tout le parti à tirer du travestissement de la Rosalynde de Lodge en Ganymède,
matière qu'il va tourner à sa manière en exploitant
toutes les possibilités de mettre en abyme dans sa comédie
son propre art d'écrire des comédies. Il cultive par là
même au passage une donnée de son théâtre, « le degré
d'incertitude sexuelle dont le corps [de l'acteur] révèle
la poésie », un corps « à même de franchir les frontières,
de glisser d'un sexe à l'autre sur fond d'évidence de la
convention théâtrale[1] ». Il en abuse jusque dans l'épilogue où il feint encore de n'en rien décider — « Ce
n'est pas l'habitude de voir la dame dire l'épilogue »
— pour lui faire enchaîner comme si de rien n'était :
« Si j'étais une femme…[2] ». Il sait quel « signe économe
de féminité » suffit au théâtre pour se faire femme :
« accrocher les diamants de deux boucles d'oreilles », ou
plutôt, puisque l'esprit est à la rusticité pastorale, se
coiffer d'un chapeau de paille, comme l'a fait Adrian
Lester pour changer le jeune acteur noir qu'il était en
une « vraie » Rosalinde[3].

---

1. George Banu, *Les Voyages du comédien*, Gallimard, « Pratique du
théâtre », 2012, p. 116.
2. *Comme il vous plaira*, V, Épilogue, 1 ; 19.
3. Georges Banu, *op. cit.*, p. 120, donne l'exemple d'un acteur japo-

Ce même principe du « signe économe » au théâtre se contentera d'un « appui concret minimal[1] » — un pourpoint et des chausses — pour faire inversement d'une femme un homme, quitte à susciter la taquinerie de l'auteur envers son personnage — et son public — quand la « vraie » Rosalinde s'affolera de savoir Orlando enfin tout près d'elle dans la forêt mais — « Malheureux jour » — plus que jamais en fait inaccessible : « que vais-je faire de mon pourpoint et de mes chausses[2] ? ». Car comment paraître en cet accoutrement après que des siècles d'interdit sur le travestissement en homme, encore passible de peines redoutables, l'ont rendu « impudique » et « indécent » pour une femme ? Comment paraître en effet sinon en dissimulant ce qu'elle est sous le plus paradoxal des masques — en simulant qu'elle est Rosalinde sous ses habits de Ganymède ? Ce qui est détresse pour Rosalinde est jubilation pour son créateur : la représentation devient anneau de Möbius qui n'en finit pas de se retourner sur elle-même, sans envers ni endroit. « Que me diriez-vous, à présent, si j'étais votre vraie, vraie Rosalinde ? » dira la « vraie » Rosalinde sous l'habit trompeur de Ganymède à un Orlando qui ne verra en elle, jusqu'au dénouement, qu'un garçon, heureuse convention du théâtre. Et « pain bénit[3] », Shakespeare le dit lui-même, à qui veut semer le trouble dans les jeux de l'amour sans jamais cesser d'aimer,

nais ou celui de Lester dans la mise en scène de Declan Donellan (voir *infra*, Notice, p. 440).

1. *Ibid.*
2. *Comme il vous plaira*, III, ii, 226-227.
3. *Comme il vous plaira*, IV, i, 72-73 ; et III, iv, 14.

puisque la seule cour d'amour représentée se fera
« d'homme à homme ».

À peine le soupçon affleure-t-il tardivement que le
masque de Ganymède aurait pu laisser transparaître
quelque autre identité. « *Je trouve sur le visage de ce
jeune berger / Certains traits de ressemblance avec ma
fille* », dit un père qui se souvient enfin, comme déjà
celui de Lodge, tandis que sa remarque autorise celle
d'Orlando : « *la première fois que je l'ai vu, / J'ai cru
que c'était un frère de votre fille* », intuitions dont ni
l'un ni l'autre n'auront à se servir tant le dénouement
est imminent. Le spectateur n'en aura cure sinon pour
sourire d'ironique tendresse devant ces spectateurs sur
scène qui cessent d'être pris au jeu des leurres quand ces
leurres mêmes ne sont plus nécessaires. Non sans avoir
produit de quoi sourire encore en aparté quand le
langage et le rire se mêlent aussi de jouer à l'anneau de
Möbius, comme lorsque ce père, le Duc, demande à
Rosalinde en Ganymède quelle est sa famille : « *je lui ai
dit qu'elle était aussi bonne que la sienne. Là-dessus il
a ri et m'a laissé partir*[1] ».

Car Shakespeare s'amuse tout au long de sa comédie
à mettre en évidence — ou en danger — le masque
même que s'est choisi Rosalinde, en faisant jouer les
clichés culturels sur lesquels repose la « vraisemblance »
même du travestissement, mais que tout brouillage du
cliché met en danger de ne plus rien masquer : « *Je
pourrais découvrir dans mon cœur de quoi déshonorer
mon costume d'homme et pleurer comme une femme* »,

1. *Ibid.*, V, IV, 28-29 et III, IV, 36-37.

soupire la « *vraie* » *Rosalinde, si ce n'est que son* « *rôle* »
en Ganymède la contraint à protéger plus « *femme* »
*qu'elle, sauvant ainsi sinon la face, du moins celle du
masque* : « *je dois secourir le vase le plus fragile, puisque
pourpoint et hauts-de-chausses doivent montrer au
jupon l'exemple du courage* ». *Ce que le vase fragile*[1],
*Célia, auquel elle se confie plus loin lors du premier
retard d'Orlando —* « *Ne me parle plus, je vais pleurer* » *— ne manque pas de lui rappeler* : « *Pleure donc,
je te prie, mais fais-moi la grâce de considérer que les
larmes sont indignes d'un homme*[2]. »

*Et puisque cliché il y a sans lequel il n'y aurait pas
de masque au théâtre, autant en profiter pour le détourner de surcroît en satire des clichés de l'éternel féminin.
Rosalinde peut se montrer ouvertement misogyne à la
manière des satiriques puisque ce n'est encore que travestissement de soi quand c'est elle qui parle : à Orlando
idéalisant sa* « *vraie* » *Rosalinde, celle-ci, en* « *fausse* »
*Rosalinde, oppose la pseudo-vérité sur les humeurs ver-
satiles de la femme —* « *Je pleurerai pour un rien,
comme Diane à la fontaine, et ce, quand vous serez
disposé à la gaieté*[3] ». *Façon de revendiquer sa liberté de
contrarier l'idéalisation pétrarquiste, à la manière des
nymphes de John Lyly dans sa* Métamorphose de
l'amour[4], *écrite vers 1590 et publiée en 1601, qui
préviennent toute attente conventionnelle de perfection*

---

1. Iʳᵉ épître de Pierre, III, 7, pour décrire « la faiblesse plus grande du
sexe féminin » comparée à l'homme.
2. *Comme il vous plaira*, II, ɪᴠ, 5-7 ; III, ɪᴠ, 2-3.
3. *Ibid.*, ɪᴠ, ɪ, 156-157.
4. Lyly utilise la *Métamorphose* ᴠɪɪɪ d'Ovide, où l'âge d'or est per-
turbé par un humain destructeur, Erysichthon.

chez leurs amants transis en revendiquant les psycholo-
gies les plus déroutantes. Façon aussi pour Shakespeare
de reprendre dans le partage complice avec le spectateur
la « querelle des femmes » médiévale qu'avait renou-
velée le très maniériste Castiglione, leur maître à tous,
en usant de la mise en miroir favorisée par le dialogue,
dans son Livre III du Courtisan, *pour confronter le*
misogyne seigneur Gasparo et l'amoureux du genre
féminin, Julien le Magnifique.

   Le cliché culmine, nouvel effet de l'anneau de Möbius,
lorsque le masque menace de tomber en même temps
que tombe évanouie une Rosalinde oubliant qu'elle est
homme devant le mouchoir taché du sang d'Orlando.
Le romanesque de la scène, cumulant la reconnaissance
des deux frères ennemis, l'héroïsme d'Orlando, sa géné-
rosité chevaleresque envers son frère malgré ses ten-
tations de le laisser à ses monstres, sa blessure, son
propre évanouissement avant celui de sa Rosalinde,
avait déjà sans doute séduit les lecteurs de la Rosalynde *de Lodge, comme il séduira des générations de*
Margots qui, à partir de 1740, date de la première
représentation connue de Comme il vous plaira, *iront*
au théâtre pour y pleurer, n'y voyant plus les motifs
d'en rire ou d'en sourire qu'avaient les maniéristes.
Shakespeare en a pourtant profité au passage pour en
faire un jeu de masques supplémentaire où chaque mot
menace de démasquer tout en cherchant à masquer
davantage, pour le plus grand bonheur d'un spectateur
dans la confidence qui s'entend dire que jouer la comédie
devrait masquer qu'il n'y a pas eu de comédie : « Votre

frère vous a-t-il raconté comme j'ai bien joué la comédie de l'évanouissement[1] *? »*

« Prends soin de m'appeler Ganymède »

Shakespeare va mettre d'autant plus de jubilation à jouer avec ses masques qu'il ne dispose pas de comédiennes pour jouer les rôles féminins dans son théâtre et que le jeu des travestis, avec la montée en puissance du puritanisme, est plus que jamais une infraction à la morale. Un pamphlétaire protestant déchaîné contre les théâtres, Stephen Gosson, en appelle à « la loi de Dieu[2] *» interdisant aux femmes comme aux hommes de revêtir l'habit du sexe opposé, les vêtements se devant d'être « des signes distinctifs entre sexe et sexe », le pire, plus que de porter des vêtements de femme quand on est homme, étant pour le pamphlétaire « l'abomination d'en imiter les gestes*[3] *». Quant aux femmes, l'abomination dépasserait sans doute toutes bornes de les voir s'imiter elles-mêmes tant la misogynie ancestrale a fait de ces filles d'Ève des corruptrices en tout ce qu'elles font. Shakespeare ne s'amuse-t-il pas à confier à sa Rosalinde elle-même la condamnation de ces créatures qui « donnent toujours le démenti à leur conscience*[4] *» — et à leurs amants — même pour avouer qu'elles*

1. *Ibid.* V, II, 27-28.
2. Deutéronome, XXII, 5.
3. Stephen Gosson, *Plays Confuted in Five Actions*, 1582, cité *in* Glynne Wickham *et al.*, *English Professional Theatre, 1530-1660*, Cambridge, Cambridge University Press, p. 165.
4. *Comme il vous plaira*, III, II, 395-396.

*aiment — ce qu'elle fera sous couvert de vouloir « guérir »
son Orlando de la « maladie d'amour » ? Quitte à
laisser Rosalinde abuser d'un autre masque, « un vieil
oncle », pour renforcer son témoignage misogyne et sans
fin mettre en abyme ce qu'elle est dans ce qu'elle ne
saurait accepter d'être : « je remercie Dieu de ne pas
être une femme, pour ne pas être atteint par les défauts
et les folies qu'il reprochait au sexe[1]. »*

*En Angleterre, seuls les Italiens de la commedia
dell'arte donnent les rôles féminins à des femmes, d'où
l'attaque d'un autre pamphlétaire calviniste, Thomas
Nashe, qui, dans sa passion de convaincre que le théâtre
est le plus pernicieux des divertissements, pourfend ces
troupes italiennes faites « d'un Pantalon, d'une Débauchée, et d'un Bouffon ». Il leur préfère sans en sourire la
solution anglaise du recours à de jeunes garçons ou à
des hommes travestis pour ces rôles féminins afin d'éviter
« l'impudeur des mots ou l'indécence des gestes[2] ».
Ce même Thomas Nashe, qui voyait se lever de « la
tombe de l'oubli » des équipages entiers d'hommes virils
pour faire revivre en scène les grandes « Chroniques
anglaises[3] » et leurs mâles vertus, avait-il prévu le cas
de Ganymède ?*

1. *Ibid.*, III, ɪɪ, 347 et 351-353. Sur les jeux vertigineux de Shakespeare avec le genre, voir Stephen Orgel, *Impersonations : The Performance of Gender in Shakespeare's England*, Cambridge, Cambridge
University Press, 1997.

2. Thomas Nashe, *Pierre Sans-le-Sou (Pierce Pennilesse)*, 1592, cité *in*
Glynne Wickham *et al.*, *English Professional Theatre, 1530-1660*, *op. cit.*,
p. 171.

3. En 1592, Shakespeare a tout au plus écrit l'une des trois parties
de *Henry VI*, première des *Histoires* inspirées des « Chroniques », de
Holinshed en particulier.

Clin d'œil à son public, ou réflexe de l'inconscient, Shakespeare, qui l'a trouvé déjà tout prénommé dans la pastorale de Lodge, l'assume en connaissance de cause en faisant dire à Rosalinde : « Je ne veux pas un moindre nom que celui du page de Jupiter, / Aussi prends soin de m'appeler Ganymède[1]. » Il s'en divertit à plusieurs reprises dans son texte tant « l'Éros maniériste, sexuellement ambivalent, est hanté par les délicates figures de l'inversion[2] ». À ce prétendu Ganymède qui lui demande de le suivre, Orlando répond naïvement sinon sans ambiguïté : « De tout mon cœur, gentil garçon », tandis que la « vraie » Rosalinde, parlant incognito sous cet habit d'emprunt, peut s'amuser de son aveuglement et rappeler la convention de la cure — ou cour — amoureuse : « Non, il faut m'appeler Rosalinde[3]. » Les spectateurs, quant à eux, la sachant redevenue garçon, de garçon qu'elle était sous ses habits de fille, n'ont plus qu'à en sourire, sinon même à en jouir : le nom seul de Ganymède, si penchant ils ont pour les « gentils garçons » de son espèce, connus pour faire commerce de leur charme androgyne[4], impliquerait qu'on le suive.

Et quand Célia déguisée en Aliéna mais garçon tout

---

1. *Comme il vous plaira*, I, III, 122-123.
2. Gisèle Mathieu-Castellani, « Vision baroque, vision maniériste », *Études Epistémè* n° 9, 2006, p. 40.
3. *Comme il vous plaira*, III, II, 441.
4. « Ganymède » s'est déformé en « catamite », jeune mâle débauché vendant ses charmes, sens attesté dès 1593. Phillip Stubbes, dans *Anatomy of Abuses in England* (1583), dénonce les pratiques à la sortie des théâtres où « chacun raccompagne amicalement quelque autre et dans leurs conclaves secrets jouent les sodomites et les prostitués », éd. F. J. Furnivall, 1877-1879, pp. 144-145.

*de même prend le relais de Shakespeare dans le style
ambigu et espiègle, le cas devient pendable sous couvert
d'insolence poétique. Célia sait ce que suivre veut dire :
elle a suivi sa chère Rosalinde en exil, avec pour motif
raisonnable aux yeux d'un maniériste l'amour fou du
même pour le même, nourri dès le berceau : « Jamais
deux femmes ne se sont tant aimées[1]. » Comme déjà
dans* Le Songe d'une nuit d'été *Héléna et Hermia
s'étaient aimées telles des cerises jumelles depuis l'enfance avant que des amoureux ne provoquent un diffé-
rend — et une différence : l'une se découvre la plus
grande et l'autre la plus petite.*

Dans Comme il vous plaira, *Shakespeare reprend
la différence des tailles déjà alléguée par Lodge pour
donner à Rosalynde le rôle de Ganymède, un Lodge
lui-même hanté par les amours maniéristes de sa génération : admirateur de Lyly, il avait pu y trouver nombre
de couples homophiles, au moins le temps d'un exil et
du travestissement qu'il entraîne, comme dans* Galathée,
*et en tout cas toujours un Ganymède vu ou nommé dans
chacune. Petit supplément de sentiment dans* Comme
il vous plaira, *même si tout sentimentalisme est esca-
moté par l'emboîtement de la réplique dans une scène
acariâtre où deux mélancoliques ne cherchent qu'à
s'éviter : à Jaques[2], l'atrabilaire qui demande si Rosa-*

---

1. *Comme il vous plaira*, I, I, 116.
2. L'orthographe « Jaques » de l'*in-folio* est traditionnelle pour ce
personnage et explique un jeu de mots probable avec « Ajax » et *a jakes*,
voir Notice p. 422. Mais le troisième frère de Boys, dont le nom apparaît en I, I, 5, s'orthographie parfois Jacques à la française, dans le
contexte de cette pièce censée se passer en France.

linde est grande, Orlando répond : « Elle m'arrive au cœur[1]. »

Le ton n'en est pas moins railleur lorsque Rosalinde assaille de questions sa Célia pour lui faire dire comment elle a trouvé Orlando. Pierre de Touche venait d'ironiser sur l'aspect gustatif du « fruit » qu'est Rosalinde en parodiant des rimes : « Écorce amère, douce aveline / Cette noisette est Rosalinde[2]. » Célia enchaîne sur le ton du bouffon pour décrire Orlando avec gourmandise : « déguste le récit de cette découverte, et savoure-le avec une attention scrupuleuse. Je l'ai trouvé sous un arbre, comme un gland qui vient de tomber ». Freud n'aurait pas manqué sans doute de chercher dans le jeu d'esprit quelque rapport avec l'inconscient — les rires des spectateurs en témoignent : la « vraie » Rosalinde, oubliant à force de trop bien connaître ses classiques qu'elle est aussi Ganymède, rappelle étourdiment les liens de cet éphèbe et du dieu de l'Olympe : « On peut bien dire que c'est l'arbre de Jupiter s'il laisse choir de tels fruits[3]. »

Par l'effet loupe d'un dialogue « d'homme à homme », Rosalinde en Ganymède peut jouer la connivence et témoigner du bien-fondé de l'ancestrale misogynie, reprenant à son compte les plaisanteries de Pierre de Touche sur les cornes des maris, à l'occasion des cornes de l'escargot, provoquant chez Orlando le recours à la « vertu » de sa Rosalinde pour se protéger de toute désillusion, et chez Rosalinde le retour à son masque :

1. *Ibid.*, III, ɪɪ, 277.
2. *Ibid.*, III, ɪɪ, 115-116.
3. *Ibid.*, III, ɪɪ, 245.

« *Et je suis votre Rosalinde* » *pour le garder près d'elle.
Non sans provoquer au passage un nouveau vertige
dans le brouillage des genres : Ganymède est censé se
décrire imitant une femme pour paraître* « *efféminé,
changeant, fantasque, maniéré, léger* », *bref, si bien jouer
la femme qu'il nous amène au constat que* « *garçons et
femmes sont bétail de cette espèce* », *autant dire de
même espèce, de l'espèce androgyne. Mais un nouvel
effet loupe est favorisé par la versatilité de ce dialogue,
cette fois* « *de femme à femme* ». *Déjà Alinda dans la
pastorale de Lodge promettait les pires sévices à une
Rosalynde par trop misogyne sous l'habit de Ganymède,
menaçant de lui ôter son costume de page pour la
fouetter d'orties comme Vénus corrigeait son rejeton
Cupidon. Dans la comédie, Célia tance aussi Rosalinde
pour son discours misogyne :* «*Vous avez proprement
diffamé notre sexe dans votre bavardage* », *proférant
une nouvelle menace pour le masque : lui ôter l'habit de
Ganymède afin de* « *montrer au monde ce que l'oiseau
a fait à son propre nid*[1] ». *On songe aux humiliations
que Ganymède aura encore à subir sous le pinceau des
moralistes, dont la moindre n'est pas ce que l'humeur
scatologique d'un Rembrandt lui infligera dans un
tableau de 1635,* Le Rapt de Ganymède[2], *possible*

---

1. *Comme il vous plaira*, IV, I, 206-207 et IV, I, 208-209. Lodge utilise
la même image de l'oiseau et du nid dans ces mêmes circonstances
pour sa *Rosalynde*.
2. Voir Patrick Absalon, dans « Mythe et drame personnel : *Le Rapt
de Ganymède* de Rembrandt (1635, Gemäldegalerie, Dresde) » in *Ganymède ou l'Échanson : rapt, ravissement et ivresse poétique*, Véronique Gély
(dir.), PUF, 2008, pp. 165-177. Il rappelle aussi les mots d'un historien
d'art du XIXᵉ siècle refusant de commenter cette œuvre dans laquelle il

reprise en main à cette date d'un classicisme qui a déjà commencé à exercer ses effets à l'encontre des exubérantes libertés maniéristes où Ganymède était roi.

« C'est le jeune Orlando »

Shakespeare, sous couvert de travestissement et du doute qu'il entretient sur l'appartenance à un sexe trop bien défini, continue de jouer avec les propres conditions de son théâtre et les ambiguïtés androgynes de ses jeunes comédiens. Ovide, le maître en poésie maniériste, en avait déjà proposé l'idéal lorsqu'il décrivait le délicat féminin-masculin d'une chasseresse, Atalante[1], avant qu'elle ne s'enfonce dans la profondeur hostile d'une forêt : « visage de fille chez un garçon ou de garçon chez une fille[2] ». Et ce qu'Orlando voudra garder pour son « blason » de Rosalinde, c'est « d'Atalante le meilleur[3] ».

Sur le mode narquois qui est le sien, Shakespeare plaisante sur la jeunesse de ses acteurs auxquels la barbe poussera bientôt, les privant de jouer sans fard les rôles féminins. Ainsi le bouffon Pierre de Touche dit-il à

---

ne voulait voir qu'une « plaisanterie un peu grasse de quelque Lucien du Nord s'égayant sur l'Olympe ».

1. Deux fois nommée dans *Comme il vous plaira*, III, ii, 153 et 284, mais sans référence à ce passage d'Ovide où d'ailleurs son nom n'est pas explicitement utilisé.

2. Ovide, *Métamorphose* VIII, vers 323. Voir Yves Peyré, « *"Femmina masculo e masculo femmina"* : Shakespeare's Reworking of the Myth of Ganymede », in Agnès Lafont (éd.), *Shakespeare's Erotic Mythology and Ovidian Renaissance Culture*, Aldershot, Ashgate, 2013.

3. *Comme il vous plaira*, III, ii, 153.

Rosalinde et à Célia : « *Approchez toutes deux : caressez-vous le menton, et jurez sur vos barbes que je suis
une crapule* », *plaisanterie qui, bien retournée, garantit
l'apparence sinon la réalité de leurs joues lisses* — « *Sur
nos barbes, si nous en avions, tu en es une.* » *Et dans les
derniers mots de l'épilogue, l'auteur met encore une
dernière fois sa Rosalinde en porte à faux entre deux
sexes :* « *Si j'étais une femme, j'embrasserais tous ceux
d'entre vous qui ont des barbes qui me plaisent*[1]. »

*Mais quand elle était homme ? Elle n'embrassera
pas la barbe d'Orlando. Quelle que soit son attente —
« Quelle sorte d'homme est-il ? Sa tête vaut-elle un
chapeau et son menton une barbe ? » —, la seule réponse
en est :* « *pas beaucoup de barbe* ». *Elle-même, taqui-
nant cet amant imberbe pour son incapacité à exhiber
les signes extérieurs de la* « *fièvre d'amour* », *dont* « *une
barbe négligée* », *doit se résoudre à le constater :* « *ce que
vous avez de barbe n'est que le revenu d'un frère
cadet* », *remarque cocasse à un Orlando, cadet réduit à
la misère par abus du droit d'aînesse de son frère. Mais
Shakespeare qui prête une patience imprévue à la si
impatiente Rosalinde —* « *je veux bien attendre que la
barbe lui pousse* » — *la laisserait-il si facilement faire
douter de la virilité de son Orlando ? Ou bien sa fugi-
tive inquiétude —* « *A-t-il l'air aussi vigoureux que le
jour où il a lutté*[2] ? » — *est-elle là pour rappeler au
contraire que selon l'esthétique maniériste, la force de la
virilité — celle qui avait fait d'Orlando le vainqueur*

---

1. *Ibid.*, I, ɪɪ, 73 ; V, Épilogue, 19-20.
2. *Comme il vous plaira*, III, ɪɪ, 381-382 ; 217 ; 238-239.

*du « robuste gaillard » qu'était le lutteur Charles —
n'a rien à voir avec la brutalité de l'apparence et peut
s'allier à un imberbe visage d'ange, comme Léonard de
Vinci, dans un dessin de 1513, avait pu donner un
sourire de Joconde ou de saint Jean-Baptiste à son
priapique Ange incarné[1] ?*

*Pour compléter notre perception du jeune héros qui
s'était montré capable, en effet contre toute attente au
vu de son extrême jeunesse, de renverser dès le premier
engagement un lutteur qui venait de tuer « trois jeunes
gens bien tournés », Shakespeare ne lui prête-t-il pas,
par la voix de Célia, des lèvres si souvent vues dans la
peinture maniériste — « Il tient de Diane une paire de
lèvres moulées sur les siennes[2] » ? Il y aurait tout lieu de
dire à ce propos : « Dis-moi quelle figure mythologique
te hante, je te dirai qui tu es[3]. » Il semble bien en effet
qu'il n'y ait pas seulement jeu sur les apparences et
mise en abyme des contraintes du théâtre dans les jeux
de l'imaginaire shakespearien, mais bien « vision maniériste » au sens où Gisèle Mathieu-Castellani emploie
l'expression, citant Wölfflin et sa proposition que « voir
autrement, c'est voir autre chose[4] ».*

*Le monde sur lequel ouvre la pastorale de Lodge
comme la comédie de Shakespeare, d'après le modèle*

---

1. Reproduit dans Frédérique Villemur, « "La masculine, le féminin
/ Corriger la nature". Quelques remarques sur la figure androgyne chez
Léonard de Vinci et Michel-Ange », Hommage à Daniel Arasse, *Images
Re-vues*, n° 3 (2006), p. 4.

2. *Comme il vous plaira*, I, ii, 116-117 et III, iv, 15.

3. Gisèle Mathieu-Castellani, « Vision baroque, vision maniériste »,
op. cit., p. 56.

4. *Ibid.*, p. 40.

du Conte de Gamelin, *est celui d'un présent dominé
par des pères et des frères usurpateurs, tenants d'une
vision corrompue de l'ordre, dont la force ne peut être
que brutale et se doubler d'arbitraire et où ni Orlando
ni Rosalinde n'ont leur place :* « Ferme et irrévocable
est le verdict » *du Duc Frédéric de bannir Rosalinde,
n'ayant rien à lui reprocher que* « son silence même, et
sa patience » *ou d'être* « la fille de [s]on père ». *De
même Olivier ne trouve d'autre argument à sa haine
d'Orlando que l'arbitraire,* « sans que je sache pourquoi », *et bien qu'il reconnaisse combien son frère est*
« doux, instruit sans jamais avoir été à l'école », « aimé,
comme sous l'effet d'un charme, par des gens de toutes
conditions », *se sentant lui-même par comparaison*
« tout à fait méprisé[1] ».

Ce monde en rupture avec celui des pères injuste-
ment bannis se matérialise par l'infraction entre toutes
condamnable : le déni de transmission testamentaire,
dont souffre Orlando en ouverture de la pièce, laissé
dans le dénuement — matériel et culturel — par le frère
aîné pourtant garant de cette passation d'héritage.
N'était que « l'esprit de son père » en Orlando commence à se rebeller, qui lui fait refuser le rôle de fils prodigue à « garder vos porcs et manger des pelures avec
eux[2] ». Traité de « manant » par Olivier, comme Gamelin
avait été traité de « gadelin[3] », de vagabond, par son
aîné dans le Conte, il revendique a contrario l'honneur
d'être fils de son père : « triple manant est celui qui peut

---

1. *Comme il vous plaira*, I, II, 171-174 et I, II, 175.
2. *Ibid.*, I, I, 39-40.
3. *Conte de Gamelin*, vers 102.

dire qu'un tel père a engendré des manants », prêt à
*la lutte ouverte contre ce frère s'il n'était aussi fils de
son père. Alors qu'Olivier ne peut songer à d'autre solution que la violence fourbe : « Ce lutteur y mettra bon
ordre*[1]. *»*

    *La lutte initiale qui figure dans le conte et dans la
pastorale avant que Shakespeare ne la reprenne à son
compte revêt alors une valeur exemplaire qui invite à
voir tout autrement les rapports de l'héroïsme et de la
force physique, dans le contexte chevaleresque qui reste
attaché au monde de la pastorale. Pour Charles, les
enjeux ne concernent que lui — « je lutte pour ma réputation » — et l'honneur auquel il se réfère devant un
adversaire « bien jeune et tendre » comme Orlando n'est
que le sien, sans filiation ni descendance. Le combat
qu'il s'apprête à livrer n'est qu'un passe-temps, en rien
lié aux grandes joutes de chevalerie et à leurs jeux
amoureux. Le bouffon Pierre de Touche en commente
ironiquement la « nouveauté », mot toujours suspect au
XVI*e* siècle : « C'est la première fois que j'entends dire
que des côtes brisées soient une partie de plaisir pour des
dames*[2]. *»*

    *La force d'Orlando au contraire lui vient par filia-
tion naturelle d'un monde ancien mais inaliénable, celui
des chevaliers dont il peut légitimement se réclamer :
« Je suis fier d'être le fils de Sire Roland. » Rosalinde
y reconnaît le monde de son propre père banni —
« mon père aimait Sire Roland comme son âme » —, du*

---

1. *Comme il vous plaira*, 59-60 ; 176.
2. *Ibid.*, I, II, 133-134.

*temps où « le monde entier partageait son sentiment ».
Comme si l'amour qu'elle éprouve pour Orlando se
devait d'être aussi par filiation : Shakespeare s'assure
que nous l'entendons bien ainsi grâce à la taquinerie de
Célia — « S'ensuit-il que tu doives aimer profondément son fils*[1] *? »*

*Chez Lodge comme chez Shakespeare, et comme
dans la sensibilité maniériste, la réponse à cette agres-
sion de la violence est esthétique*[2]*, empruntant aux deux
grandes « visions » qui, au XVI*[e] *siècle, ont déjà fait
retour à un passé idéalisé, aux contours indécis, entre
célébration et parodie, celui de la romance médiévale
dont le nom d'Orlando et sa « prouesse » témoignent, et
celui de la romance pastorale, où l'âge d'or pourrait
remplacer l'âge de fer des « frères contre les frères », refuge
vers lequel convergent tous les personnages, la mythique
Forêt d'Ardenne en tenant lieu, qui est aussi la forêt de
Pétrarque.*

*L'héroïsme qui s'attache à Orlando et à sa « prouesse »
initiale n'est pas perdu pour autant dans le monde plus
rustique de la pastorale. Sa noble appartenance à un
passé de bravoure que tout oppose à l'agressivité brutale
est confortée par un supplément de valeur, toute morale :
en sauvant le frère redouté et honni, retrouvé en haïl-*

---

1. *Ibid.*, I, ɪɪ, 229 ; 232 ; 233 ; ɪɪɪ, 30.
2. Sur l'opposition maniériste de la grâce à la violence, voir en parti-
culier Stephen J. Campbell, « Eros in the Flesh : Petrarchism, the
Embodied Eros and Male Beauty in Italian Art, 1500-1540 », *Journal of
Medieval and Early Modern Studies*, nᵒ 35, 2005, opposant la « grâce »
du Titien et la *terribilità* de Michel-Ange ; ou Fredrika H. Jacobs,
« Aretino and Michelangelo, Dolce and Titian : Femmina, Masculo,
Grazia », *The Art Bulletin*, vol. 82, 1, 2000.

lons dans la forêt, la vraie prouesse est de résister à la tentation de le laisser à ses monstres — « *Deux fois il tourna le dos, dans ce but* [1] ». *Non sans libérer ledit frère pour une autre prouesse, amoureuse, plus surprenante d'être au bénéfice d'Olivier cette fois, revenu de ses égarements.*

Lodge, plus soucieux de logique romanesque que Shakespeare de cohérence dramatique, avait longuement préparé l'idylle entre le frère, Saladin, et la bergère Aliéna, offrant à celui-ci toutes les occasions de se racheter — en sauvant Aliéna des mains de brigands ou en secourant son frère autrefois haï, roman de la réparation dans le roman. L'amour d'Olivier pour « *l'humble bergère* » *est si soudain dans la comédie que Shakespeare, sans doute conscient de malmener la logique poétique de sa source, traite du coup l'affaire sur le mode du roman comique avant l'heure par le plus burlesque des détournements : Rosalinde ramène le* « *coup de foudre* » *à* « *la vantardise hyperbolique de César* », *et à son célèbre* « *Je suis venu, j'ai vu, j'ai vaincu* [2] ». *Même quand Shakespeare doit s'attendrir, sous la contrainte d'une symétrie nécessaire des destins imposée par sa source, ou celle d'un juste dénouement de comédie où chacun se doit d'avoir sa chacune, il y faut toujours quelque pincée de rire.*

---

1. *Comme il vous plaira*, IV, III, 128.
2. *Ibid.*, V, II, 33. Emprunt à Suétone ou à Plutarque des mots célèbres de César victorieux au Pont – *veni, vidi, vici* – dont Shakespeare s'amuse déjà dans *Peines d'amour perdues* (IV, I, 65) ; voir dans la partie des Notes, p. 363, n. 1.

« Eh bien, c'est ici la Forêt d'Ardenne »

*Il faudra sans doute aussi s'attendre à quelque grain
de sel en entrant de plain-pied dans cette Forêt d'Ardenne écrasante de célébrité littéraire. Pour être plus
immédiatement idéalisée, elle est d'entrée de jeu mise à
portée d'imaginaire anglais. À la question d'Olivier —
« Où va vivre l'ancien Duc ? » — répond le descriptif
du lutteur Charles, et l'invitation à confondre Forêt
d'Ardenne et Forêt d'Arden : « On dit qu'il est déjà
dans la Forêt d'Ardenne, avec maints joyeux compagnons ; et ils vivent là-bas comme autrefois Robin des
Bois en Angleterre. » Même l'appel à un imaginaire
plus classique — « dans l'insouciance comme à l'époque
de l'Âge d'Or[1] » — pourrait encore être compris comme
un compliment indirect fait à la reine anglaise, Élisabeth Ire, encore au pouvoir et célébrée partout pour
« l'Âge d'Or » que représente son règne, de la pastorale
protestante de Sidney,* L'Arcadie, *à l'épopée non moins
protestante de Spenser,* La Reine des fées, *héritée elle
aussi du médiévalisme de l'Arioste.*

*Dès l'entrée en Forêt d'Ardenne, avec les premiers
mots du Duc banni — « mes compagnons et mes frères
d'exil » —, une utopie politique se dessine, en tout point
opposée à la réalité laissée par les exilés derrière eux :
« Ces bois ne sont-ils pas / Plus libres de péril que la
Cour envieuse ? » Elle ne sera pas pour autant liber-
taire ni niveleuse des hiérarchies : dans le* Conte de

---

1. *Comme il vous plaira*, I, i, 119-123.

Gamelin *comme dans la pastorale de Lodge, le héros était accueilli en forêt par un « roi » à la tête de ses hors-la-loi. Ici, le Duc, qui semble exercer une autorité plus morale que politique, élabore une utopie elle-même plus morale que politique. L'autorité qu'il impose est sans violence : « Votre douceur aura plus de force / Que votre force ne nous décidera à la douceur », conseille-t-il à un Orlando encore trompé par l'aspect des lieux — « j'ai cru que tout ici était sauvage » — et y prenant « un air / D'autorité farouche¹ » en quémandant quelque nourriture pour le vieil Adam.*

Pourtant, le locus horridus *de l'imaginaire collectif, la forêt inhospitalière, devrait paraître plus sauvage encore d'y subir la rigueur d'un hiver permanent qui inspire les chansons d'Amiens et dénonce les pires des maux, la « flatterie » à la cour, « l'ingratitude humaine » ou la « trompeuse amitié » en société. Tout, jusqu'à « l'ombre de rameaux mélancoliques » dans un « désert inaccessible », devrait l'opposer au* locus amoenus *de la poésie et de la pastorale classique, dans un Âge d'Or sans saisons. Lieu repoussant, qui renvoie d'autant à la nostalgie de la civilisation où « les cloches appellent à l'église », la Forêt d'Ardenne n'en devient pas moins le lieu idéal, indispensable en ce qu'il a de plus hostile pour y trouver les conditions d'une pastorale prédicatrice, une pastorale d'hiver qui retrouve les fondements de la pastorale protestante — et l'origine des saisons — dans la rigueur de la Bible et « la punition d'Adam ».*

1. *Ibid.*, II, I, 3-4 ; II, VII, 102-103 ; 107-109.

*Par un renversement paradoxal, « la morsure glacée /
Et l'acariâtre querelle du vent d'hiver », éléments naturels, fondent une nouvelle culture qui conduit à trouver
un nouveau savoir dans la nature même, « un langage
aux arbres, des livres dans les ruisseaux qui courent, /
Des sermons dans les pierres, et le bien en toute chose ».
L'utopie morale du Duc, fondée sur l'âpreté du lieu, ne
peut que se traduire par une « aménité » du style, « si
paisible et si doux[1] ». Et le vent d'hiver devenir chanson.
Le style de Shakespeare ne peut que faire d'un* locus
horridus *un* locus amoenus. Un contemporain,
Francis Meres, dans* Palladis Tamia, *en célébrait dès
1598 la « langue à la douceur de miel » : « Les Muses
parleraient avec les phrases finement ciselées de Shakespeare si elles parlaient anglais. »*

*Non sans qu'un autre topos ne vienne contredire
l'harmonie de cette utopie par un déni d'utopie, une
dystopie qui suggère la limite de l'idéalisation devant la
précarité de la vie pour les habitants naturels du* locus
horridus : *les cerfs, « [b]ourgeois natifs de cette cité
déserte » y sont ensanglantés « par nos flèches four-
chues[2] », tandis que le seul vrai berger y vivant de ses
moutons, au nom prédestiné, écho au berger de Spenser,
Corin, subit l'économie nouvelle que lui impose un
maître avare faisant commerce des « enclos de pâture[3] »,
négation de l'esprit de la pastorale.*

---

1. *Ibid.*, II, i, 6-7 ; 16-17 ; 20.
2. *Ibid.*, 23-24.
3. *Ibid.*, II, iv, 86. L'interprétation de ce passage par nombre de critiques de la pièce veut y voir une allusion au drame social créé par une
nouvelle loi fermant les prés communaux pour former les « enclosures »

« Si vous voulez voir une scène
jouée au naturel »

*Il suffira pourtant d'un peu d'or, autre paradoxe,
pour créer l'inclusion d'un* locus amoenus *au cœur
même du* locus horridus *:* « *J'aime cet endroit* », *dit
Célia en arrivant devant la chaumière de Corin en
Ardenne, tandis qu'une négociation généreuse inverse
la transaction cupide avec le maître et restaure l'espace
naturel de la pastorale où Corin pourra redevenir berger :*
« *nous augmenterons tes gages*[1] », *promet Célia en
achetant la chaumière et l'enclos. Shakespeare à sa
façon répare l'inégalité du sort qui oppose ici Corin à
Silvius, le nanti qui ne songe qu'à l'amour, comme
déjà, dans la première églogue, Virgile opposait l'heureux Tityre et son amante Amaryllis au malheureux
Mélibée dépossédé de tout dans un paysage bucolique
dévasté par la discorde.*

*Il suffira de même d'une didascalie mise en abyme à
même le texte du dialogue —* « *Voyez qui vient ici, /
Un jeune homme et un vieux qui devisent gravement*[2] » —
pour ouvrir dans la scène du locus horridus *une* « *scène
dans la scène* », *une* « *églogue*[3] ». *Le* locus amoenus

ou pâtures réservées. Par antiphrase, Shakespeare insiste ici sur « l'hon-
nêteté » de la transaction.
   1. *Ibid.*, 97.
   2. *Ibid.*, 20-21.
   3. Voir Pierre Iselin, « "So quiet and so sweet a style", le style de
l'églogue et l'éloge du style », *in* J. P. Debax et Y. Peyré (éd.), *As You
Like It. Essais critiques*, Presses Universitaires, Toulouse-le-Mirail, 1998,
pp. 93-110.

de la pastorale bucolique s'en trouve instantanément
restauré, avec de vrais bergers littéraires, dotés de noms
associés à l'ombre légère d'arbres aimables comme Silvius, de même que la bergère Phébé, autre nom de la
Lune, est placée sous l'égide de l'astre des maniéristes
qui en adulent les phases imprévisibles pour décrire les
humeurs amoureuses.

    Thomas Lodge, qui a fait l'économie d'une pastorale
d'hiver dans sa Rosalynde, donne quant à lui à entendre
les plaintes d'un jeune amoureux déjà nommé Montanus et déjà forestier dans une pastorale de Lyly, tant
l'esthétique de cette fin de siècle est au recyclage. Mais
l'amante est déjà Phébé et déjà amoureuse de qui la
dédaigne, à la manière des bergères dans les Idylles de
Théocrite où l'amante « qui te fuyait quand tu l'aimais, te poursuit quand tu ne l'aimes pas[1] ». Lodge
choisit d'en faire la bergère la plus exquise de toute la
Forêt d'Ardenne, si belle que Diane elle-même aurait
pu l'aimer et que le forestier Montanus trouve des accents
français pour déplorer les rigueurs de l'amour qui la
font dédaigneuse : « Hélas, Tyran plein de rigueur, /
Modère un peu ta violence ». Rosalynde en Ganymède,
loin de critiquer sa beauté, lui démontre au contraire la
nécessité du Carpe diem, une leçon que Shakespeare,
plus bouffon que jamais dans ce contexte des idéalisations amoureuses, réduit au pragmatique marché du
mariage : « Vendez tant qu'il est temps[2]. »

    Dans Comme il vous plaira, la « pièce dans la

---

    1. Théocrite, *Idylles*, VI, trad. P.-E. Legrand, Les Belles Lettres,
2009, p. 137.
    2. *Comme il vous plaira*, III, v, 60.

pièce » *qui sera l'églogue commence comme le recom-*
mande Horace, in medias res, *façon sans doute au*
passage d'en rire tant l'unité d'action prônée par le
même théoricien de l'économie classique au théâtre est
ici ouvertement bafouée par cette inclusion. Shakes-
peare prend soin de confirmer qu'il s'agit bien de ce
« théâtre dans le théâtre » qui restera cher aux baroques
même tardifs[1] *avec cette « mise en scène » d'une églogue*
emboîtée dans une pastorale elle-même insérée dans le
locus horridus *d'une forêt sauvage : « Si vous voulez*
voir une scène jouée au naturel », « Si vous voulez y
assister ».

Shakespeare a veillé à ce que sa Rosalinde soit spec-
tatrice en scène de la « blessure » d'un Silvius pour
qu'elle formule elle-même le bien-fondé d'un tel dédou-
blement en miroir des intrigues : « Hélas, pauvre berger,
tandis que tu sondais ta plaie, / J'ai par un triste sort
trouvé la mienne. » Il dédouble même ce lieu commun
de la poétique pétrarquiste sur le mode bouffon pour
s'assurer que le sentimentalisme n'empiétera pas sur le
vrai sentiment : « Et moi la mienne », ajoute Pierre de
Touche, qui se rappelle à point nommé sa « Jeanne
Sourire » et son émotion lorsqu'il avait « embrassé son
battoir, et les pis de la vache que ses jolies mains crevas-
sées venaient de traire[2] *».*

Shakespeare, veillant aussi à sa conception à lui de
l'unité d'action dans sa comédie, laisse sa Rosalinde
travestie en Ganymède s'adjuger un rôle dans ce « spec-

---

1. Voir Georges Forestier, *Le Théâtre dans le théâtre*, Droz, 1996.
2. *Comme il vous plaira* ; II, IV, 44-45 ; 49-51.

tacle » : « *vous direz d'ici peu / Qu'en acteur je me suis
démené dans leur jeu.* » *Occasion d'une autre mise en
miroir, burlesque, du topos pétrarquiste par excellence,
l'amour au premier regard, ce spectacle sera celui de
Phébé entichée de Ganymède du seul fait d'en être
méprisée : l'entendre ravaler sa beauté célébrée à celle
d'une noiraude — et sans l'égaler à la dame brune des
sonnets comme Berowne sa Rosalinde dans* Peines
d'amour perdues *— ne peut que déclencher chez elle
l'imparable loi du pétrarquisme, à placer comme il se
doit non sous l'égide des lois naturelles mais sous celle
de l'artifice, la littérature, maniérisme oblige, en citant
un vers du « berger disparu », Marlowe : « Qui a jamais
aimé, aime au premier regard*[1]. »

  *La satire du pétrarquisme est déjà banale à cette date.
Elle s'exerce depuis plus d'un demi-siècle, qui faisait
confesser à Du Bellay dès 1553 : « J'ai oublié l'art de
pétrarquiser », pour exprimer le besoin enfin d'une autre
poétique — « Je veux d'amour franchement deviser, /
Sans vous flatter et sans me déguiser*[2]. » *Shakespeare
déjà dans* Peines d'amour perdues *a pris plaisir à
utiliser ses belles cruelles pour déconstruire les hyperboles amoureuses des amants transis en les ramenant
aux équations les plus triviales : à l'un d'eux, Berowne,
quémandant « un mot doux », on lui répond par trois*

---

1. *Ibid.*, III, IV, 157-158 ; III, V, 81-82.
2. Publié dès 1553, le poème paraît encore en 1558 dans *Divers jeux
rustiques et autres œuvres poétiques* sous le titre « Contre les Pétrarquistes ». Voir Jean Balsamo, « Le pétrarquisme en France au XVIᵉ siècle »,
Dictionnaire des lettres françaises. XVIᵉ siècle, LGF, « La Pochothèque »,
p. 931-939.

— « *Miel, lait, sucre*[1] ». *Comme Phébé est chargée de réduire à néant l'hyperbole par excellence de cette poétique, celle des yeux de la femme aimée, flèches meurtrières dardées sur l'amant et responsables de tous ses malheurs dans l'Europe pétrarquiste depuis trois siècles. Shakespeare lui prête un ton prosaïque pour réduire l'examen littéraire à une leçon de choses, justement sur ces « choses les plus fragiles et les plus tendres » que sont les yeux. Elle conduit l'expérience de vérification empirique pour laquelle il suffirait d'un roseau ou d'une épingle pour griffer l'œil — ne pouvant imaginer ce que l'hyperbole surréaliste d'un Buñuel en fera dans* Un chien andalou *! Elle démontre au contraire l'inanité, l'impossibilité matérielle de toute image poétique et, partant, de ces hyperboles dont les pétrarquistes ont tant abusé, telles que « bourreau » ou « meurtre dans mon œil », mettant Silvius au défi de montrer « la blessure que mon œil t'a faite ». « Ne mens pas*[2] », *lui conseille-t-elle, n'ayant pas lu non plus les mots de Sir Philip Sidney dans son* Éloge de la poésie *: « Le poète, lui, n'affirme jamais rien, et ne ment donc jamais*[3] » *par quoi il plaçait la poésie au-dessus de la philosophie et de l'histoire, la vérité esthétique l'emportant sur toutes les autres. Il faudra la mise en abyme burlesque à nouveau d'une telle poétique dans les mots de Pierre de Touche, lui aussi regardant sa « blessure » au miroir amoureux d'une bergère prosaïque qui lui demande si la poésie est*

1. *Peines d'amour perdues*, V, ii, 231.
2. *Comme il vous plaira*, III, v, 20 ; 19.
3. *Éloge de la poésie*, trad. Patrick Hersant, Les Belles Lettres, 1994, p. 67.

honnête, pour le rappeler : « En vérité, non ; car la poésie la plus vraie est la plus mensongère[1]. *»*

« J'ai rencontré un fou dans la forêt »

La Rosalynde *de Lodge, malgré les ironies qui la traversent, trouve tout de suite sa forme de roman pastoral dominé par une mélancolie qui restera longtemps la marque de cette littérature du sentiment et que l'on retrouve au cœur de* L'Astrée[2]. *Rejetant le sentimentalisme ici comme ailleurs, Shakespeare conserve l'environnement pastoral comme lieu privilégié d'expression du sentiment et de la mélancolie qui l'accompagne, mais, en praticien de la scène, il sait aussi quelle forme spécifique cette « humeur » a déjà prise dans ces années où lui-même écrit* Comme il vous plaira, *entre 1598 et 1601. Ben Jonson, son ami et rival, a fait jouer deux pièces aux titres programmatiques,* Chacun selon son humeur *(*Every Man in His Humour*), en 1598, et* Chacun hors de son humeur *(*Every Man out of His Humour*), en 1599, et théorise dans cette dernière le sens particulier de ce mot.*

Le personnage d'Asper qui, comme son nom l'indique, a quelque aspérité, se pose en redresseur des torts infligés au langage en ces temps de relâchement poétique — entendons sans doute d'écriture maniériste au mépris des règles. Le mot visé est précisément « humeur »

---

1. *Comme il vous plaira*, III, III, 18-19.
2. Voir Tony Gheeraert, *Saturne aux deux visages. Introduction à* L'Astrée, Publications des Universités de Rouen et du Havre, 2006.

dont Asper, masque transparent de Jonson, déplore qu'il ait perdu son sens « classique », transmis par des générations de théoriciens et de médecins humanistes et puisé aux sources de la connaissance dans les textes grecs de Galien, eux-mêmes fondés sur la théorie des quatre humeurs du corps humain selon Hippocrate, correspondant aux quatre éléments formant le cosmos tout entier. Leur « composition », selon que l'un ou l'autre élément domine, plus « sec » ou plus « humide », détermine au sens fort le caractère individuel par les « passions » qu'elle entraîne, dont bien sûr l'humeur humide par excellence, la « mélancolie » ou « humeur noire », qui trouve dans la Lune et ses marées aberrantes ou dans la rosée nocturne ses correspondances physiques, source d'innombrables symbolisations poétiques. Le Traité de la Mélancolie *de* Timothy Bright, *publié en 1586, comme l'*Anatomie de la Mélancolie *de* Robert Burton, *publiée de 1621 à 1651, témoignent de la longévité de la théorie, bien que la découverte par Harvey en 1603 de la circulation du sang la menace à court terme d'extinction.*

Asper, quant à lui, veut en rester à Galien et rappelle en ce sens combien ces correspondances peuvent agir comme un déterminisme et peser si fort sur le caractère individuel qu'on peut alors « à bon droit parler d'humeur » pour désigner une personne. Ce qui fait couler du fiel dans sa plume d'atrabilaire, c'est l'usage qu'on en fait déjà au théâtre où « une voix cassée » peut se parer de quelque « plume teinte » et de « jarretières à la française » pour venir « jouer l'humeur » en scène avec un ridicule achevé. Il est déterminé, lui, à « fustiger

ces singes » et montrer au contraire par son théâtre
« comme en un miroir » la vraie méthode du satiriste
pour dénoncer « la difformité des temps » et en faire
« l'anatomie », autrement dit à écrire de « vraies » comédies à la manière latine de Térence[1] et non ces fantaisies
burlesques qui passent pour telles.

Pour faire bonne mesure de ses lacérations critiques et
mieux dénoncer une aberration qu'il abhorre, il a mis
dans sa pièce un bouffon, ce qu'abominent aussi les
auteurs de théorie classique sur le théâtre, dont Sir
Philip Sidney. Jonson le nomme Carlo Buffone pour
que tout soit clair et par avance dénonce ses « comparaisons absurdes » qui transformeront tout ce qu'elles
voudraient décrire en une méconnaissable « difformité[2] »,
ne produisant que réponses incongrues sans bénéfice
pour la comédie. Des personnages comme Jaques le
Mélancolique et, pire encore, le bouffon Pierre de Touche,
dans Comme il vous plaira, seraient-ils la réponse
du berger à la bergère, réponse de Shakespeare, tenant
d'un théâtre maniériste aux expérimentations audacieuses, faite aux théoriciens comme aux praticiens d'un
théâtre de la rigueur classique ?

Jaques et Pierre de Touche sont indissociables comme
les deux visages d'une même mélancolie saturnienne,
celle qui fait pleurer Héraclite et rire Démocrite. La première fois que l'on entend évoquer Jaques le Mélancolique, c'est « pleurant et dissertant / Sur [un] cerf en
sanglot ». L'un des exilés qui, comme lui, a suivi le Duc

---

1. *Every Man out of His Humour* (Prologue), The Stage, J. M. Dent
(éd.), vol. 1, pp. 62-63 ; 65.
2. *Ibid.*, p. 59.

Aîné en Forêt d'Ardenne le décrit dans cette « humeur
chagrine » alors qu'avec « de violentes invectives il
transperce / Le corps de la campagne, de la cité, de la
Cour » et dénonce en ses compagnons d'exil « des usurpateurs, des tyrans » venus « terrifier » et « massacrer »
ces animaux « [d]ans les lieux mêmes que la nature
leur assigne[1] ».

   La musique, art saturnien, l'attire. Averti qu'elle va
le « rendre mélancolique », il s'en réjouit : « Je peux
sucer la mélancolie d'une chanson, comme une belette
suce un œuf. » Prenant congé de « l'humeur » qu'est
Orlando en Innamorato en le gratifiant d'un « Signor
Amour », il s'entend nommer en retour « Monsieur de
la Mélancolie ». Il n'est qu'épisodiquement une humeur
« humorale » en satiriste malcontent : voulant à la
manière d'Asper dans la pièce de Ben Jonson « purger
le corps infect de ce monde pourri », il se fait rappeler
son passé par le Duc avec « les plaies purulentes et les
pustules prêtes à crever / Que tu as attrapées dans ta
licence vagabonde[2] ».

   C'est en humeur de théâtre que Shakespeare choisit
de le mettre en scène, voire de l'isoler comme théoricien
de la scène, en lui confiant le monologue le plus célèbre
de la pièce, et peut-être de toutes les comédies, « Le monde
entier est un théâtre », comme le monologue d'Hamlet,
« Être ou ne pas être », l'est pour les tragédies. Comme
celui d'Hamlet, ce monologue est fait de clichés rebattus,
rajeunis par les images des « âges de la vie » que lui

---

1. *Comme il vous plaira*, II, i, 58-59 ; 63.
2. *Ibid.*, II, vii, 10-11 ; III, ii, 294-295 ; II, vii, 67-68.

associe *Shakespeare, de l'écolier au « visage frais du matin », du juge de paix au ventre « doublé de chapon fin », du soldat cherchant « la bulle d'air de la gloire*[1] *», ou du Pantalon emprunté à la commedia dell'arte. La métaphore est utilisée partout en Europe, par tous les moralistes, à la suite d'Épictète dont le* Manuel, *traduit en 1567, vulgarise la vision héritée des stoïciens : la vie de l'homme est un rôle qu'il doit assumer sans savoir d'où il vient ni où il l'entraîne, le seul choix étant de l'interpréter du mieux possible avant de quitter la scène. Nombre de poèmes ou sonnets en témoignent : le sonnet LIV de Spenser, publié dans ses* Amoretti *en 1595 — « Ce monde est un théâtre où nous avons pris place, / Mon amour est le spectateur privé d'agir, / Regardant tour à tour les tableaux de la pièce, / Chacun mettant en scène chaque trouble de mon esprit » ; ou celui de Sir Walter Raleigh, en 1612, qui attend la mort dans les prisons d'Élisabeth I*[re] *: « Qu'est-ce que notre vie ? Un drame des passions, / [...] Où l'on revêt l'habit pour la comédie brève. / [...] Nous arpentons la scène jusqu'au dernier soupir, / Mais mourons pour de bon et non pas pour rire. » Des versions picturales des « âges de la vie » circulent, plus faciles à détourner vers la caricature — un bois gravé de 1486 illustre un traité de Barthélemy l'Anglais (c. 1240) sur « les propriétés des choses de ce monde », autrement dit jette un premier regard d'encyclopédiste sur les lieux communs et les savoirs partagés : on y voit des enfants chahutant près d'un berceau, sous le regard d'un étudiant sérieux, d'un*

---

1. *Ibid.*, II, VII, 139-166.

homme d'âge mûr et d'un autre plus âgé. De même,
Hans Baldung Grien, en 1544, maîtrisait déjà assez le
lieu commun des « âges de l'homme » pour le détourner
en « âges de la femme[1] ». Shakespeare aurait pu vouloir
célébrer aussi la récente ouverture du théâtre du Globe
en 1599, et sa devise supposée, période où la comédie est
conçue sinon jouée. On pourrait ajouter qu'en homme
de théâtre économe de ses minutes en scène, il avait
quelque trou à y boucher — le théâtre a horreur du
vide : la durée du monologue laisse tout juste à Orlando
le temps de filer en coulisses en quête d'Adam et de
revenir en scène, trente vers plus tard avec ledit « far-
deau vénérable » sur les épaules.

Le moment le plus attendu reste cette impertinence
au regard des réquisitoires des classiques, la rencontre en
Forêt d'Ardenne de Jaques le Mélancolique et de Pierre
de Touche, de l'humeur de théâtre et du bouffon : « Un
fou, un fou ! J'ai rencontré un fou dans la forêt, / Un
fou en costume bariolé. » Un fou qui pourrait être celui
que vilipende Jonson : « il a d'étranges lieux communs
/ Bourrés de formules, qu'il débite / Par bribes et par
lambeaux », relève Jaques. Le fou « méditatif » a tout
pour lui plaire — « j'ai ri sans relâche », dit-il — dont
cette façon de tirer de son sac un improbable « cadran
solaire » et de « philosopher sur le temps » à coups de
truismes : « il y a seulement une heure, il était neuf
heures, / Et dans une heure il sera onze heures. » Une
ontologie minimale de l'homme dans la durée en découle,
plus laconique mais pas si éloignée de celle des âges de

1. *Les Sept Âges de la femme*, musée de Leipzig.

*la vie : « Et ainsi, d'heure en heure, on mûrit, on mûrit,
/ Et ainsi, d'heure en heure, on pourrit, on pourrit[1]. »
Rosalinde à sa manière réédite avec Orlando l'invention d'un temps burlesque en forêt[2] où le temps des hor-
loges se trouve cette fois inféodé au temps du sentiment.*

    *Si le mélancolique se réjouit de cette rencontre qui
change sa vie dans la forêt — « c'est l'habit que je
veux » —, c'est qu'il est aussi l'homme de ce siècle
mélancolique qui a identifié les privilèges séculaires,
depuis l'Antiquité et dans toutes les cours d'Europe, du
fou de cour : la liberté. « Il faut que je sois libre, / Que
j'aie franchise entière », clame-t-il ; « Et ceux qu'aura
le plus écorchés ma folie, / Doivent le plus en rire. » Il en
a identifié la source, l'*Éloge de la folie d'Érasme, héritage de l'Ecclésiaste et non des philosophes antiques :
« la folie du sage est mise à nu / Par les allusions mêmes
que le fou lance au hasard ». Pierre de Touche l'a déjà
précisé : « C'est bien dommage que les fous, dans leur
sagesse, ne puissent rien dire des folies que font les sages[3]. »
Fort de sa découverte qui relativise tout savoir, dont
celui sur le temps, Jaques choisira de vivre en ermite, à
la fin de la comédie, façon de quitter sa fonction d'humeur de théâtre pour s'intégrer au nombre des personnages ordinaires, fût-ce pour vivre en solitaire et rester
en Forêt d'Ardenne.*

    *Pierre de Touche aurait souhaité ne jamais y venir
— « maintenant que je suis dans la Forêt d'Ardenne, je
n'en suis que plus fou » — mais ne croit pas si bien dire*

1. *Comme il vous plaira*, II, VII, 12-13 ; 40-41 ; 22-27.
2. *Ibid.*, III, II, 301-336.
3. *Ibid.*, II, VII, 56-57 ; I, II, 85-86.

*car c'est là seulement qu'il y paraît tel qu'en lui-même,
bouffon de cour en habit bariolé — *motley* — et fou de
théâtre parmi les plus célèbres avant Feste dans* La
Nuit des rois *ou, plus déroutant, le fou sans autre nom
que Fou dans* Le Roi Lear. *Shakespeare joue avec la
mémoire de son spectateur pour redéfinir l'origine du
rôle dans quelque infirmité personnelle, mentale ou
physique dont le fou saura tirer parti pour faire rire de
lui ou des autres : Rosalinde et Célia échangent des
plaisanteries bien dans la manière des bouffons eux-
mêmes, sur des sujets généraux comme ils les affec-
tionnent — dont la Nature et l'esprit qu'elle donne, et
la Fortune, autre nom du hasard, lorsque Pierre de
Touche entre, interruption commentée par les deux cousines. Par Rosalinde :* « la Fortune est bien dure pour la
Nature quand la Fortune se sert d'un idiot de nature
pour couper court à l'esprit de la Nature » *; et par Célia
qui rebondit sur sa fonction et sur son nom :* « Et elle
nous a envoyé ce simple d'esprit comme pierre à aiguiser ; car la bêtise obtuse du fou est toujours la pierre à
aiguiser de l'esprit*[1]*. »

    *Mais c'est bien en Forêt d'Ardenne qu'il entre véri-
tablement en fonction. D'abord, plus courtisan que tous
les courtisans en exil, il se pose en citadin et homme de
cour ayant connu des temps meilleurs quand l'occasion
lui est donnée d'un ascendant social ou verbal sur les
habitants rustiques de la forêt. À Corin demandant qui
l'appelle, Pierre de Touche répond* « vos supérieurs »*,
mais reconnaît en lui* « un philosophe nature » *et pro-*

---

1. *Ibid.*, II, IV, 16-17 ; I, II, 49-51 et 54-56.

*cède au renversement complet des codes de bonnes
manières en l'assurant de la supériorité du monde rustique sur celui de la cour, du goudron des mains de
Corin sur la civette, « d'une origine plus basse[1] », qui
parfume celles des courtisans.*

*Sa ductilité verbale sert aussi le malin Shakespeare
qui lui donne à commenter un héritage séculaire d'hyperboles poétiques par le désopilant portrait renversé de
Rosalinde, défi au jeu de la réécriture et de la rime —*
« S'il manque au dindon une dinde, / Qu'il aille
chercher Rosalinde ». *L'habileté que lui prête Shakespeare culmine avec l'apparente absurdité de l'éloge
d'Ovide, maître incontesté des poétiques maniéristes où
le plus subtil, « le plus cabri/capri/cieux des poètes[2] » se
retrouve au milieu des Goths, autrement dit des Bar-
bares, rappel de l'exil d'Ovide, comme lui-même est en
exil au milieu des goats, les chèvres, de même prononciation, rappel burlesque du métier d'Audrey, sa promise,
bergère d'un troupeau.*

*Une science confondante du langage le plus spécialisé
enchante ses auditeurs, comme sa déclinaison de tous les
degrés du démenti dans une querelle « au pied de la
lettre », mais provoque l'admiration perplexe de Jaques
devant ce « bonhomme singulier » : « Il est aussi bon sur
tous les sujets, et pourtant ce n'est qu'un fou. » Son
mariage de raison avec la rustique Audrey est aussi surprenant pour un fou — « La riche vertu habite comme
un avare, Monsieur, dans une pauvre maison, comme*

---

1. *Ibid.*, II, ɪv, 70 ; III, ɪɪ, 35 ; 71.
2. *Ibid.*, III, ɪɪ, 107-108 ; III, ɪɪɪ, 6-7.

la perle dans l'huître fangeuse ». Célébré de plus par Hymen avec les trois autres, il lui permet de s'intégrer aux autres personnages. Mais, le regard de l'humeur de théâtre Jaques en témoigne, sans cesser d'avoir la « difformité » du fou : « Voici venir une paire de très étranges animaux que, dans toutes les langues, on appelle fous[1]. »

« Il y a un homme qui hante la forêt »

Orlando aurait pu n'être qu'un « Signor Amour », une troisième « humeur de théâtre » à transgresser les règles classiques d'un Jonson. Burton accordera le quart de son Anatomie de la Mélancolie *à la « Mélancolie amoureuse » et Shakespeare lui-même feint de le reconnaître : « L'amour est une folie véritable et, je vous le dis, mérite le cachot et le fouet tout autant que les fous. » Mais l'heure est plutôt à l'enthousiasme — « Ah, l'homme admirable ! Il écrit des vers admirables, prononce des paroles admirables, fait des serments admirables ». Célia ironise en répétant les confidences faites en privé par la « vraie » Rosalinde qui, se sachant désormais aimée, a renoncé aux bouffonneries dignes de Pierre de Touche sur des vers qui « avaient en eux plus de pieds qu'ils n'en peuvent supporter ». Mais qu'en sera-t-il en public, et s'adressant à « l'homme admirable » ? Si son habit de Ganymède lui interdit tout aveu, il l'autorise à toutes les audaces verbales : « Je vais lui parler comme un laquais insolent et, sous ce*

---

1. *Ibid.*, V, IV, 92 ; 108-109 ; 61-62 ; 36-38.

*masque, je vais le harceler[1] ». Par quoi Shakespeare
l'apparente aux héroïnes de la « guerre civile d'esprits[2] »
que se mènent les amants qui se cherchent dans* Peines
d'amour perdues, *ou de la « joyeuse guerre » et « escar-
mouche d'esprit[3] » qui oppose ceux qui croient se haïr
dans* Beaucoup de bruit pour rien. *Ou bien, s'étant
assuré que son spectateur ne doute pas plus de l'amour
de Rosalinde pour Orlando qu'elle ne doute de l'amour
de ce dernier pour elle, il peut détourner la satire du
pétrarquisme vers l'humour délectable d'une situation
où jamais deux amants n'auront été plus proches en
croyant vivre la douleur des amants séparés.*

   *Shakespeare sait que ses spectateurs se déplacent pour
« entendre » une pièce et non la « voir », avec ou sans
décor. Il sait aussi que nombre d'entre eux y viennent
avec des textes plein la tête, et qu'ils s'attendent à devoir
rire d'être déconcertés par quelque reformulation inat-
tendue des clichés littéraires auxquels ils tiennent le plus.
Ainsi de la grande vérité énoncée par Sidney sur la
poésie qui ne peut mentir, mais retrouvée dans la bouche
d'un Pierre de Touche, d'un de ces rustres bouffons —*
clowns *— dont Sidney justement s'offusquait qu'ils
puissent se mêler aux figures d'aristocrates sur les scènes
anglaises et ajouter leurs « rires gras[4] » à ce qui aurait
dû n'être que délicat sourire. Et Pierre de Touche est
annoncé partout comme* clown *dans la comédie. Réponse
savoureuse dans ce cas du berger à la bergère, du*

---

1. *Ibid.*, III, ii, 405-406 ; III, iv, 39-40 ; III, ii, 170-171 ; 297-298.
2. *Peines d'amour perdues*, II, i, 223.
3. *Beaucoup de bruit pour rien*, I, i, 62-65.
4. *Éloge de la poésie*, p. 93.

Shakespeare praticien de ce théâtre à Sidney son théo-
ricien ? En cette extrême fin du XVIe siècle et tout début
du XVIIe, en Angleterre comme partout en Europe, des
théories déjà nombreuses sur le théâtre circulent, domi-
*nées par l'*Art poétique *d'Horace mais aussi déjà par*
les commentaires de la Poétique *d'Aristote, auxquelles*
des auteurs férus de classicisme souscrivent comme Ben
Jonson, mais qu'un abîme sépare de la pratique théâ-
trale des maniéristes. Lope de Vega, dans son propre
art poétique, ou Art nouveau de faire des comédies,
dit « enfermer les préceptes à six tours de clé[1] » avant
d'écrire de peur de s'y conformer. Comme Shakespeare
pourrait bien n'adopter des modèles et des règles que
pour les transgresser avec jubilation.

Ces spectateurs rompus à l'art de la surprise ne sont
que plus attentifs lorsqu'ils entendent Orlando tenir en
forêt un tout autre discours que celui qu'il adressait non
sans violence au Duc et discernent au contraire ce qui
pourrait être un dizain à la manière de Maurice Scève,
n'étaient ses rimes pour sonnet[2]. Ils y reconnaissent sans
doute la familière invocation à la « trois fois couronnée,
reine de la nuit[3] », la triple Diane de Délos qui inspira
au poète le nom de sa Délie, que toute l'Europe a célé-
brée. « Comme Hécate tu me feras errer », écrivait Scève
dans son dizain XXII, et « Comme Diane au Ciel me
resserrer », et « comme Lune infuse dans mes veines[4] ».

---

1. Dans *L'Art nouveau de faire des comédies* (1609), trad. José Luis
Colomer, Les Belles Lettres, 1992, p. 3.
2. Le dizain est rimé ababb/ccdcd tandis que le sonnet l'est en abab/
cdcd/ee.
3. *Comme il vous plaira*, III, ii, 2.
4. *Délie* (1544), dizain XXII, vers 1 ; 3 ; 7, Gallimard, « Poésie », 1984.

Rosalinde en devient d'autant « chasseresse qui règne
sur ma vie[1] » et prend naturellement place aux côtés de
cette triple Diane, inspiratrice s'il en est de la peinture
maniériste, et chaste jusqu'à l'impossible hyperbole qui
laisse le chantre Orlando sans voix devant « l'inexpri-
mable aimée ».

Cet Orlando qui s'apprête à abuser des clichés litté-
raires ne peut que changer le paysage redouté de la
Forêt d'Ardenne — « Pourquoi ce lieu serait sauvage ? »
— en une version amoureuse de l'utopie du Duc Aîné :
« Aux arbres je donne un langage. » Tout arbre devient
support de la littérature la plus noble — « porteur de
graves réflexions », sur la vie « brève, ô combien », à
peine « la largeur d'une main », complétant ainsi le
pessimisme psychologique du pétrarquisme par le pessi-
misme ontologique du psalmiste disant avant l'Ecclé-
siaste la vanité de toute chose. La profondeur de la
méditation fait de tout arbre une page potentielle : « Sur
leur écorce je graverai mes pensées. » La hauteur même
de l'arbre hiérarchise l'élévation d'une écriture : « sur
les plus belles ramures », en son sommet, « quand la
phrase se finit, / Je veux écrire Rosalinde[2]. »

Invitation peut alors être faite à « tous les lecteurs »
de ces arbres-livres à y contempler le portrait de Rosa-
linde, blason d'excellence contresigné non par le poète
mais par « le Ciel » lui-même que rejoignent les branches.
Les hyperboles de « quintessence » se trouvent reclassées
non sans humour à la manière des « belles dames du

---

1. *Comme il vous plaira*, III, ɪɪ, 4.
2. *Ibid.*, III, ɪɪ, 142-143.

temps jadis », *chacune affectée de son « cliché » —*
« De Cléopâtre la fierté », *« De Lucrèce la chasteté »*
— pour terminer en apothéose de la beauté plurielle :
« Rosalinde fut composée / De maints cœurs, maints
yeux, maints visages, / Elle eut les traits les plus
précieux. » *Mais la finalité de tant de beauté et de perfection, dans la grande tradition du pétrarquisme sur
laquelle avait surenchéri l'auteur de* Délie, *ne saurait
être que l'absolue soumission de l'amant à son mal —*
« Et que je vive et meure son esclave[1] ».

*Après quoi, il ne reste plus à Shakespeare qu'à jouer
de cette relation de domination et de soumission voulue
par la poétique amoureuse : il abusera pour cela de la
situation d'imbroglio des identités créée par ses propres
jeux de masques et du dialogue en prose qui l'autorise à
toutes les libertés sans cesser d'être poète. Réécrivant la
scène de la découverte d'Orlando dans la forêt déjà présente chez Lodge, il exploite la vivacité du dialogue
pour mieux ironiser sur l'un des lieux communs favoris
de cette poétique : Orlando arrive-t-il « équipé comme
un chasseur » ? Rosalinde réagit aussitôt par le cliché
maniériste s'il en est, fondé sur la confusion attendue
entre* heart — *le cœur — et son homonyme* hart — *le
gibier :* « Ô funeste présage ! Il vient me percer le
cœur[2]. » *Les bêtes à cornes qui constituent ce « gibier »
ne seront pas oubliées pour autant s'il faut des insinua-
tions grivoises, autres clichés pour servir de contre-feu à
l'idéalisation sentimentale ou au sentimentalisme lar-
moyant.*

1. *Ibid.*, 152-160.
2. *Ibid.*, III, ii, 254.

De même, Rosalinde, ayant surmonté l'émotion qu'avait provoquée le mouchoir taché du sang d'Orlando, peut accueillir le héros par une métaphore volontairement « inappropriée » puisque la stratégie est à la provocation espiègle, toujours devant l'emblème amoureux s'il en est, le « cœur », ici « en écharpe ». La rectification d'Orlando — « Mais c'est mon bras » — est refus comique de métaphorisation comme Phébé refusait le mensonge poétique de la blessure par les yeux, sans pour autant ramener Rosalinde à la sobriété de l'évidence. Elle chérit au contraire son erreur sur ce mot « cœur » et la renouvelle : « Je croyais que ton cœur avait été blessé par les griffes d'une lionne », ramenant cette fois Orlando dans le champ poétique familier de l'hyperbole pétrarquiste par excellence, par-delà les déconstructions qu'avait pu en faire une Phébé : « Blessé, il l'est, mais par les yeux d'une femme[1] » — aveu que peut savourer la malicieuse Rosalinde qui n'est pas la pédestre Phébé et partage au contraire les mêmes codes qu'Orlando.

Toute frustration calculée de Rosalinde pour contrer les protestations d'amour d'Orlando le met en situation de vouloir convaincre qu'il aime avec toujours plus de véhémence — « C'est moi que l'amour agite si fort », « je voudrais te convaincre que j'aime », « Je te le jure, par la blanche main de Rosalinde[2] » — ce qui fait de lui, berné par les apparences, le type même de l'amant naïf et sans défense devant la cruelle grondeuse qui

1. *Ibid.*, V, ii, 21-22 ; 26.
2. *Ibid.*, III, ii, 370 ; 390 ; 399-400.

avance masquée, ce qui sert le jeu de la soumission de l'amant sans laquelle il n'y aurait pas de pétrarquisme et pas de dérision des excès de cette poétique. Versatile dans l'humeur comme dans la sémantique, Rosalinde peut feindre l'outrage écologique : « Il y a un homme qui hante la forêt et qui dégrade nos jeunes plants en gravant "Rosalinde" sur leur écorce », tandis que l'apparente récusation d'une culture écrite empiétant sur la nature rustique prend des accents bucoliques — « il accroche des odes aux buissons d'aubépine et des élégies aux ronces ; toutes, en vérité, divinisant le nom de Rosalinde ». Elle peut traiter en face de « trafiquant de désirs » celui-là même dont elle sait qu'un « froncement de ses sourcils[1] » pourrait le tuer. Raison de plus pour que Shakespeare, dans sa charge jubilatoire des clichés amoureux, confie à Rosalinde l'estocade dernière à porter aux rêves narcissiques d'idéalisation de soi : « [l]e pauvre monde est presque vieux de six mille ans, et pendant tout ce temps il n'y a pas eu un seul homme qui soit mort en sa personne, je veux dire, par amour. » Quitte à dénaturer la légende d'amants exemplaires, Troïlus, Léandre et sa Héro[2], et entendre Rosalinde, décidément rattrapée par le réalisme bakhtinien, décréter : « de temps en temps des hommes sont morts et les vers les ont mangés, mais ils ne sont pas morts d'amour[3]. » Et imaginer Shakespeare hilare d'avoir écrit sa comédie

---

1. *Ibid.*, III, ii, 362-367 ; IV, i, 113.
2. Dérision de deux modèles d'amants tragiques, dont le martyre est dénaturé ici en accident burlesque. La dérision va se poursuivre avec la comédie inclassable *Troïlus et Cressida*, jouée vers 1602.
3. *Comme il vous plaira*, IV, i, 109-111.

*à la fois la plus moqueuse des poétiques pétrarquistes,
comme il l'avait déjà fait avec* Peines d'amour perdues
et le refera avec la dérision radicale de Troïlus et Cressida, *en même temps que la plus respectueuse de ses lois.*

*Démonstration faite par le plus extravagant et le plus
réjouissant des détournements d'identité et des jeux de
genre au théâtre, il ne reste plus à Rosalinde qu'à devenir Prospéro et par quelque charade magique confirmer
toutes les « cures » favorisées par l'exil en Ardenne :
« Tenez votre parole, ô Duc, et donnez votre fille, /
Vous, la vôtre, Orlando, et recevez sa fille ; / Tenez votre
parole, Phébé, de m'épouser, / Ou, si vous refusez,
d'épouser ce berger, / Tenez votre parole, Silvius, de
l'épouser. » La comédie réparatrice à la manière de
Shakespeare, plutôt qu'accusatrice à la manière de Ben
Jonson, va permettre de retrouver intact le monde des
pères d'avant l'usurpation, comme le confirme le masque
d'hyménée — « Quand, sur terre, toutes choses apaisées
/ Retrouvent l'harmonie » — s'apprêtant à célébrer
quatre mariages et donner enfin pour « toujours, plus
un jour » chacun à sa chacune. Sans danger d'entendre Rosalinde en hauts-de-chausses ironiser : « Dites
"un jour" et supprimez "toujours"*[1] *» — puisqu'elle a
retrouvé ses robes.*

GISÈLE VENET

---

1. *Ibid.*, V, IV, 19-24 ; 113-114 ; IV, I, 148.

As You Like It

Comme il vous plaira

THE NAMES OF THE ACTORS

DUKE SENIOR,	*living in banishment.*
DUKE FREDERICK,	*his brother, and usurper of his dukedom.*
LE BEAU,	*a courtier, attending on Frederick.*
CHARLES,	*Duke Frederick's wrestler.*
A CLOWN [TOUCHSTONE],	*the court jester.*
OLIVER, ORLANDO, JAQUES,	*sons of sir Rowland de Boys.*
DENNIS,	*Oliver's servant.*
ADAM,	*old servant of the de Boys.*
AMIENS, JAQUES,	*lords attending on the banished Duke.*
CORIN,	*an old shepherd in Arden.*
SILVIUS,	*a young shepherd, in love with Phoebe*
WILLIAM,	*a countryman, in love with Audrey.*
SIR OLIVER MARTEXT,	*a country parson.*
ROSALINDE,	*daughter to Duke Senior.*
CELIA,	*daughter to Duke Frederick.*
PHOEBE,	*a shepherdess.*

PERSONNAGES

LE DUC AÎNÉ,	*qui vit en exil.*
LE DUC FRÉDÉRIC,	*son frère, usurpateur de ses domaines.*
LE BEAU,	*courtisan de Frédéric.*
CHARLES,	*lutteur du Duc Frédéric.*
PIERRE DE TOUCHE,	*bouffon à la Cour du Duc.*
OLIVIER, ORLANDO, JAQUES,	*fils de Sire Roland des Bois.*
DENIS,	*serviteur d'Olivier.*
ADAM,	*vieux serviteur des des Bois.*
AMIENS, JAQUES,	*seigneurs de la suite du Duc banni.*
CORIN,	*vieux berger de la Forêt d'Ardenne*[1].
SILVIUS,	*jeune berger, amoureux de Phébé.*
WILLIAM,	*paysan, amoureux d'Audrey.*
LE PÈRE OLIVIER BROUILLE-PRÊCHE,	*curé d'une paroisse de campagne.*
ROSALINDE,	*fille du Duc Aîné.*
CÉLIA,	*fille du Duc Frédéric.*
PHÉBÉ,	*bergère.*

AUDREY,   *a goatherd*
HYMEN,   *god of marriage*

Lords, pages, and other attendants.

AUDREY,   *chevrière.*
HYMEN,   *dieu du mariage.*

Seigneurs de la suite des Ducs, pages et autres gens de suite.

La présente traduction se fonde sur le texte établi par Gisèle Venet pour l'édition bilingue des *Œuvres complètes*, Gallimard, « Bibliothèque de la Pléiade », vol. VI (à paraître).

ACT I

SCENE I

Enter ORLANDO *and* ADAM.

ORLANDO

As I remember, Adam, it was upon this fashion
bequeathed me by will but poor a thousand
crowns, and, as thou sayst, charged my brother,
on his blessing, to breed me well : and there
begins my sadness. My brother Jaques he keeps   5
at school, and report speaks goldenly of his
profit ; for my part, he keeps me rustically at
home, or, to speak more properly, stays me
here at home unkept ; for call you that keeping
for a gentleman of my birth, that differs not   10
from the stalling of an ox ? His horses are bred
better ; for, besides that they are fair with
their feeding, they are taught their manage,

ACTE I

SCÈNE I

Entrent ORLANDO[1] *et* ADAM[2].

ORLANDO

Dans mon souvenir, Adam, c'est la raison pour
laquelle il ne m'a légué que mille pauvres couronnes, et comme tu le dis, il chargeait mon frère,
en nous donnant sa bénédiction, de m'élever
comme il faut : et c'est là le début de mes peines.
Mon frère Jaques[3], il l'entretient à l'Université ; et
la rumeur parle avec émerveillement de ses progrès ; et moi, il me retient comme un rustre à la
maison ou, pour mieux dire, il me garde ici à la
maison sans m'élever ; car peut-on dire qu'on
élève un gentilhomme de ma naissance quand on
le traite comme un bœuf à l'étable ? Ses chevaux
sont mieux élevés, car, outre que, bien nourris, ils
se portent à merveille, on leur apprend le manège

and to that end riders dearly hired : but I, his
brother, gain nothing under him but growth,   15
for the which his animals on his dunghills are as
much bound to him as I ; besides this nothing
that he so plentifully gives me, the something
that nature gave me his countenance seems to
take from me : he lets me feed with his hinds,   20
bars me the place of a brother, and, as much as
in him lies, mines my gentility with my education. This is it, Adam, that grieves me, and the
spirit of my father, which I think is within me,
begins to mutiny against this servitude. I will no   25
longer endure it, though yet I know no wise
remedy how to avoid it.

                              Enter OLIVER.

ADAM

Yonder comes my master, your brother.

ORLANDO

Go apart, Adam, and thou shalt hear how he
will shake me up.   30

OLIVER

Now, sir, what make you here ?

ORLANDO

Nothing : I am not taught to make any thing.

et, à cette fin, on engage à grands frais des écuyers. Tandis que moi, son frère, tout ce que je gagne sous sa tutelle, c'est de grandir et, pour cela, je ne lui ai pas plus d'obligation que ses bêtes sur leur tas de fumier. À côté de ce rien qu'il m'accorde à profusion, le peu que la nature m'a donné, le traitement qu'il m'inflige semble fait pour me le retirer. Il me laisse manger avec ses valets de ferme, me refuse la place d'un frère, et fait tout ce qu'il peut pour saper la noblesse de ma naissance par l'éducation qu'il me donne. Voilà, Adam, ce qui m'afflige ; et l'esprit de mon père, que je sens en moi, commence à se rebeller contre cette servitude. Je ne l'endurerai pas plus longtemps, même si je ne connais pas encore le moyen raisonnable d'y échapper.

Entre OLIVIER[1].

ADAM

Voilà mon maître, votre frère, qui vient.

ORLANDO

Mets-toi à l'écart, Adam, et tu entendras comme il va me rabrouer.

OLIVIER

Eh bien, Monsieur, que faites-vous ici ?

ORLANDO

On m'apprend à ne rien faire.

OLIVER

What mar you then, sir ?

ORLANDO

Marry, sir, I am helping you to mar that which
God made, a poor unworthy brother of yours,   35
with idleness.

OLIVER

Marry, sir, be better employed, and be naught
awhile.

ORLANDO

Shall I keep your hogs and eat husks with
them ? What prodigal portion have I spent, that   40
I should come to such penury ?

OLIVER

Know you where you are, sir ?

ORLANDO

O, sir, very well : here in your orchard.

OLIVER

Know you before whom, sir ?

ORLANDO

Ay, better than him I am before knows me. I   45
know you are my eldest brother, and, in the gentle
condition of blood, you should so know me :

OLIVIER

Alors, que défaites-vous, Monsieur ?

ORLANDO

Pardi, Monsieur, je vous aide à défaire ce que Dieu a fait, votre pauvre et indigne frère, à force d'oisiveté.

OLIVIER

Pardi, Monsieur, trouvez mieux à faire, et disparaissez.

ORLANDO

Dois-je garder vos porcs et manger des pelures avec eux ? Ai-je, en fils prodigue[1], dilapidé ma part, pour en être réduit à pareil dénuement ?

OLIVIER

Savez-vous où vous êtes, Monsieur ?

ORLANDO

Oh, fort bien, Monsieur : ici, dans votre jardin.

OLIVIER

Savez-vous devant qui, Monsieur ?

ORLANDO

Oui, mieux que celui devant qui je suis ne me connaît. Je sais que vous êtes mon frère aîné et, dans un noble sentiment conforme à votre sang, vous devriez me reconnaître pour votre frère.

the courtesy of nations allows you my better, in
that you are the first-born ; but the same tradition takes not away my blood, were there twenty 50
brothers betwixt us : I have as much of my
father in me as you, albeit I confess your coming
before me is nearer to his reverence.

OLIVER *[, striking him].*

What, boy !

ORLANDO *[, collaring him].*

Come, come, elder brother, you are too young 55
in this.

OLIVER

Wilt thou lay hands on me, villain ?

ORLANDO

I am no villain : I am the youngest son of Sir
Rowland de Boys ; he was my father, and he is
thrice a villain that says such a father begot vil- 60
lains. Wert thou not my brother, I would not
take this hand from thy throat till this other had
pull'd out thy tongue for saying so : thou hast
rail'd on thyself.

ADAM

Sweet masters, be patient : for your father's 65
remembrance, be at accord.

La coutume des nations vous accorde la préséance sur moi parce que vous êtes le premier-né. Mais cette même tradition ne m'enlève pas mon sang, y aurait-il vingt frères entre nous. J'ai en moi autant de mon père que vous, bien que, je le confesse, venu au monde avant moi, vous soyez plus près du respect qui lui était dû.

OLIVIER *[, le frappant]*.

Quoi, petit !

ORLANDO *[, le ceinturant]*.

Allons, allons, frère aîné, vous êtes trop jeune à ce jeu[1].

OLIVIER

Tu oses porter la main sur moi, manant ?

ORLANDO

Je ne suis pas un manant : je suis le plus jeune fils de Sire Roland des Bois. C'était mon père, et triple manant est celui qui peut dire qu'un tel père a engendré des manants. Si tu n'étais pas mon frère, je ne retirerais pas cette main-ci de ta gorge que cette autre ne t'ait arraché la langue pour avoir dit cela. Tu t'es outragé toi-même.

ADAM

Mes chers maîtres, calmez-vous : pour la mémoire de votre père, restez unis.

OLIVER

Let me go, I say.

ORLANDO

I will not, till I please : you shall hear me. My
father charg'd you in his will to give me good
education : you have train'd me like a peasant,   70
obscuring and hiding from me all gentle-
man-like qualities ; the spirit of my father grows
strong in me, and I will no longer endure
it : therefore allow me such exercises as may
become a gentleman, or give me the poor allot-   75
tery my father left me by testament ; with that I
will go buy my fortunes.

OLIVER

And what wilt thou do ? Beg, when that is
spent ? Well, sir, get you in. I will not long be
troubled with you : you shall have some part of   80
your will ; I pray you, leave me.

ORLANDO

I will no further offend you than becomes me
for my good.

OLIVER

Get you with him, you old dog.

OLIVIER

Lâche-moi, te dis-je.

ORLANDO

Quand il me plaira : vous allez m'entendre. Mon père vous a chargé, dans son testament[1], de me donner une bonne éducation : vous m'avez élevé comme un paysan, étouffant en moi et me dissimulant toutes les vertus qui font un gentilhomme. Mais l'esprit de mon père prend force en moi et je n'endurerai pas cela plus longtemps. Aussi, accordez-moi la vie qui convient à un gentilhomme ou donnez-moi la pauvre part que mon père m'a laissée par testament ; avec cela, j'irai acheter ma chance.

OLIVIER

Et qu'iras-tu faire ? Mendier, quand tu auras tout dépensé ? Allons, Monsieur, rentrez. Je ne me laisserai pas harceler par vous plus longtemps. Vous aurez une part de ce que vous désirez. Lâchez-moi, je vous prie.

ORLANDO

Je ne vous offenserai pas plus que ne l'exige mon intérêt.

OLIVIER

Rentre avec lui, vieux chien.

ADAM

Is old dog my reward ? Most true, I have   85
lost my teeth in your service. God be with my
old master, he would not have spoke such a
word.

Exeunt Orlando and Adam.

OLIVER

Is it even so ? Begin you to grow upon me ? I
will physic your rankness, and yet give no thou-   90
sand crowns neither. Holla, Dennis !

Enter DENNIS.

DENNIS

Calls your worship ?

OLIVER

Was not Charles the Duke's wrestler here to
speak with me ?

DENNIS

So please you, he is here at the door, and impor-   95
tunes access to you.

OLIVER

Call him in. *[Exit Dennis.]* 'Twill be a good way ;
and tomorrow the wrestling is.

Enter CHARLES.

ADAM

Vieux chien, est-ce là ma récompense ? C'est bien vrai, j'ai perdu mes dents à votre service. Dieu garde mon vieux maître ! Lui n'aurait jamais dit un tel mot.

Sortent Orlando et Adam.

OLIVIER

Ah, c'est ainsi ? Vous voilà assez grand pour prendre de grands airs ? Je soignerai votre croissance trop rapide et ce, sans donner les mille couronnes. Holà, Denis !

Entre DENIS.

DENIS

Votre Honneur m'appelle ?

OLIVIER

Charles, le lutteur du Duc, n'est-il pas venu ici pour me parler ?

DENIS

Avec votre permission, il est là, à la porte, et il demande accès auprès de vous.

OLIVIER

Faites-le entrer. *[Sort Denis.]* Ce sera un excellent moyen. Et c'est demain qu'a lieu la lutte.

Entre CHARLES.

CHARLES

Good morrow to your worship.

OLIVER

Good Monsieur Charles, what's the new news 100
at the new court ?

CHARLES

There's no news at the court, sir, but the old
news : that is, the old Duke is banished by his
younger brother the new Duke, and three or
four loving lords have put themselves into volun- 105
tary exile with him, whose lands and revenues
enrich the new Duke, therefore he gives them
good leave to wander.

OLIVER

Can you tell if Rosalind, the Duke's daughter,
be banished with her father ? 110

CHARLES

O, no ; for the Duke's daughter, her cousin, so
loves her, being ever from their cradles bred together, that she would have followed her exile, or
have died to stay behind her ; she is at the court,
and no less beloved of her uncle than his own 115
daughter, and never two ladies loved as they do.

OLIVER

Where will the old Duke live ?

CHARLES

Le bonjour à Votre Honneur.

OLIVIER

Mon bon Monsieur Charles ! Quelles sont les nouvelles nouvelles à la nouvelle Cour ?

CHARLES

Il n'y a pas d'autres nouvelles à la Cour, Monsieur,
que les vieilles nouvelles. À savoir que l'ancien Duc
a été banni par son jeune frère, le nouveau Duc, et
que trois ou quatre seigneurs qui lui sont dévoués
sont partis en exil volontaire avec lui. Leurs terres
et leurs revenus enrichissent le nouveau Duc, aussi
leur donne-t-il toute liberté d'aller vagabonder.

OLIVIER

Pouvez-vous me dire si Rosalinde, la fille du Duc,
a été bannie avec son père ?

CHARLES

Oh non ; car la fille du nouveau Duc, sa cousine,
élevée avec elle dès le berceau, l'aime tant qu'elle
l'aurait suivie dans son exil ou serait morte d'être
séparée d'elle. Elle est à la Cour, et son oncle ne
l'aime pas moins que sa propre fille. Jamais deux
femmes ne se sont tant aimées.

OLIVIER

Où va vivre l'ancien Duc ?

CHARLES

They say he is already in the Forest of Arden,
and a many merry men with him ; and there
they live like the old Robin Hood of England : 120
they say many young gentlemen flock to him
every day, and fleet the time carelessly, as they
did in the golden world.

OLIVER

What, you wrestle tomorrow before the new
Duke ? 125

CHARLES

Marry, do I, sir ; and I came to acquaint you
with a matter : I am given, sir, secretly to understand that your younger brother Orlando hath a
disposition to come in disguis'd against me to
try a fall. Tomorrow, sir, I wrestle for my credit ; 130
and he that escapes me without some broken
limb shall acquit him well : your brother is but
young and tender, and for your love I would be
loath to foil him, as I must, for my own honour,
if he come in ; therefore, out of my love to you, 135
I came hither to acquaint you withal, that either
you might stay him from his intendment, or
brook such disgrace well as he shall run into, in
that it is a thing of his own search, and altogether against my will. 140

CHARLES

On dit qu'il est déjà dans la Forêt d'Ardenne[1], avec maints joyeux compagnons ; et ils vivent là-bas comme autrefois Robin des Bois[2] en Angleterre. On dit que de nombreux jeunes gentilshommes affluent chaque jour vers lui, et qu'ils passent le temps dans l'insouciance comme à l'époque de l'Âge d'Or[3].

OLIVIER

Dites-moi, vous luttez demain devant le nouveau Duc ?

CHARLES

Ma foi, oui, Monsieur. Et je venais vous faire part d'une chose. On me donne à entendre en secret, Monsieur, que votre jeune frère Orlando a l'intention de venir, sans dire son nom, tenter un assaut contre moi. Demain, Monsieur, je lutte pour ma réputation, et celui qui m'échappera sans quelque membre brisé pourra s'estimer heureux. Votre frère est bien jeune et tendre et, par égard pour vous, il me déplairait de le terrasser, comme l'honneur m'y obligera, s'il se présente. Aussi, par amour pour vous, je suis venu vous faire part de la chose afin que vous puissiez, soit le détourner de son projet, soit supporter le déshonneur auquel il court, car c'est lui qui l'aura cherché, et tout à fait contre mon gré.

OLIVER

Charles, I thank thee for thy love to me, which
thou shalt find I will most kindly requite. I had
myself notice of my brother's purpose herein
and have by underhand means laboured to dissuade him from it ; but he is resolute. I'll tell 145
thee, Charles, it is the stubbornest young fellow
of France, full of ambition, an envious emulator
of every man's good parts, a secret and villanous contriver against me his natural brother :
therefore use thy discretion ; I had as lief thou 150
didst break his neck as his finger. And thou wert
best look to't ; for if thou dost him any slight
disgrace, or if he do not mightily grace himself
on thee, he will practice against thee by poison,
entrap thee by some treacherous device and 155
never leave thee till he hath ta'en thy life by
some indirect means or other ; for, I assure thee
(and almost with tears I speak it) there is not
one so young and so villanous this day living. I
speak but brotherly of him, but should I anato- 160
mize him to thee as he is, I must blush and
weep, and thou must look pale and wonder.

CHARLES

I am heartily glad I came hither to you. If he
come tomorrow, I'll give him his payment : if
ever he go alone again, I'll never wrestle for 165
prize more ; and so God keep your worship !

OLIVIER

Charles, je te remercie de ton amour pour moi, et tu verras que je saurai très généreusement t'en récompenser. J'avais moi-même eu connaissance de ce projet de mon frère et j'ai, par des moyens discrets, travaillé à l'en dissuader ; mais il est résolu. Je te le dis, Charles, c'est le jeune homme le plus têtu de France[1], plein d'ambition, envieux et jaloux des talents d'autrui, un traître qui intrigue en secret contre moi, son frère de sang. Aussi, fais ce que tu voudras. J'aime autant que tu lui brises le cou que le doigt. Et tu feras bien de t'en méfier. Si tu ne lui infliges qu'un léger déshonneur ou s'il ne s'honore pas grandement à tes dépens, il machinera contre toi par le poison, te piégera par quelque fourbe traquenard, et ne te lâchera pas avant de t'avoir arraché la vie par quelque moyen indirect ou autre. Car, je te l'assure, et c'est presque avec des larmes que je le dis, il n'y a pas d'être vivant qui soit si jeune et si perfide. Encore est-ce là le jugement d'un frère, mais si je devais te le disséquer[2] tel qu'il est, j'en devrais rougir et pleurer, et tu en serais blême de stupeur.

CHARLES

De tout mon cœur, je me réjouis d'être venu ici vous trouver. S'il se présente demain, je lui règle son compte. Si jamais il repart sur ses jambes, je renonce à jamais à lutter pour obtenir le prix. Sur ce, Dieu garde Votre Honneur.

OLIVER

Farewell, good Charles.

Exit [Charles].

Now will I stir this gamester : I hope I shall see
an end of him ; for my soul (yet I know not
why) hates nothing more than he. Yet he's gentle, 170
never school'd and yet learned, full of noble
device, of all sorts enchantingly beloved, and
indeed so much in the heart of the world, and
especially of my own people, who best know
him, that I am altogether misprised ; but it shall 175
not be so long ; this wrestler shall clear all :
nothing remains but that I kindle the boy thither,
which now I'll go about.

Exit.

SCENE II

Enter CELIA *and* ROSALIND.

CELIA

I pray thee, Rosalind, sweet my coz, be merry.

ROSALIND

Dear Celia, I show more mirth than I am
mistress of, and would you yet I were merrier ?

OLIVIER

Adieu, mon bon Charles.

Sort [Charles].

À présent, je m'en vais exciter ce jeune sportif.
J'espère bien voir sa fin ; car mon âme, sans que je
sache pourquoi, ne hait rien plus que lui. Pourtant,
il est doux, instruit sans jamais avoir été à l'école,
plein de nobles pensées, aimé, comme sous l'effet
d'un charme, par des gens de toutes conditions et,
en vérité, si bien dans le cœur de tous, en particulier de mes gens, qui sont ceux qui le connaissent
le mieux, que je suis tout à fait méprisé. Mais cela
ne durera pas longtemps. Ce lutteur y mettra bon
ordre. Il ne me reste plus qu'à enflammer le garçon,
ce à quoi je vais m'employer.

Il sort.

SCÈNE II

Entrent CÉLIA *et* ROSALINDE.

CÉLIA

Je t'en prie, Rosalinde, ma douce cousine, sois gaie.

ROSALINDE

Chère Célia, je montre plus de gaieté que je n'en
possède, et vous voudriez encore que je sois plus gaie ?

Unless you could teach me to forget a banished
father, you must not learn me how to remember   5
any extraordinary pleasure.

CELIA

Herein I see thou lov'st me not with the full
weight that I love thee : if my uncle, thy banished father, had banished thy uncle, the Duke
my father, so thou hadst been still with me, I   10
could have taught my love to take thy father for
mine ; so wouldst thou, if the truth of thy love
to me were so righteously temper'd as mine is
to thee.

ROSALIND

Well, I will forget the condition of my estate, to   15
rejoice in yours.

CELIA

You know my father hath no child but I, nor
none is like to have ; and, truly, when he dies,
thou shalt be his heir ; for what he hath taken
away from thy father perforce, I will render thee   20
again in affection ; by mine honour, I will ; and
when I break that oath, let me turn monster :
therefore, my sweet Rose, my dear Rose, be
merry.

ROSALIND

From henceforth I will, coz, and devise sports.   25
Let me see ; what think you of falling in love ?

Tant que vous ne pourrez pas m'enseigner à oublier un père banni, vous ne devez pas m'apprendre à penser à quelque plaisir extraordinaire.

CÉLIA

Par là, je vois que tu ne m'aimes pas aussi pleinement que moi je t'aime. Si mon oncle, ton père banni, avait banni ton oncle, le Duc mon père, pourvu que tu sois restée avec moi, j'aurais pu enseigner à mon cœur à prendre ton père pour le mien. Tu en ferais autant si ton fidèle amour pour moi était d'un alliage aussi parfait que le mien l'est pour toi.

ROSALINDE

Soit, j'oublierai mon sort pour me réjouir du vôtre.

CÉLIA

Tu sais que mon père n'a pas d'autre enfant que moi et, sans doute, il n'en aura point d'autre ; eh bien, quand il mourra, tu seras son héritière ; car, ce qu'il a pris à ton père par la force, je te le rendrai dans l'affection. Sur mon honneur, je le jure, et si je brise ce serment, que je sois changée en monstre. Aussi, ma douce Rose, ma chère Rose, sois gaie.

ROSALINDE

Je le serai désormais, cousine, et j'inventerai des jeux. Voyons, que diriez-vous de tomber amoureuse ?

CELIA

Marry, I prithee, do, to make sport withal : but love no man in good earnest, nor no further in sport neither than with safety of a pure blush thou mayst in honour come off again.   30

ROSALIND

What shall be our sport, then ?

CELIA

Let us sit and mock the good housewife Fortune from her wheel, that her gifts may henceforth be bestowed equally.

ROSALIND

I would we could do so, for her benefits are   35
mightily misplaced, and the bountiful blind woman doth most mistake in her gifts to women.

CELIA

'Tis true, for those that she makes fair, she scarce makes honest, and those that she makes honest, she makes very ill-favouredly.   40

ROSALIND

Nay, now thou goest from Fortune's office to Nature's : Fortune reigns in gifts of the world, not in the lineaments of Nature.

Enter CLOWN *[*TOUCHSTONE*]*.

CÉLIA

Ma foi, oui, si tu veux, pour jouer. Mais ne va pas aimer un homme pour de bon, et ne pousse pas non plus le jeu si loin, que tu ne puisses te retirer honorablement avec la caution d'une rougeur innocente.

ROSALINDE

À quoi donc jouerons-nous ?

CÉLIA

Asseyons-nous et que sous nos railleries Fortune, bonne fileuse, abandonne sa roue[1], afin que désormais ses dons soient équitablement répartis.

ROSALINDE

Je le voudrais bien ; car ses faveurs sont bien mal distribuées. Et, là où cette aveugle bienfaitrice commet le plus d'erreurs, c'est dans les dons qu'elle fait aux femmes.

CÉLIA

C'est vrai, car celles qu'elle fait belles, elle ne les fait guère vertueuses, et celles qu'elle fait vertueuses, elle les fait bien disgracieuses.

ROSALINDE

Voilà que tu passes du rôle de la Fortune à celui de la Nature : la Fortune règne sur les bienfaits de ce monde, non sur les traits donnés par la Nature.

Entre LE BOUFFON *[*PIERRE DE TOUCHE*].*

CELIA

No ! When Nature hath made a fair creature,
may she not by Fortune fall into the fire ? 45
Though Nature hath given us wit to flout at
Fortune, hath not Fortune sent in this fool to
cut off the argument ?

ROSALIND

Indeed, there is Fortune too hard for Nature,
when Fortune makes Nature's natural the cut- 50
ter-off of Nature's wit.

CELIA

Peradventure this is not Fortune's work neither,
but Nature's, who perceiveth our natural wits
too dull to reason of such goddesses : hath sent
this natural for our whetstone, for always the 55
dullness of the fool is the whetstone of the wits.
How now, Wit, whither wander you ?

CLOWN

Mistress, you must come away to your father.

CELIA

Were you made the messenger ?

CLOWN

No, by mine honour, but I was bid to come for 60
you.

CÉLIA

Ah non ! Quand la Nature a fait une belle créature, la Fortune ne peut-elle pas la faire tomber dans le feu ? Bien que la Nature nous ait donné l'esprit de narguer la Fortune, n'est-ce pas la Fortune qui nous a envoyé ce fou pour couper court à notre discussion ?

ROSALINDE

En vérité, la Fortune est bien dure pour la Nature quand la Fortune se sert d'un idiot de nature[1] pour couper court à l'esprit de la Nature.

CÉLIA

Peut-être n'est-ce pas là non plus l'œuvre de la Fortune mais bien celle de la Nature, qui trouve notre esprit naturel trop obtus pour raisonner sur de telles déesses. Et elle nous a envoyé ce simple d'esprit comme pierre à aiguiser ; car la bêtise obtuse du fou est toujours la pierre à aiguiser de l'esprit[2]. Or çà, Esprit, où t'égares-tu ?

LE BOUFFON

Maîtresse, vous devez venir trouver votre père.

CÉLIA

A-t-on fait de vous son messager ?

LE BOUFFON

Non, sur mon honneur, mais on m'a donné l'ordre de venir vous chercher.

ROSALIND

Where learned you that oath, fool ?

CLOWN

Of a certain knight that swore by his honour they
were good pancakes and swore by his honour
the mustard was naught : now I'll stand to it,   65
the pancakes were naught and the mustard was
good, and yet was not the knight forsworn.

CELIA

How prove you that, in the great heap of your
knowledge ?

ROSALIND

Ay, marry, now unmuzzle your wisdom.   70

CLOWN

Stand you both forth now : stroke your chins,
and swear by your beards that I am a knave.

CELIA

By our beards, if we had them, thou art.

CLOWN

By my knavery, if I had it, then I were ; but
if you swear by that that is not, you are   75
not forsworn ; no more was this knight swearing by his honour, for he never had any ;

CÉLIA

Où avez-vous appris ce serment, fou ?

LE BOUFFON

D'un certain chevalier qui jurait sur son honneur
que les beignets étaient bons et jurait sur son honneur que la moutarde était mauvaise. Or, moi, je
peux vous assurer que les beignets étaient mauvais
et que la moutarde était bonne, et cependant ce
chevalier ne s'était pas parjuré.

CÉLIA

Comment prouvez-vous cela, avec votre montagne
de connaissances ?

ROSALINDE

Oui, c'est cela, démuselez votre sagesse à présent.

LE BOUFFON

Approchez toutes deux : caressez-vous le menton,
et jurez sur vos barbes[1] que je suis une crapule.

CÉLIA

Sur nos barbes, si nous en avions, tu en es une.

LE BOUFFON

Sur ma crapulerie, si j'en avais, j'en serais une ;
mais si vous jurez sur ce qui n'est pas, vous n'êtes
point parjures ; pas plus que ne l'était ce chevalier
qui jurait sur son honneur, car il n'en avait jamais eu ;

or if he had, he had sworn it away before ever he
saw those pancakes or that mustard.

CELIA

Prithee, who is't that thou meanest ?   80

CLOWN

One that old Frederick, your father, loves.

[CELIA]

My father's love is enough to honour him :
enough ! speak no more of him ; you'll be whipp'd
for taxation one of these days.

CLOWN

The more pity, that fools may not speak wisely   85
what wise men do foolishly.

CELIA

By my troth, thou sayest true. For since the little
wit that fools have was silenced, the little foolery
that wise men have makes a great show. Here
comes Monsieur Le Beau.   90

ROSALIND

With his mouth full of news.

Enter LE BEAU.

ou s'il en avait eu un jour, il l'avait usé à force de
jurer avant d'avoir vu ces beignets ou cette moutarde.

CÉLIA

Je t'en prie, de qui parles-tu ?

LE BOUFFON

De quelqu'un qu'aime le vieux Frédéric votre
père.

[CÉLIA[1]]

C'est assez de l'amour de mon père pour l'honorer :
assez ! Ne me parle plus de lui ; un de ces jours, tu
seras fouetté pour tes calomnies.

LE BOUFFON

C'est bien dommage que les fous, dans leur sagesse,
ne puissent rien dire des folies que font les sages[2].

CÉLIA

Ma foi, tu dis vrai. Car depuis que le maigre esprit
des fous a été bâillonné[3], la maigre folie des sages
se donne fort en spectacle. Voici venir Monsieur
Le Beau[4].

ROSALINDE

La bouche pleine de nouvelles.

Entre LE BEAU.

CELIA

Which he will put on us, as pigeons feed their
young.

ROSALIND

Then shall we be news-cramm'd.

CELIA

All the better : we shall be the more marketable.   95
Bonjour, Monsieur Le Beau : what's the news ?

LE BEAU

Fair princess, you have lost much good sport.

CELIA

Sport ? Of what colour ?

LE BEAU

What colour, madam ? How shall I answer
you ?   100

ROSALIND

As wit and fortune will.

CLOWN

Or as the Destinies decree.

CELIA

Well said : that was laid on with a trowel.

CÉLIA

Qu'il va nous faire ingurgiter comme les pigeons nourrissent leurs petits.

ROSALINDE

Alors, nous serons gavées de nouvelles.

CÉLIA

Tant mieux, bien engraissées, nous nous vendrons mieux au marché. Bonjour, Monsieur Le Beau, quelles sont les nouvelles ?

LE BEAU

Belle Princesse, vous avez manqué une belle partie de plaisir.

CÉLIA

Une partie de plaisir ? De quelle couleur ?

LE BEAU

De quelle couleur ? Comment vous répondrai-je ?

ROSALINDE

Comme votre esprit et la Fortune le voudront.

LE BOUFFON

Ou comme les Destinées le décréteront.

CÉLIA

Bien dit ! Voilà qui est appliqué à la truelle !

CLOWN

Nay, if I keep not my rank —

ROSALIND

Thou losest thy old smell.   105

LE BEAU

You amaze me, ladies : I would have told you of
good wrestling, which you have lost the sight of.

ROSALIND

Yet tell us the manner of the wrestling.

LE BEAU

I will tell you the beginning ; and, if it please
your ladyships, you may see the end, for the   110
best is yet to do ; and here where you are, they
are coming to perform it.

CELIA

Well, the beginning that is dead and buried.

LE BEAU

There comes an old man and his three sons —

CELIA

I could match this beginning with an old tale.   115

LE BOUFFON

Ma foi, si je ne tenais pas mon rang...

ROSALINDE

Tu ne sentirais plus le rance[1].

LE BEAU

Vous me déroutez, Mesdames : je voulais vous parler de la magnifique lutte dont vous avez manqué le spectacle.

ROSALINDE

Dites-nous toujours comment elle s'est passée.

LE BEAU

Je vous en dirai le début ; et, s'il plaît à Vos Seigneuries, vous pourrez en voir la fin, car le meilleur reste à faire et c'est ici, où vous êtes, qu'ils vont venir l'exécuter.

CÉLIA

Eh bien, le début, qui est mort et enterré.

LE BEAU

Il était un vieillard et ses trois fils...

CÉLIA

On dirait le début d'un vieux conte.

LE BEAU

Three proper young men, of excellent growth
and presence —

ROSALIND

With bills on their necks : 'Be it known unto all
men by these presents.'

LE BEAU

The eldest of the three wrestled with Charles, 120
the Duke's wrestler ; which Charles in a moment
threw him and broke three of his ribs, that there
is little hope of life in him. So he serv'd the
second, and so the third : yonder they lie, the
poor old man, their father, making such pitiful 125
dole over them that all the beholders take his
part with weeping.

ROSALIND

Alas !

CLOWN

But what is the sport, monsieur, that the ladies
have lost ?   130

LE BEAU

Why, this that I speak of.

CLOWN

Thus   men   may   grow   wiser   every   day.

LE BEAU

Trois jeunes gens bien tournés, de belle taille et de belle présence...

ROSALINDE

Avec une pancarte à leur cou[1] disant : « Qu'il soit connu de tous par les présentes. »

LE BEAU

L'aîné des trois a lutté avec Charles, le lutteur du Duc. Et Charles, en un clin d'œil, l'a jeté à terre et lui a brisé trois côtes, si bien qu'il y a peu d'espoir qu'il vive. Il a traité le second de la même façon, et de même le troisième. Ils gisent là-bas, et le pauvre vieillard, leur père, se lamente si pitoyablement sur leur sort que tous les spectateurs prennent son parti en pleurant.

ROSALINDE

Hélas !

LE BOUFFON

Mais quelle est la partie de plaisir, Monsieur, que ces dames ont manquée ?

LE BEAU

Eh bien, celle dont je parle.

LE BOUFFON

C'est ainsi qu'on en apprend tous les jours.

It is the first time that ever I heard breaking of
ribs was sport for ladies.

CELIA

Or I, I promise thee.   135

ROSALIND

But is there any else longs to see this broken
music in his sides ? Is there yet another dotes
upon rib-breaking ? Shall we see this wrestling,
cousin ?

LE BEAU

You must, if you stay here, for here is the place   140
appointed for the wrestling, and they are ready
to perform it.

CELIA

Yonder, sure, they are coming. Let us now stay
and see it.

> *Flourish. Enter* DUKE [FREDERICK],
> *Lords,* ORLANDO, CHARLES, *and Atten-*
> *dants.*

DUKE FREDERICK

Come on : since the youth will not be entreated,   145
his own peril on his forwardness.

ROSALIND

Is yonder the man ?

C'est la première fois que j'entends dire que des côtes brisées soient une partie de plaisir pour des dames.

CÉLIA

Moi aussi, je te le promets.

ROSALINDE

Mais y a-t-il quelqu'un d'autre qui aspire à entendre ce concert discordant[1] dans ses flancs ? Y a-t-il quelque autre amateur de côtes brisées ? Irons-nous voir cette lutte, cousine ?

LE BEAU

Vous ne pouvez la manquer, si vous restez ici, car c'est ici l'endroit désigné pour la lutte et ils sont prêts à commencer.

CÉLIA

En effet, les voilà qui arrivent. Restons, maintenant, et voyons cela.

Fanfare. Entrent le DUC [FRÉDÉRIC], *des seigneurs,* ORLANDO, CHARLES *et leur suite.*

LE DUC FRÉDÉRIC

Eh bien, puisque ce jeune homme ne veut pas se laisser fléchir, qu'il prenne les risques de sa témérité.

ROSALINDE

Est-ce lui, là-bas ?

LE BEAU

Even he, madam.

CELIA

Alas, he is too young ! Yet he looks success-
fully.   150

DUKE FREDERICK

How now, daughter and cousin ? Are you crept
hither to see the wrestling ?

ROSALIND

Ay, my liege, so please you give us leave.

DUKE FREDERICK

You will take little delight in it, I can tell you,
there is such odds in the man. In pity of the   155
challenger's youth, I would fain dissuade him,
but he will not be entreated. Speak to him,
ladies ; see if you can move him.

CELIA

Call him hither, good Monsieur Le Beau.

DUKE FREDERICK

Do so. I'll not be by.   160

LE BEAU

Lui-même, Madame.

ROSALINDE

Hélas, il est trop jeune. Pourtant, il porte la réussite sur son visage.

LE DUC FRÉDÉRIC

Eh bien, ma fille, et vous, ma nièce, vous vous êtes glissées jusqu'ici pour voir la lutte ?

ROSALINDE

Oui, mon souverain, s'il vous plaît de nous y autoriser.

LE DUC FRÉDÉRIC

Vous n'y prendrez guère plaisir, je peux vous l'assurer, le combat est trop inégal. Par pitié pour la jeunesse de celui qui a lancé le défi, je voudrais l'en dissuader, mais il ne veut pas se laisser fléchir. Parlez-lui, mesdames ; voyez si vous pouvez le convaincre.

CÉLIA

Appelez-le ici, cher Monsieur Le Beau.

LE DUC FRÉDÉRIC

Faites. Je m'éloignerai.

LE BEAU

Monsieur the challenger, the princess calls for
you.

ORLANDO

I attend them with all respect and duty.

ROSALIND

Young man, have you challeng'd Charles the
wrestler ?   165

ORLANDO

No, fair princess : he is the general challenger ;
I come but in, as others do, to try with him the
strength of my youth.

CELIA

Young gentleman, your spirits are too bold for
your years. You have seen cruel proof of this   170
man's strength : if you saw yourself with your
eyes or knew yourself with your judgment, the
fear of your adventure would counsel you to a
more equal enterprise. We pray you, for your
own sake, to embrace your own safety, and give   175
over this attempt.

ROSALIND

Do, young sir, your reputation shall not therefore be misprised : we will make it our suit to
the Duke that the wrestling might not go
forward.   180

LE BEAU

Vous, Monsieur, qui avez lancé le défi, la Princesse vous demande.

ORLANDO

Je leur présente tous mes respects et mes hommages.

ROSALINDE

Jeune homme, est-ce vous qui avez défié Charles le lutteur ?

ORLANDO

Non, belle Princesse : c'est lui qui a lancé un défi général ; je viens seulement, comme d'autres, éprouver sur lui la force de ma jeunesse.

CÉLIA

Jeune gentilhomme, votre courage est trop téméraire pour vos années. Vous avez vu un cruel témoignage de la force de cet homme ; si vous pouviez vous voir avec vos yeux ou vous connaître avec votre jugement, le péril de cette aventure vous conseillerait une entreprise moins inégale. Nous vous prions dans votre intérêt d'embrasser votre propre sécurité et de renoncer à cette tentative.

ROSALINDE

Oui, jeune homme ; votre réputation n'en sera pas affectée ; nous allons solliciter le Duc pour que cette lutte ne s'engage pas.

ORLANDO

I beseech you, punish me not with your hard thoughts, wherein I confess me much guilty to deny so fair and excellent ladies any thing. But let your fair eyes and gentle wishes go with me to my trial ; wherein if I be foil'd, there is but 185 one sham'd that was never gracious ; if kill'd, but one dead that was willing to be so. I shall do my friends no wrong, for I have none to lament me ; the world no injury, for in it I have nothing ; only in the world I fill up a place, which may be 190 better supplied when I have made it empty.

ROSALIND

The little strength that I have, I would it were with you.

CELIA

And mine to eke out hers.

ROSALIND

Fare you well. Pray heaven I be deceiv'd in you ! 195

CELIA

Your heart's desires be with you !

CHARLES

Come, where is this young gallant that is so desirous to lie with his mother earth ?

ORLANDO

Je vous en supplie, ne me punissez pas en ayant
mauvaise opinion de moi, même si je reconnais que
je suis bien coupable de refuser quoi que ce soit à
de si belles et si généreuses dames. Mais que vos
beaux yeux et vos tendres souhaits m'accompagnent
dans cette épreuve. Si je suis défait, il n'y aura d'hu-
milié qu'un seul être qui a toujours été disgracié ; si
je suis tué, il n'y aura de mort qu'un seul être
disposé à mourir. Je ne ferai aucun tort à mes amis,
car je n'en ai aucun pour me pleurer, ne porterai au
monde aucun préjudice, car je n'y possède rien ; je
ne fais en ce monde qu'occuper une place qui sera
mieux tenue quand je l'aurai laissée vide.

ROSALINDE

Le peu de force que j'ai, je voudrais vous le donner.

CÉLIA

Ajoutez-y la mienne pour accroître la sienne.

ROSALINDE

Bonne chance. Fasse le Ciel que je me trompe sur
vous !

CÉLIA

Que les désirs de votre cœur s'accomplissent !

CHARLES

Voyons, où est ce jeune galant qui est si désireux
de coucher avec sa mère la Terre ?

ORLANDO

Ready, sir ; but his will hath in it a more modest
working.   200

DUKE FREDERICK

You shall try but one fall.

CHARLES

No, I warrant your grace, you shall not entreat
him to a second, that have so mightily persua-
ded him from a first.

ORLANDO

You mean to mock me after : you should not   205
have mock'd me before ; but come your ways.

ROSALIND

Now Hercules be thy speed, young man !

CELIA

I would I were invisible, to catch the strong
fellow by the leg.

Wrestle.

ROSALIND

O excellent young man !   210

ORLANDO

Ici, Monsieur, mais le désir agit sur lui de façon plus pudique.

LE DUC FRÉDÉRIC

Vous ne livrerez qu'un assaut.

CHARLES

Non, je garantis à Votre Grâce que vous n'aurez pas besoin de l'inviter à un second, vous qui vouliez si fort le détourner du premier.

ORLANDO

Ne vous moquez pas de moi avant : vous vous moquerez tout à l'heure ; mais allons-y.

ROSALINDE

Maintenant qu'Hercule[1] t'apporte la victoire, jeune homme !

CÉLIA

Je voudrais être invisible, pour attraper le robuste gaillard par la jambe.

Ils luttent.

ROSALINDE

Oh, le vaillant jeune homme !

CELIA

If I had a thunderbolt in mine eye, I can tell
who should down.

Shout. [Charles is thrown.]

DUKE FREDERICK

No more, no more.

ORLANDO

Yes, I beseech your grace : I am not yet well
breath'd.   215

DUKE FREDERICK

How dost thou, Charles ?

LE BEAU

He cannot speak, my lord.

DUKE FREDERICK

Bear him away. What is thy name, young man ?

ORLANDO

Orlando, my liege, the youngest son of Sir
Rowland de Boys.   220

DUKE FREDERICK

I would thou hadst been son to some man else.
The world esteem'd thy father honourable,
But I did find him still mine enemy.

CÉLIA

Si mon œil pouvait lancer la foudre, je peux dire
qui se retrouverait à terre.

Clameurs. [Charles est jeté à terre.]

LE DUC FRÉDÉRIC

Arrêtez ! Arrêtez !

ORLANDO

Non ! J'implore Votre Grâce : je ne suis pas encore
échauffé.

LE DUC FRÉDÉRIC

Comment te sens-tu, Charles ?

LE BEAU

Il ne peut plus parler, mon seigneur.

LE DUC FRÉDÉRIC

Emportez-le. Quel est ton nom, jeune homme ?

ORLANDO

Orlando, mon souverain, le plus jeune fils de Sire
Roland des Bois.

LE DUC FRÉDÉRIC

Ah ! que n'es-tu le fils d'un autre homme.
Le monde estimait ton père et l'honorait,
Mais j'ai toujours trouvé en lui un ennemi.

Thou shouldst have better pleas'd me with this
   deed,
Hadst thou descended from another house.   225
But fare thee well, thou art a gallant youth,—
I would thou hadst told me of another father.

     Exit Duke [, Le Beau, and Attendants].

CELIA

Were I my father, coz, would I do this ?

ORLANDO

I am more proud to be Sir Rowland's son,
His youngest son, and would not change that
   calling   230
To be adopted heir to Frederick.

ROSALIND

My father lov'd Sir Rowland as his soul,
And all the world was of my father's mind.
Had I before known this young man his son,
I should have given him tears unto entreaties,   235
Ere he should thus have ventur'd.

CELIA

                    Gentle cousin,
Let us go thank him and encourage him.
My father's rough and envious disposition
Sticks me at heart. Sir, you have well deserv'd :
If you do keep your promises in love   240

Ta prouesse m'aurait réjoui davantage
Si tu étais issu d'une autre maison.
Mais bonne chance, tu es un jeune homme coura-
    geux...
J'aurais voulu t'entendre nommer un autre père.

> *Sortent le Duc [, Le Beau et leur suite].*

CÉLIA

Si j'étais mon père, petite cousine, aurais-je fait cela ?

ORLANDO

Je suis fier d'être le fils de Sire Roland,
Son plus jeune fils, et n'échangerais pas ce titre
Pour celui d'héritier adoptif de Frédéric.

ROSALINDE

Mon père aimait Sire Roland comme son âme,
Et le monde entier partageait son sentiment.
Si jamais j'avais su avant que ce jeune homme était
    son fils,
J'aurais ajouté des larmes à mes prières,
Avant qu'il se risque de la sorte.

CÉLIA

                                    Douce cousine,
Allons le remercier et l'encourager.
L'humeur brusque et jalouse de mon père
Me blesse au cœur. Monsieur, votre mérite est
    grand :
Si vous savez tenir vos promesses d'amour

But justly, as you have exceeded all promise,
Your mistress shall be happy.

ROSALIND

Gentleman,

[Giving him a chain from her neck.]

Wear this for me : one out of suits with fortune,
That could give more, but that her hand lacks
    means.
Shall we go, coz ?

CELIA

Ay. Fare you well, fair gentleman.   245

ORLANDO

Can I not say, 'I thank you' ? My better parts
Are all thrown down, and that which here stands
    up
Is but a quintain, a mere lifeless block.

ROSALIND

He calls us back : my pride fell with my for-
    tunes,
I'll ask him what he would. Did you call, sir ?   250
Sir, you have wrestled well and overthrown
More than your enemies.

De cette façon, au-delà de ce que vous promettiez,
Votre maîtresse sera heureuse.

ROSALINDE

Gentilhomme,

*[Lui donnant une chaîne qu'elle prend à
son cou.]*

Portez ceci pour moi, qui ne suis plus dans les
  bonnes grâces de la Fortune,
Qui donnerais davantage si ma main en avait les
  moyens.
Nous partons, cousine ?

CÉLIA

Oui. Portez-vous bien, beau gentilhomme.

ORLANDO

Ne puis-je donc pas dire : « Je vous remercie » ? Le
  meilleur de moi-même
Est terrassé ; ce qui reste debout
N'est qu'une quintaine[1], un bloc de bois sans vie.

ROSALINDE

Il nous rappelle : ma fierté s'est écroulée avec mon
  sort.
Je vais lui demander ce qu'il veut. Avez-vous appelé,
  Monsieur ?
Monsieur, vous avez bien lutté, et vous avez terrassé
Plus que vos ennemis.

CELIA

Will you go, coz ?

ROSALIND

Have with you. Fare you well.

Exeunt [Rosalind and Celia].

ORLANDO

What passion hangs these weights upon my
    tongue ?
I cannot speak to her, yet she urg'd conference. 255

Enter LE BEAU.

O poor Orlando, thou art overthrown !
Or Charles, or something weaker masters thee.

LE BEAU

Good sir, I do in friendship counsel you
To leave this place. Albeit you have deserv'd
High commendation, true applause and love, 260
Yet such is now the Duke's condition
That he misconstrues all that you have done.
The Duke is humorous ; what he is indeed,
More suits you to conceive than I to speak of.

ORLANDO

I thank you, sir ; and, pray you, tell me this, 265

CÉLIA

Vous venez, cousine ?

ROSALINDE

Je suis à vous. Portez-vous bien.

Sortent [Rosalinde et Célia].

ORLANDO

Quelle émotion pèse si lourdement sur ma langue !
Je n'ai pu lui parler, alors qu'elle m'en pressait.

Entre LE BEAU.

Ô pauvre Orlando, tu es terrassé !
Ou bien Charles, ou quelque créature plus frêle te
　　maîtrise.

LE BEAU

Cher Monsieur, je vous conseille en ami
De quitter ces lieux. Bien que vous ayez mérité
De hautes louanges, des acclamations sincères, et
　　de l'amour,
Tel est à présent l'état d'esprit du Duc
Qu'il interprète mal tout ce que vous avez fait.
Le Duc est bien changeant[1] ; ce qu'il est au vrai,
C'est à vous de l'imaginer plutôt qu'à moi d'en
　　parler.

ORLANDO

Je vous remercie, Monsieur ; et, de grâce, dites-moi

Which of the two was daughter of the Duke
That here was at the wrestling ?

LE BEAU

Neither his daughter, if we judge by manners,
But yet indeed the taller is his daughter.
The other is daughter to the banish'd Duke,   270
And here detain'd by her usurping uncle
To keep his daughter company, whose loves
Are dearer than the natural bond of sisters.
But I can tell you that of late this Duke
Hath ta'en displeasure 'gainst his gentle niece,   275
Grounded upon no other argument
But that the people praise her for her virtues,
And pity her for her good father's sake ;
And, on my life, his malice 'gainst the lady
Will suddenly break forth. Sir, fare you well :   280
Hereafter, in a better world than this,
I shall desire more love and knowledge of you.

ORLANDO

I rest much bounden to you : fare you well.

[Exit Le Beau.]

Thus must I from the smoke into the smother,
From tyrant Duke unto a tyrant brother.   285
But heavenly Rosalind !

Exit.

Laquelle était la fille du Duc, des deux jeunes filles
Présentes à la lutte ?

LE BEAU

Aucune, si l'on en juge par leurs comportements,
Mais, à la vérité, la plus petite[1] est sa fille.
L'autre est la fille du Duc banni,
Son oncle, l'usurpateur, la retient en ces lieux
Pour tenir compagnie à sa fille. Leur amour
Est plus fort que le lien naturel de deux sœurs.
Mais je peux vous dire que, depuis peu, le Duc,
Contre sa tendre nièce, s'est pris d'un déplaisir
Qui se fonde sur l'unique motif
Que le peuple fait l'éloge de ses vertus
Et la plaint par amour pour son généreux père ;
Et sur ma vie, son animosité contre cette dame
Va bientôt éclater[2]. Monsieur, portez-vous bien :
Plus tard, en des jours meilleurs que ceux-ci,
Je souhaite lier amitié et faire plus ample connais-
    sance avec vous.

ORLANDO

Je vous suis très obligé : adieu.

[Sort Le Beau.]

Ainsi, je dois passer de la fumée à l'étouffoir[3],
D'un Duc tyran à un frère tyran.
Mais ô céleste Rosalinde !

Il sort.

SCENE III

Enter CELIA *and* ROSALIND.

CELIA

Why, cousin, why, Rosalind ! Cupid have mercy,
not a word ?

ROSALIND

Not one to throw at a dog.

CELIA

No, thy words are too precious to be cast away
upon curs : throw some of them at me ; come,   5
lame me with reasons.

ROSALIND

Then there were two cousins laid up, when the
one should be lam'd with reasons and the other
mad without any.

CELIA

But is all this for your father ?   10

ROSALIND

No, some of it is for my child's father. O, how
full of briers is this working-day world !

SCÈNE III

Entrent CÉLIA *et* ROSALINDE.

CÉLIA

Allons, cousine, allons, Rosalinde ! Que Cupidon ait pitié, pas un mot ?

ROSALINDE

Pas un à lancer aux chiens.

CÉLIA

Non, tes mots sont trop précieux pour être jetés en pâture à des roquets. Lance-m'en quelques-uns, à moi. Allons, estropie-moi avec de belles raisons.

ROSALINDE

Alors, il y aurait deux cousines mal en point, l'une serait estropiée de raisons, et l'autre folle, privée de raison.

CÉLIA

Mais tout cela est-il pour votre père ?

ROSALINDE

Non, il y en a pour le père de mon enfant. Oh, comme ce monde quotidien est plein de ronces !

CELIA

They are but burs, cousin, thrown upon thee in
holiday foolery : if we walk not in the trodden
paths our very petticoats will catch them.   15

ROSALIND

I could shake them off my coat : these burs are
in my heart.

CELIA

Hem them away.

ROSALIND

I would try, if I could cry hem and have him.

CELIA

Come, come, wrestle with thy affections.   20

ROSALIND

O, they take the part of a better wrestler than
myself.

CELIA

O, a good wish upon you : you will try in
time, in despite of a fall. But, turning these
jests out of service, let us talk in good   25
earnest : is it possible, on such a sudden,

CÉLIA

Ce ne sont que des bardanes, cousine, jetées sur toi pour rire, un jour de fête ; si nous marchons hors des sentiers battus, nos jupons les attraperont au passage.

ROSALINDE

Si elles ne s'accrochaient qu'à ma robe, je pourrais les secouer ; mais ces bardanes sont dans mon cœur.

CÉLIA

Fais « hem » et chasse-les.

ROSALINDE

J'essaierais bien s'il suffisait de faire « hem » pour qu'il m'aime[1].

CÉLIA

Allons, allons, lutte contre tes désirs.

ROSALINDE

Oh ! ils prennent le parti d'un meilleur lutteur que moi.

CÉLIA

Tous mes vœux t'accompagnent : tu essaieras tes forces un jour, au risque d'une culbute. Mais donnons leur congé à ces plaisanteries, parlons sérieusement. Est-il possible que, tout d'un coup,

you should fall into so strong a liking with old
Sir Rowland's youngest son ?

ROSALIND

The Duke my father lov'd his father dearly.

CELIA

Doth it therefore ensue that you should love his   30
son dearly ? By this kind of chase, I should hate
him, for my father hated his father dearly ; yet I
hate not Orlando.

ROSALIND

No, faith, hate him not, for my sake.

CELIA

Why should I not ? doth he not deserve well ?   35

ROSALIND

Let me love him for that, and do you love him
because I do. Look, here comes the Duke.

Enter DUKE [FREDERICK], *with Lords.*

CELIA

With his eyes full of anger.

DUKE FREDERICK

Mistress, dispatch you with your safest haste
And get you from our court.

tu sois prise d'un si fort penchant pour le plus jeune fils du vieux Sire Roland ?

ROSALINDE

Le Duc mon père aimait son père profondément.

CÉLIA

S'ensuit-il que tu doives aimer profondément son fils ? En suivant cette piste, je devrais le haïr, puisque mon père haïssait son père ; pourtant, je ne hais point Orlando.

ROSALINDE

Ma foi non, ne le hais point, pour l'amour de moi.

CÉLIA

Pourquoi pas ? Ne l'a-t-il pas mérité ?

ROSALINDE

Je veux l'aimer pour cela et toi, aime-le parce que je l'aime. Regarde, voici venir le Duc.

Entre le DUC [FRÉDÉRIC], *avec des seigneurs.*

CÉLIA

Les yeux pleins de colère.

LE DUC FRÉDÉRIC

Mademoiselle, dépêchez-vous, votre hâte vous sauvera,
Dépêchez-vous de quitter notre Cour.

ROSALIND

Me, uncle ?

DUKE FREDERICK

You, cousin.   40
Within these ten days if that thou be'st found
So near our public court as twenty miles,
Thou diest for it.

ROSALIND

I do beseech your grace,
Let me the knowledge of my fault bear with
    me :
If with myself I hold intelligence,   45
Or have acquaintance with mine own desires,
If that I do not dream, or be not frantic
(As I do trust I am not), then, dear uncle,
Never so much as in a thought unborn
Did I offend your highness.

DUKE FREDERICK

Thus do all traitors :   50
If their purgation did consist in words,
They are as innocent as grace itself :
Let it suffice thee that I trust thee not.

ROSALIND

Yet your mistrust cannot make me a traitor :
Tell me whereon the likelihood depends.   55

ROSALINDE

Moi, mon oncle ?

LE DUC FRÉDÉRIC

Vous, ma nièce.

Dans dix jours si l'on te trouve
À moins de vingt milles de notre Cour,
Tu mourras.

ROSALINDE

Je supplie Votre Grâce
De me laisser emporter avec moi la connaissance
   de ma faute :
Si avec moi-même je suis d'intelligence,
Ou si je connais mes propres désirs,
Si je ne rêve pas, ou ne délire pas
(Ce dont je suis convaincue), alors, cher oncle,
Jamais, pas même dans une pensée encore à naître
Je n'ai offensé Votre Altesse.

LE DUC FRÉDÉRIC

Ainsi agissent tous les traîtres :
Si des mots pouvaient les blanchir,
Ils seraient aussi innocents que la grâce elle-même :
Que ceci te suffise, je n'ai pas confiance en toi.

ROSALINDE

Mais votre méfiance ne peut me rendre traître :
Dites-moi sur quoi s'appuient ces présomptions.

DUKE FREDERICK

Thou art thy father's daughter ; there's enough.

ROSALIND

So was I when your highness took his Duke-
    dom,
So was I when your highness banish'd him ;
Treason is not inherited, my lord,
Or, if we did derive it from our friends,   60
What's that to me ? My father was no traitor,
Then, good my liege, mistake me not so much
To think my poverty is treacherous.

CELIA

Dear sovereign, hear me speak.

DUKE FREDERICK

Ay, Celia ; we stay'd her for your sake,   65
Else had she with her father rang'd along.

CELIA

I did not then entreat to have her stay :
It was your pleasure and your own remorse.
I was too young that time to value her,
But now I know her : if she be a traitor,   70
Why so am I ; we still have slept together,
Rose at an instant, learn'd, play'd, eat toge-
    ther,

LE DUC FRÉDÉRIC

Tu es la fille de ton père ; c'est assez.

ROSALINDE

Je l'étais quand Votre Altesse lui a pris son duché,
Je l'étais quand Votre Altesse l'a banni ;
La trahison n'est pas héréditaire, mon seigneur,
Et, même si nous la tenions de nos proches,
Qu'est-ce que cela pour moi ? Mon père n'était
    point traître.
Donc, mon bon seigneur, ne vous méprenez pas
    sur moi
Au point de penser qu'il y a de la trahison dans
    mon dénuement.

CÉLIA

Mon cher souverain, écoutez-moi.

LE DUC FRÉDÉRIC

Oui, Célia ; c'est à cause de vous que nous l'avons
    gardée,
Autrement, elle serait partie errer avec son père.

CÉLIA

Je ne vous ai pas, alors, prié de la retenir :
Ce furent votre bon plaisir et votre compassion.
J'étais trop jeune en ce temps-là pour l'apprécier,
Mais maintenant je la connais : si elle est traître,
Je le suis aussi ; nous avons toujours dormi ensemble,
Levées au même instant, nous apprenions nos leçons,
    jouions, mangions ensemble,

And whereso'er we went, like Juno's swans,
Still we went coupled and inseparable.

DUKE FREDERICK

She is too subtle for thee, and her smoothness,   75
Her very silence and her patience
Speak to the people, and they pity her.
Thou art a fool : she robs thee of thy name,
And thou wilt show more bright and seem more
    virtuous
When she is gone. Then open not thy lips :   80
Firm and irrevocable is my doom
Which I have pass'd upon her ; she is banish'd.

CELIA

Pronounce that sentence then on me, my liege :
I cannot live out of her company.

DUKE FREDERICK

You are a fool. You, niece, provide yourself :   85
If you outstay the time, upon mine honour,
And in the greatness of my word, you die.

Exeunt Duke [Frederick] and Lords.

CELIA

O my poor Rosalind, whither wilt thou go ?
Wilt thou change fathers ? I will give thee mine.
I charge thee, be not thou more griev'd than I   90
    am.

Et partout où nous allions, pareilles aux cygnes de
    Junon[1],
Nous allions toujours en couple, inséparables.

LE DUC FRÉDÉRIC

Elle est trop habile pour toi, et ses manières douce-
    reuses,
Son silence même, et sa patience
Parlent au peuple, et on la plaint.
Tu es une sotte : elle te vole ton renom,
Et tu paraîtras plus brillante, sembleras plus ver-
    tueuse,
Quand elle sera partie. Aussi n'ouvre pas les lèvres :
Ferme et irrévocable est le verdict
Que j'ai rendu sur elle ; elle est bannie.

CÉLIA

Prononcez alors cette sentence contre moi, mon
    souverain :
Je ne peux vivre hors de sa compagnie.

LE DUC FRÉDÉRIC

Vous êtes une sotte. Vous, nièce, préparez-vous :
Si vous passez le délai, sur mon honneur
Et la force de ma parole, vous mourrez.

Sortent le Duc [Frédéric] et sa suite.

CÉLIA

Ô, ma pauvre Rosalinde, où iras-tu ?
Veux-tu changer de père ? Je te donne le mien.
Je te défends d'être plus affligée que moi.

ROSALIND

I have more cause.

CELIA

                Thou hast not, cousin.
Prithee be cheerful : know'st thou not the Duke
Hath banish'd me his daughter ?

ROSALIND

                            That he hath not.

CELIA

No, hath not ? Rosalind lacks then the love
Which teacheth thee that thou and I am one :   95
Shall we be sunder'd ? Shall we part, sweet
    girl ?
No, let my father seek another heir.
Therefore devise with me how we may fly,
Whither to go and what to bear with us ;
And do not seek to take your change upon you,   100
To bear your griefs yourself and leave me out,
For, by this heaven, now at our sorrows pale,
Say what thou canst, I'll go along with thee.

ROSALIND

Why, whither shall we go ?

CELIA

To seek my uncle in the Forest of Arden.   105

ROSALINDE

J'ai plus de raisons.

CÉLIA

Non, cousine,
Je t'en prie, reprends courage : ne sais-tu pas que
   le Duc
M'a bannie, moi, sa fille ?

ROSALINDE

Il ne l'a pas fait.

CÉLIA

Non, pas bannie ? Alors, Rosalinde n'a pas cet amour
Qui enseigne que toi et moi ne faisons qu'une :
Nous, être séparées ? Nous quitter, ma douce fille ?
Non, que mon père cherche une autre héritière.
Aussi, trouve avec moi comment nous pouvons fuir,
Où aller, et quoi prendre avec nous,
Et ne cherche pas à garder pour toi seule ce revers
   de fortune,
À porter seule tes chagrins et à m'exclure,
Car par ce ciel, blême à présent devant nos peines,
Quoi que tu dises, je partirai avec toi.

ROSALINDE

Mais où irons-nous ?

CÉLIA

Chercher mon oncle dans la Forêt d'Ardenne.

ROSALIND

Alas, what danger will it be to us,
Maids as we are, to travel forth so far ?
Beauty provoketh thieves sooner than gold.

CELIA

I'll put myself in poor and mean attire,
And with a kind of umber smirch my face ;   110
The like do you, so shall we pass along
And never stir assailants.

ROSALIND

                    Were it not better,
Because that I am more than common tall,
That I did suit me all points like a man ?
A gallant curtle-axe upon my thigh,   115
A boar-spear in my hand, and in my heart
Lie there what hidden woman's fear there will,
We'll have a swashing and a martial outside,
As many other mannish cowards have
That do outface it with their semblances.   120

CELIA

What shall I call thee when thou art a man ?

ROSALIND

I'll have no worse a name than Jove's own
    page ;

ROSALINDE

Hélas, quel danger ce sera pour nous,
Filles que nous sommes, de nous aventurer si loin ?
La beauté plus que l'or provoque les voleurs.

CÉLIA

Je me vêtirai d'un pauvre et méchant habit,
Et avec un peu de terre d'ombre me barbouillerai
    le visage ;
Fais de même, nous irons notre chemin
Sans jamais exciter d'agresseurs.

ROSALINDE

                    Ne vaudrait-il pas mieux,
Moi qui suis plutôt grande,
Que je m'habille en tous points comme un homme ?
Un vaillant coutelas sur la cuisse,
Un épieu à sanglier à la main, et même si dans
    mon cœur
Se cache quelque frayeur de femme,
Nous aurons des dehors crânes et guerriers,
Comme tant d'autres couards à l'air viril
Qui en imposent par leur seule apparence.

CÉLIA

Comment dois-je t'appeler, quand tu seras un
    homme ?

ROSALINDE

Je ne veux pas un moindre nom que celui du page
    de Jupiter ;

And therefore look you call me Ganymede.
But what will you be call'd ?

CELIA

Something that hath a reference to my state   125
No longer Celia, but Aliena.

ROSALIND

But, cousin, what if we assay'd to steal
The clownish fool out of your father's court ?
Would he not be a comfort to our travel ?

CELIA

He'll go along o'er the wide world with me ;   130
Leave me alone to woo him. Let's away,
And get our jewels and our wealth together,
Devise the fittest time and safest way
To hide us from pursuit that will be made
After my flight. Now go we in content   135
To liberty and not to banishment.

Exeunt.

Aussi prends soin de m'appeler Ganymède[1].
Mais toi, quel sera ton nom ?

CÉLIA

Quelque chose qui soit en rapport avec ma situation
Non plus Célia, mais Aliéna[2].

ROSALINDE

Mais, cousine, si nous tentions d'enlever
Le facétieux bouffon de la Cour de ton père ?
Ne serait-il pas un réconfort pour le voyage ?

CÉLIA

Il ira avec moi jusqu'au bout du vaste monde ;
Laisse-moi seule le gagner. Partons,
Et allons rassembler nos bijoux et nos richesses,
Réfléchir au temps le plus propice, au moyen le
plus sûr
De nous soustraire aux recherches qu'on engagera
Après ma fuite. À présent, partons le cœur content
Vers la liberté, non vers le bannissement.

Elles sortent.

ACT II

SCENE I

Enter DUKE SENIOR, AMIENS, *and two*
or three Lords, like foresters.

DUKE SENIOR

Now, my co-mates and brothers in exile,
Hath not old custom made this life more sweet
Than that of painted pomp ? Are not these
   woods
More free from peril than the envious court ?
Here feel we not the penalty of Adam,   5
The seasons' difference, as the icy fang
And churlish chiding of the winter's wind,
Which when it bites and blows upon my body
Even till I shrink with cold, I smile and say
"This is no flattery : these are counsellors   10
That feelingly persuade me what I am."

ACTE II

Entrent le Duc Aîné, Amiens, *et deux
ou trois seigneurs, vêtus comme des forestiers.*

LE DUC AÎNÉ

Eh bien, mes compagnons et mes frères d'exil,
L'habitude et le temps[1] n'ont-ils pas rendu cette
   vie plus douce
Que l'autre avec son faste et son clinquant ? Ces
   bois ne sont-ils pas
Plus libres de péril que la Cour envieuse ?
Ici, nous ne souffrons que de la punition d'Adam[2],
La différence des saisons, ainsi la morsure glacée
Et l'acariâtre querelle du vent d'hiver,
Lorsqu'il mord et souffle sur mon corps
À me transir de froid, j'en souris et je dis :
« Voilà qui n'est point flatterie. Voilà des conseillers
Qui me font sentir et m'apprennent ce que je suis. »

Sweet are the uses of adversity,
Which like the toad ugly and venomous,
Wears yet a precious jewel in his head ;
And this our life exempt from public haunt   15
Finds tongues in trees, books in the running
    brooks,
Sermons in stones and good in everything.

AMIENS

I would not change it. Happy is your grace,
That can translate the stubbornness of fortune
Into so quiet and so sweet a style.   20

DUKE SENIOR

Come, shall we go and kill us venison ?
And yet it irks me the poor dappled fools,
Being native burghers of this desert city,
Should in their own confines with forked
    heads
Have their round haunches gor'd.

FIRST LORD

                              Indeed, my lord,   25
The melancholy Jaques grieves at that,
And in that kind swears you do more usurp
Than doth your brother that hath banish'd
    you.
To-day my Lord of Amiens and myself

Doux sont les profits de l'adversité,
Qui, comme le crapaud hideux et venimeux,
Porte pourtant une pierre précieuse dans sa tête[1] ;
Et cette vie qui est nôtre, loin du séjour des hommes,
Trouve un langage aux arbres, des livres dans les
    ruisseaux qui courent,
Des sermons dans les pierres, et le bien en toute
    chose.

AMIENS

Je ne voudrais pas en changer. Heureuse est Votre
    Grâce,
Qui sait traduire l'âpreté du sort
Dans un style si paisible et si doux[2].

LE DUC AÎNÉ

Venez, irons-nous tuer quelque gibier ?
Et pourtant, cela me fait mal de voir ces pauvres
    innocents tachetés,
Bourgeois natifs de cette cité déserte,
Leurs cuisses rondes ensanglantées par nos flèches
    fourchues
Sur leur propre territoire.

PREMIER SEIGNEUR

                À dire vrai, mon seigneur,
Jaques le Mélancolique[3] s'en afflige,
Et jure qu'à cet égard vous êtes plus grand usur-
    pateur
Que votre frère qui vous a banni.
Aujourd'hui mon seigneur d'Amiens et moi-même

Did steal behind him as he lay along   30
Under an oak whose antique root peeps out
Upon the brook that brawls along this wood
To the which place a poor sequester'd stag,
That from the hunter's aim had ta'en a hurt,
Did come to languish, and indeed, my lord,   35
The wretched animal heav'd forth such groans
That their discharge did stretch his leathern
    coat
Almost to bursting, and the big round tears
Cours'd one another down his innocent nose
In piteous chase ; and thus the hairy fool   40
Much marked of the melancholy Jaques,
Stood on th'extremest verge of the swift brook,
Augmenting it with tears.

DUKE SENIOR

                    But what said Jaques ?
Did he not moralize this spectacle ?

FIRST LORD

O, yes, into a thousand similes.   45
First, for his weeping into the needless stream ;
"Poor deer," quoth he, "thou mak'st a testa-
    ment
As worldlings do, giving thy sum of more
To that which had too much :" then, being
    there alone,
Left and abandon'd of his velvet friends,   50
"'Tis right :" quoth he ; "thus misery doth part

Nous nous sommes glissés derrière lui comme il
    était couché sous un chêne
Dont la racine noueuse surplombe le ruisseau qui
    bruit dans ce bois[1],
À cet endroit, un pauvre cerf égaré,
Qui du trait d'un chasseur avait été blessé,
Était venu languir ; et vraiment, mon seigneur,
Le misérable animal poussait de tels gémissements
Qu'en s'exhalant, ils tendaient sa robe de cuir
À la faire éclater, et les grosses larmes rondes
Se pourchassaient le long de son mufle innocent
En une traque pitoyable ; et ainsi la pauvre bête
    velue,
Que Jaques le Mélancolique ne quittait pas des yeux,
Se tenait au bord extrême du rapide ruisseau,
L'augmentant de ses larmes[2].

LE DUC AÎNÉ

                    Mais qu'a dit Jaques ?
N'a-t-il pas tiré la morale de ce spectacle[3] ?

PREMIER SEIGNEUR

Oh si, en mille comparaisons.
Songeant d'abord aux pleurs perdus dans le cours
    d'eau ;
« Pauvre cerf », disait-il, « tu fais ton testament
Comme les hommes de ce monde, donnant encore
À qui a déjà trop ». Puis, le voyant seul,
Délaissé et abandonné par ses amis au pelage de
    velours,
« C'est ainsi », dit-il, « que la détresse s'isole

The flux of company :" anon a careless herd,
Full of the pasture, jumps along by him
And never stays to greet him. "Ay" quoth
   Jaques,
"Sweep on, you fat and greasy citizens ;   55
'Tis just the fashion : wherefore do you look
Upon that poor and broken bankrupt there ?"
Thus most invectively he pierceth through
The body of country, city, court,
Yea, and of this our life, swearing that we   60
Are mere usurpers, tyrants and what's worse,
To fright the animals and to kill them up
In their assign'd and native dwelling-place.

DUKE SENIOR

And did you leave him in this contemplation ?

SECOND LORD

We did, my lord, weeping and commenting   65
Upon the sobbing deer.

DUKE SENIOR

           Show me the place :
I love to cope him in these sullen fits,
For then he's full of matter.

Du flot de la compagnie ». Aussitôt, un troupeau
 insouciant,
Repu de sa pâture, à grands bonds le dépasse
Sans même s'arrêter pour le saluer. « Ah oui ! », dit
 Jaques,
« Passez votre chemin, gros et gras citoyens ;
C'est dans l'ordre des choses : pourquoi jeter un
 regard
Sur ce pauvre banqueroutier brisé ? »
Ainsi de violentes invectives il transperce
Le corps de la campagne, de la cité, de la Cour,
Oui, et même de cette vie qui est la nôtre, jurant
 que nous
Ne sommes que des usurpateurs, des tyrans, et pire
 encore,
De terrifier les animaux et de les massacrer
Dans les lieux mêmes que la nature leur assigne.

LE DUC AÎNÉ

Et vous l'avez laissé dans cette contemplation ?

DEUXIÈME SEIGNEUR

Oui, mon seigneur, pleurant et dissertant
Sur le cerf en sanglots.

LE DUC AÎNÉ

    Montrez-moi cet endroit :
J'aime l'affronter dans ses humeurs chagrines,
Car alors il est plein d'idées[1].

FIRST LORD

I'll bring you to him straight.

Exeunt.

SCENE II

Enter DUKE [FREDERICK], *with Lords.*

DUKE FREDERICK

Can it be possible that no man saw them ?
It cannot be : some villains of my court
Are of consent and sufferance in this.

FIRST LORD

I cannot hear of any that did see her.
The ladies, her attendants of her chamber,   5
Saw her abed, and in the morning early
They found the bed untreasur'd of their mis-
    tress.

SECOND LORD

My lord, the roynish clown, at whom so oft
Your grace was wont to laugh, is also missing.
Hisperia, the princess' gentlewoman,   10
Confesses that she secretly o'erheard
Your daughter and her cousin much commend
The parts and graces of the wrestler

PREMIER SEIGNEUR

Je vous mène à lui sur-le-champ.

Ils sortent.

SCÈNE II

Entrent le DUC [FRÉDÉRIC], *avec des seigneurs.*

LE DUC FRÉDÉRIC

Est-il possible que personne ne les ait vues ?
Cela ne se peut : des scélérats à ma Cour
Sont de connivence et ont souffert cela.

PREMIER SEIGNEUR

Je ne peux trouver personne qui l'ait vue.
Les dames de chambre, qui la servent,
L'ont vue se mettre au lit, mais de bonne heure ce
    matin,
Elles trouvèrent le lit vidé de son trésor, leur maî-
    tresse.

DEUXIÈME SEIGNEUR

Mon seigneur, ce galeux de bouffon, dont si souvent
Votre Grâce avait coutume de rire, a aussi disparu.
Hispéria, la dame d'honneur de la Princesse,
Reconnaît qu'elle a entendu en secret
Votre fille et sa cousine célébrer hautement
Les talents et les charmes du lutteur

That did but lately foil the sinewy Charles,
And she believes wherever they are gone   15
That youth is surely in their company.

DUKE FREDERICK

Send to his brother, fetch that gallant hither ;
If he be absent, bring his brother to me ;
I'll make him find him : do this suddenly,
And let not search and inquisition quail   20
To bring again these foolish runaways.

Exeunt.

SCENE III

Enter ORLANDO *and* ADAM.

ORLANDO

Who's there ?

ADAM

What, my young master ? O, my gentle master,
O my sweet master, O you memory
Of old Sir Rowland ! Why, what make you
    here ?
Why are you virtuous ? Why do people love   5
    you ?
And wherefore are you gentle, strong and
    valiant ?
Why would you be so fond to overcome

Qui a tout récemment terrassé le vigoureux Charles,
Et où qu'elles soient parties, elle croit
Que ce jeune homme est sûrement en leur compa-
  gnie.

LE DUC FRÉDÉRIC

Envoyez chez son frère, qu'on m'amène ici le galant ;
S'il est absent, amenez-moi son frère ;
Je le lui ferai bien trouver. Faites cela tout de suite,
Ne relâchez ni recherche ni enquête
Pour ramener ces deux sottes en fuite.

Ils sortent.

SCÈNE III

Entrent ORLANDO *et* ADAM.

ORLANDO

Qui va là ?

ADAM

Mais c'est mon jeune maître ? Ô mon gentil maître,
Ô mon tendre maître, ô vous, vivant souvenir
Du vieux Sire Roland ! Eh bien, que faites-vous
  ici ?
Pourquoi tant de vertus ? Pourquoi vous aime-
  t-on ?
Et pourquoi êtes-vous gentil, fort et courageux ?
Qu'aviez-vous à faire la sottise de vaincre

The bonny priser of the humorous Duke ?
Your praise is come too swiftly home before
    you.
Know you not, master, to some kind of men   10
Their graces serve them but as enemies ?
No more do yours : your virtues, gentle master,
Are sanctified and holy traitors to you.
O what a world is this, when what is comely
Envenoms him that bears it !   15

ORLANDO

Why, what's the matter ?

ADAM

                O unhappy youth,
Come not within these doors ; within this roof
The enemy of all your graces lives :
Your brother, no, no brother ; yet the son
(Yet not the son, I will not call him son)   20
Of him I was about to call his father,
Hath heard your praises, and this night he means
To burn the lodging where you use to lie
And you within it : if he fail of that,
He will have other means to cut you off.   25
I overheard him, and his practises.
This is no place, this house is but a butchery :
Abhor it, fear it, do not enter it.

ORLANDO

Why, whither, Adam, would'st thou have me
    go ?

Le robuste champion du Duc ombrageux ?
Votre gloire est parvenue trop vite ici avant vous.
Ne savez-vous pas, maître, que pour certains hommes
Leurs qualités sont autant d'ennemies[1] ?
Ainsi des vôtres. Vos vertus, tendre maître,
Vous trahissent sous leur masque de sainteté.
Ô quel monde est-ce là, où toute grâce
Empoisonne qui la possède !

ORLANDO

Mais, que se passe-t-il ?

ADAM

       Ô malheureux jeune homme,
Ne franchissez pas cette porte ; sous ce toit
Vit l'ennemi de tous vos dons :
Votre frère, non, pas un frère, et pourtant le fils
(Pourtant non pas le fils, je ne puis l'appeler le fils)
De celui que j'étais sur le point d'appeler son père,
A entendu l'éloge qu'on fait de vous, et cette nuit
    même il veut
Mettre le feu à la demeure où vous dormez,
Et vous y brûler : s'il échoue,
Il aura d'autres moyens de vous trancher la vie.
J'ai surpris son secret, je sais ce qu'il trame.
Ceci n'est pas un lieu pour vous, cette maison n'est
    qu'une boucherie :
Abhorrez-la, redoutez-la, gardez-vous d'y entrer.

ORLANDO

Mais, Adam, où voudrais-tu que j'aille ?

ADAM

No matter whither, so you come not here.   30

ORLANDO

What, would'st thou have me go and beg my
    food,
Or with a base and boisterous sword enforce
A thievish living on the common road ?
This I must do, or know not what to do :
Yet this I will not do, do how I can ;   35
I rather will subject me to the malice
Of a diverted blood and bloody brother.

ADAM

But do not so. I have five hundred crowns,
The thrifty hire I saved under your father,
Which I did store to be my foster-nurse,   40
When service should in my old limbs lie lame
And unregarded age in corners thrown :
Take that, and He that doth the ravens feed,
Yea, providently caters for the sparrow,
Be comfort to my age ; here is the gold,   45
And all this I give you. Let me be your ser-
    vant :
Though I look old, yet I am strong and lusty ;

ADAM

N'importe où, pourvu que vous n'entriez pas ici.

ORLANDO

Quoi, voudrais-tu que j'aille mendier ma nourri-
    ture,
Ou qu'à la pointe d'une violente épée
J'extorque indignement ma subsistance comme un
    voleur de grand chemin ?
Voilà ce qu'il faut faire, ou je ne sais que faire ;
Mais je ne le ferai pas, quoi qu'il advienne.
Je préfère m'exposer à la méchanceté
D'un sang dénaturé et d'un frère sanguinaire.

ADAM

N'en faites rien pourtant. J'ai là cinq cents cou-
    ronnes,
Mises de côté sur ce que j'ai gagné en servant votre
    père,
Je les gardais pour qu'elles soient mes nourrices,
Quand mes vieux membres perclus ne pourraient
    plus servir
Et que ma vieillesse méprisée serait jetée dans un
    coin :
Prenez cela, et que Celui qui nourrit les corbeaux[1],
Oui, qui dans sa Providence prend soin des moi-
    neaux[2],
Soit le réconfort de ma vieillesse ; voici cet or,
Je vous donne tout. Laissez-moi vous servir :
Si j'ai l'air vieux, je suis encore fort et vigoureux ;

For in my youth I never did apply
Hot and rebellious liquors in my blood,
Nor did not with unbashful forehead woo   50
The means of weakness and debility ;
Therefore my age is as a lusty winter,
Frosty, but kindly ; let me go with you :
I'll do the service of a younger man
In all your business and necessities.   55

ORLANDO

O good old man, how well in thee appears
The constant service of the antique world,
When service sweat for duty, not for meed.
Thou art not for the fashion of these times,
Where none will sweat but for promotion,   60
And having that, do choke their service up
Even with the having : it is not so with thee.
But, poor old man, thou prun'st a rotten tree,
That cannot so much as a blossom yield
In lieu of all thy pains and husbandry.   65
But come thy ways, we'll go along together,
And ere we have thy youthful wages spent,
We'll light upon some settled low content.

ADAM

Master, go on, and I will follow thee,
To the last gasp, with truth and loyalty.   70
From seventeen years till now almost four-
    score

Car dans ma jeunesse je n'ai jamais versé
De liqueurs ardentes et séditieuses dans mon sang,
Je n'ai pas, d'un front impudique, courtisé
Ces plaisirs qui sont causes de faiblesse et de débi-
lité ;
Ainsi ma vieillesse est comme un hiver vigoureux,
Neigeux, mais débonnaire. Laissez-moi partir avec
vous :
Je saurai vous servir aussi bien qu'un homme plus
jeune
Dans toutes vos affaires et dans tous vos besoins.

ORLANDO

Ah, bon vieillard, comme est visible en toi
Le service fidèle du monde d'autrefois,
Où l'on suait par devoir, et non pour le profit.
Tu n'es pas à la mode de ces temps,
Où nul ne sue que pour l'avancement,
Et, l'ayant obtenu, finit par étouffer son zèle
Au même instant ; toi, tu n'es pas ainsi,
Mais, pauvre vieux, tu élagues un arbre pourri,
Qui ne peut même pas te donner une fleur
Pour prix de toutes tes peines et de tes économies.
Mais viens, nous ferons route ensemble,
Avant de dépenser les gains de ta jeunesse,
Nous trouverons à vivre en paix, humbles et contents.

ADAM

Maître, prends les devants, et moi je te suivrai,
Jusqu'au dernier soupir, avec constance et loyauté.
Depuis mes dix-sept ans dans ces lieux j'ai vécu,

Here lived I, but now live here no more.
At seventeen years many their fortunes seek,
But at fourscore it is too late a week ;
Yet fortune cannot recompense me better   75
Than to die well, and not my master's debtor.

Exeunt.

SCENE IV

Enter ROSALIND *for* GANYMEDE,
CELIA *for* ALIENA, *and* CLOWN,
alias TOUCHSTONE.

ROSALIND

O Jupiter, how weary are my spirits !

CLOWN

I care not for my spirits, if my legs were not
weary.

ROSALIND

I could find in my heart to disgrace my man's
apparel and to cry like a woman ; but I must   5
comfort the weaker vessel, as doublet and hose
ought to show itself courageous to petticoat :
therefore courage, good Aliena !

Je vais sur quatre-vingts, mais je n'y vivrai plus.
À dix-sept ans, beaucoup vont chercher fortune,
Mais à quatre-vingts, c'est trop tard d'une semaine ;
Plus belle récompense fortune ne peut permettre
Que de bien mourir, sans rien devoir à mon maître.

Ils sortent.

SCÈNE IV

Entrent ROSALINDE, *habillée en* GANYMÈDE,
CÉLIA *en* ALIÉNA, *et* LE BOUFFON
alias PIERRE DE TOUCHE.

ROSALINDE

Ô Jupiter[1], comme mes esprits sont fatigués !

LE BOUFFON

Je me moque de mes esprits, ce sont mes jambes
qui sont fatiguées.

ROSALINDE

Je pourrais découvrir dans mon cœur de quoi déshonorer mon costume d'homme et pleurer comme
une femme. Mais je dois secourir le vase le plus
fragile[2], puisque pourpoint et hauts-de-chausses
doivent montrer au jupon l'exemple du courage :
et donc, courage, chère Aliéna !

CELIA

I pray you, bear with me ; I cannot go no
further.   10

CLOWN

For my part, I had rather bear with you than
bear you ; yet I should bear no cross if I did
bear you, for I think you have no money in your
purse.

ROSALIND

Well, this is the Forest of Arden.   15

CLOWN

Ay, now am I in Arden ; the more fool I ; when
I was at home, I was in a better place, but trave-
lers must be content.

ROSALIND

Ay, be so, good Touchstone.

Enter CORIN *and* SILVIUS.

Look you, who comes here ; a young man and   20
an old in solemn talk.

CORIN

That is the way to make her scorn you still.

CÉLIA

Je vous en prie, supportez-moi. Je ne peux pas aller plus loin.

LE BOUFFON

Pour ma part, j'aimerais mieux vous supporter que vous porter ; et je ne craindrais guère de trébucher si je vous portais, car vous n'avez guère d'espèces trébuchantes dans votre bourse[1].

ROSALINDE

Eh bien, c'est ici la Forêt d'Ardenne.

LE BOUFFON

Oui, et maintenant que je suis dans la Forêt d'Ardenne, je n'en suis que plus fou[2] ; j'étais mieux quand j'étais à la maison, mais les voyageurs doivent se satisfaire de tout.

ROSALINDE

C'est cela, brave Pierre de Touche.

Entrent CORIN *et* SILVIUS[3].

Voyez qui vient ici ; un jeune homme et un vieux qui devisent gravement.

CORIN

Voilà bien le moyen pour qu'elle continue à vous mépriser[4].

SILVIUS

O Corin, that thou knew'st how I do love her !

CORIN

I partly guess : for I have lov'd ere now.

SILVIUS

No, Corin, being old, thou canst not guess,   25
Though in thy youth thou wast as true a lover
As ever sigh'd upon a midnight pillow.
But if thy love were ever like to mine,
As sure I think did never man love so,
How many actions most ridiculous   30
Hast thou been drawn to by thy fantasy ?

CORIN

Into a thousand that I have forgotten.

SILVIUS

O, thou didst then never love so heartily !
If thou remember'st not the slightest folly
That ever love did make thee run into,   35
Thou hast not lov'd.
Or if thou hast not sat as I do now,
Wearying thy hearer in thy mistress' praise,
Thou hast not lov'd.
Or if thou hast not broke from company   40
Abruptly, as my passion now makes me,

SILVIUS

Ô Corin, si tu savais combien je l'aime !

CORIN

Je le devine un peu : car j'ai aimé jadis.

SILVIUS

Non, Corin, étant vieux, tu ne peux pas deviner,
Même si dans ta jeunesse tu as été l'amoureux le
    plus sincère
Qui ait jamais soupiré à minuit sur l'oreiller.
Mais si ton amour fut comparable au mien,
Et je suis sûr que personne n'a jamais tant aimé,
À combien d'actions tout à fait ridicules
As-tu été conduit par ta passion ?

CORIN

À mille que j'ai oubliées.

SILVIUS

Alors, tu n'as jamais aimé avec la même ferveur !
Si tu ne te souviens pas de la moindre folie
Où naguère l'amour t'a précipité,
Tu n'as pas aimé.
Ou si tu n'es pas resté là, comme moi,
À accabler ton auditeur des louanges de ta maî-
    tresse,
Ou si tu n'as pas fui la compagnie[1]
Brusquement, comme à présent ma passion me
    pousse à le faire,

Thou hast not lov'd.
O Phebe, Phebe, Phebe !

Exit.

ROSALIND

Alas, poor shepherd, searching of thy wound,
I have by hard adventure found mine own.   45

CLOWN

And I mine. I remember when I was in love, I
broke my sword upon a stone and bid him take
that for coming a-night to Jane Smile ; and I
remember the kissing of her batler and the
cow's dugs that her pretty chopt hands had   50
milk'd ; and I remember the wooing of a
peascod instead of her, from whom I took two
cods and, giving her them again, said with
weeping tears "Wear these for my sake." We that
are true lovers run into strange capers ; but as   55
all is mortal in nature, so is all nature in love
mortal in folly.

ROSALIND

Thou speak'st wiser than thou art ware of.

CLOWN

Nay, I shall ne'er be ware of mine own wit till I
break my shins against it.   60

Tu n'as pas aimé.
Ô Phébé, Phébé, Phébé !

Il sort.

ROSALINDE

Hélas, pauvre berger, tandis que tu sondais ta plaie[1],
J'ai par un triste sort trouvé la mienne.

LE BOUFFON

Et moi, la mienne. Je me rappelle, quand j'étais
amoureux, avoir brisé mon épée sur une pierre, en
lui disant prends ça, ça t'apprendra à aller la nuit
retrouver Jeanne Sourire ; et je me rappelle avoir
embrassé son battoir, et les pis de la vache que ses
jolies mains crevassées venaient de traire ; je me
rappelle qu'un jour, croyant la courtiser, je caressai
une tige de petits pois[2], j'en pris deux cosses et, les
lui tendant, je dis, les larmes aux yeux : « Porte-les
pour l'amour de moi. » Nous, les vrais amants,
nous nous livrons à d'étranges galipettes ; mais de
même que tout dans la nature est mortel, de même,
toute nature, quand elle est amoureuse, est mortel-
lement folle[3].

ROSALINDE

Tu parles plus sagement que tu n'y prends garde.

LE BOUFFON

Ma foi, je ne prendrai garde à ma sagesse que
lorsque je me serai brisé les tibias dessus[4].

ROSALIND

Jove, Jove ! this shepherd's passion
Is much upon my fashion.

CLOWN

And mine, but it grows something stale with
me.

CELIA

I pray you, one of you question yond man   65
If he for gold will give us any food :
I faint almost to death.

CLOWN

Holla, you clown !

ROSALIND

Peace, fool, he's not thy kinsman.

CORIN

Who calls ?

CLOWN

Your betters, sir.   70

CORIN

Else are they very wretched.

ROSALIND

Peace, I say. Good even to you, friend.

ROSALINDE

Jupiter, Jupiter ! La passion de ce berger
À la mienne me fait songer.

LE BOUFFON

Moi de même, mais la mienne commence un peu à
s'éventer.

CÉLIA

S'il vous plaît, que l'un de vous demande à cet
homme si pour de l'or il veut bien nous donner à
manger : je me sens faible presque à en mourir.

LE BOUFFON

Holà, drôle !

ROSALINDE

Tais-toi, fou, ce n'est pas ton cousin.

CORIN

Qui m'appelle ?

LE BOUFFON

Vos supérieurs, Monsieur.

CORIN

Autrement, ils seraient bien bas.

ROSALINDE

Tais-toi, je te dis. Bonsoir à vous, l'ami.

CORIN

And to you, gentle sir, and to you all.

ROSALIND

I prithee, shepherd, if that love or gold
Can in this desert place buy entertainment, 75
Bring us where we may rest ourselves and feed :
Here's a young maid with travel much oppress'd
And faints for succor.

CORIN

                    Fair sir, I pity her,
And wish, for her sake more than for mine own,
My fortunes were more able to relieve her ; 80
But I am shepherd to another man
And do not shear the fleeces that I graze :
My master is of churlish disposition
And little recks to find the way to heaven
By doing deeds of hospitality : 85
Besides, his cote, his flocks and bounds of
    feed
Are now on sale, and at our sheepcote now,
By reason of his absence, there is nothing
That you will feed on ; but what is, come see.
And in my voice most welcome shall you be. 90

CORIN

À vous aussi, gentil Monsieur, et à vous tous.

ROSALINDE

Je t'en prie, berger, si la bonté ou l'or
Peuvent en ce lieu désert procurer un accueil,
Conduis-nous où nous pourrons nous reposer et
    nous nourrir :
Voici une jeune fille épuisée par le voyage
Qui défaille si on ne lui vient en aide.

CORIN

       Beau Monsieur, j'ai pitié d'elle,
Et souhaiterais, dans son intérêt plus que dans le
    mien,
Être mieux en état de la soulager ;
Mais je suis berger au service d'un autre
Et ne tonds pas les toisons que je fais paître :
Mon maître est d'un tempérament avare
Et se soucie fort peu de trouver le chemin du ciel
En faisant œuvre d'hospitalité :
Du reste, sa maison, ses troupeaux, ses enclos de
    pâture
Sont maintenant à vendre, et dans notre bergerie
À présent, du fait de son absence, il n'y a rien pour
    vous
À manger. Mais venez voir ce qu'il y a.
Et s'il ne tient qu'à moi, vous serez fort bien-
    venus.

ROSALIND

What is he that shall buy his flock and pasture ?

CORIN

That young swain that you saw here but ere-
    while,
That little cares for buying anything.

ROSALIND

I pray thee, if it stand with honesty,
Buy thou the cottage, pasture and the flock,   95
And thou shalt have to pay for it of us.

CELIA

And we will mend thy wages. I like this place.
And willingly could waste my time in it.

CORIN

Assuredly the thing is to be sold.
Go with me : if you like upon report   100
The soil, the profit and this kind of life,
I will your very faithful feeder be
And buy it with your gold right suddenly.

Exeunt.

ROSALINDE

Et qui doit acheter son troupeau et ses prés ?

CORIN

Ce jeune amoureux que vous venez de voir,
Et qui ne se soucie guère d'acheter quoi que ce
  soit.

ROSALINDE

Je t'en prie, si cela peut se faire en toute honnê-
  teté,
Achète la maison, les prés et le troupeau,
Et tu auras de nous de quoi les payer.

CÉLIA

Et nous augmenterons tes gages. J'aime cet endroit.
Et j'y passerais volontiers mes jours.

CORIN

Assurément la chose est à vendre.
Venez avec moi : si une fois instruits vous aimez
La terre, le profit, et ce genre de vie,
Je veux être votre très loyal serviteur
Et j'achèterai le tout avec votre or sur l'heure.

Ils sortent.

SCENE V

Enter AMIENS, JAQUES, *and others.*

[AMIENS]
SONG

Under the greenwood tree,
*   Who loves to lie with me,*
And turn his merry note
*   Unto the sweet bird's throat,*
Come hither, come hither, come hither :   5
*   Here shall he see no enemy,*
But winter and rough weather.

JAQUES

More, more, I prithee more.

AMIENS

It will make you melancholy, Monsieur Jaques.

JAQUES

I thank it. More, I prithee more. I can suck   10
melancholy out of a song, as a weasel sucks eggs.
More, I prithee, more.

AMIENS

My voice is ragged, I know I cannot please
you.

SCÈNE V

Entrent AMIENS, JAQUES *et d'autres.*

[AMIENS]
CHANSON

Qui veut, sous le vert bois,
S'allonger avec moi,
Et moduler son chant joyeux
Sur celui de l'oiseau mélodieux,
Viens-t'en, viens-t'en, viens-t'en :
Il ne verra ici d'autre ennemi
Que l'hiver et le mauvais temps.

JAQUES

Encore, encore, je te prie.

AMIENS

Cela va vous rendre mélancolique, Monsieur Jaques.

JAQUES

Tant mieux. Encore, je t'en prie, encore. Je peux sucer la mélancolie d'une chanson, comme une belette suce un œuf. Encore, je t'en prie, encore.

AMIENS

Ma voix est éraillée, je sais que je ne puis vous plaire.

JAQUES

I do not desire you to please me, I do desire you   15
to sing. Come, more, another stanza. Call you
'em stanzos ?

AMIENS

What you will, Monsieur Jaques.

JAQUES

Nay, I care not for their names, they owe me
nothing. Will you sing ?   20

AMIENS

More at your request than to please myself.

JAQUES

Well then, if ever I thank any man, I'll thank
you ; but that they call compliment is like th'encounter of two dog-apes. And when a man
thanks me heartily, methinks I have given him a   25
penny and he renders me the beggarly thanks.
Come, sing ; and you that will not, hold your
tongues.

AMIENS

Well, I'll end the song. Sirs, cover the while, the
Duke will drink under this tree ; he hath been   30
all this day to look you.

JAQUES

Je ne vous demande pas de me plaire, je vous demande de chanter. Allez, encore, une autre stance. C'est bien « stances » que vous dites[1] ?

AMIENS

Ce qu'il vous plaira, Monsieur Jaques.

JAQUES

Oh, peu m'importe leurs titres, elles ne me doivent rien. Voulez-vous chanter ?

AMIENS

Plus à votre requête que pour mon plaisir.

JAQUES

Eh bien, si jamais je remercie quelqu'un, ce sera vous ; mais ce qu'on appelle compliment est comme la rencontre de deux babouins[2]. Et quand un homme me remercie chaleureusement, il me semble que je lui ai donné un sou et qu'il me témoigne une reconnaissance de mendiant. Allons, chantez ; et vous qui ne voulez pas, retenez votre langue.

AMIENS

Bon, je finis la chanson. Messieurs, mettez la table pendant ce temps, le Duc a l'intention de boire sous cet arbre ; il a passé toute la journée à vous chercher.

JAQUES

And I have been all this day to avoid him. He is too disputable for my company. I think of as many matters as he, but I give heaven thanks and make no boast of them. Come, warble, come.   35

SONG

Who doth ambition shun
    And loves to live i'th'sun,
Seeking the food he eats
    And pleas'd with what he gets,

                [All together here.]

Come hither, come hither, come hither :   40
    Here shall he see [no enemy,
But winter and rough weather].

JAQUES

I'll give you a verse to this note that I made yesterday in despite of my invention.

AMIENS

And I'll sing it.   45

JAQUES

Thus it goes :
    If it do come to pass
    That any man turn ass,
    Leaving his wealth and ease,
    A stubborn will to please,   50

JAQUES

Et moi, j'ai passé toute la journée à l'éviter. Il est trop raisonneur pour moi. J'ai autant d'idées que lui, mais j'en remercie le ciel et ne m'en vante pas. Allez, gazouillez, allez.

CHANSON

Qui l'ambition réprouve,
Et veut vivre à la dure,
Cherchant sa nourriture
Et content de ce qu'il trouve,

[Tous en chœur.]

Viens-t'en, viens-t'en, viens-t'en :
Il ne verra ici [d'autre ennemi,
Que l'hiver et le mauvais temps.]

JAQUES

Je vais vous donner, sur cet air, un couplet que j'ai composé hier malgré ma pauvre invention.

AMIENS

Et je le chanterai.

JAQUES

Voici :

Si un homme est changé
Un jour en âne bâté,
Quittant richesse et paix
Par caprice entêté,

> *Ducdame, ducdame, ducdame :*
> *Here shall he see*
> *Gross fools as he,*
> *And if he will come to me.*

AMIENS

What's that 'ducdame'?   55

JAQUES

'Tis a Greek invocation, to call fools into a
circle. I'll go sleep, if I can ; if I cannot, I'll rail
against all the first-born of Egypt.

AMIENS

And I'll go seek the Duke : his banquet is
prepar'd.   60

Exeunt.

SCENE VI

Enter ORLANDO *and* ADAM.

ADAM

Dear master, I can go no further. O, I die for
food ! Here lie I down, and measure out my
grave. Farewell kind master.

Ducdamé, ducdamé, ducdamé :
Il trouvera ici
D'aussi grands fous que lui,
S'il me rejoint ici.

AMIENS

Qu'est-ce que ce « ducdamé » ?

JAQUES

C'est une invocation grecque[1] pour inviter les imbéciles à se mettre en cercle. Je m'en vais aller dormir si je peux ; si je ne peux pas, j'épancherai ma bile contre tous les premiers-nés d'Égypte[2].

AMIENS

Et moi je vais aller chercher le Duc ; son repas est prêt.

Ils sortent.

SCÈNE VI

Entrent ORLANDO *et* ADAM.

ADAM

Cher maître, je ne peux pas aller plus loin. Sinon, je meurs de faim ! Je vais m'allonger ici, et y prendre la mesure de ma tombe. Adieu, généreux maître.

ORLANDO

Why, how now, Adam ? No greater heart in
thee ? Live a little ; comfort a little ; cheer 5
thyself a little. If this uncouth forest yield anything savage, I will either be food for it, or bring
it for food to thee. Thy conceit is nearer death
than thy powers. For my sake be comfortable,
hold death awhile at the arm's end : I will here 10
be with thee presently, and if I bring thee not
something to eat, I will give thee leave to die ;
but if thou diest before I come, thou art a
mocker of my labour. Well said, thou look'st
cheerly, and I'll be with thee quickly. Yet thou 15
liest in the bleak air. Come, I will bear thee to
some shelter ; and thou shalt not die for lack of
a dinner, if there live anything in this desert.
Cheerly, good Adam !

Exeunt.

SCENE VII

Enter DUKE SENIOR, [AMIENS], *and Lords,*
like outlaws.

DUKE SENIOR

I think he be transform'd into a beast ;
For I can no where find him like a man.

ORLANDO

Eh bien quoi, Adam ? C'est tout le cœur que tu as ?
Un peu de vie, un peu de ressort, un peu de courage.
Si cette étrange forêt offre quelque créature sauvage,
soit je serai mangé par elle, soit je te l'apporterai à
manger. La mort est plus dans ton imagination que
dans tes forces. Pour l'amour de moi, remets-toi,
tiens la mort à distance un moment : je reviens tout
de suite auprès de toi, et si je ne t'apporte pas
quelque chose à manger, je te donnerai la permission de mourir ; mais si tu meurs avant que je
revienne, c'est que tu te moques de tout le mal que
je me donne. À la bonne heure, tu reprends des
couleurs, et je serai bien vite de retour auprès de toi.
Mais tu es là, étendu dans le vent glacé. Viens, je
vais te porter jusqu'à un abri ; et tu ne mourras pas
faute d'un dîner, s'il y a quelque chose en vie dans
ce lieu désolé ; courage, brave Adam !

Ils sortent.

SCÈNE VII

Entrent le Duc Aîné, [Amiens], *et des seigneurs,*
vêtus comme des hors-la-loi[1].

LE DUC AÎNÉ

Je crois qu'il a été changé en bête ;
Car je ne puis nulle part le trouver sous forme
    humaine.

FIRST LORD

My lord, he is but even now gone hence :
Here was he merry, hearing of a song.

DUKE SENIOR

If he, compact of jars, grow musical,   5
We shall have shortly discord in the spheres.
Go seek him, tell him I would speak with
    him.

Enter JAQUES.

FIRST LORD

He saves my labour by his own approach.

DUKE SENIOR

Why, how now, monsieur ? What a life is this
That your poor friends must woo your com-   10
    pany ?
What, you look merrily ?

JAQUES

A fool, a fool ! I met a fool i'th'forest,
A motley fool (a miserable world) !
As I do live by food, I met a fool,
Who laid him down and bask'd him in the   15
    sun,
And rail'd on Lady Fortune in good terms,
In good set terms and yet a motley fool.

PREMIER SEIGNEUR

Mon seigneur, il vient à l'instant de partir d'ici :
Il y était tout joyeux d'entendre une chanson.

LE DUC AÎNÉ

Si lui, pétri de désaccords[1], devient sensible à la
    musique,
Il y aura bientôt de la discordance dans les sphères[2].
Allez le chercher, dites-lui que je veux lui parler.

Entre JAQUES.

PREMIER SEIGNEUR

Il m'épargne cette peine en s'approchant lui-même.

LE DUC AÎNÉ

Eh bien, Monsieur ? Quelle vie est-ce là,
Où vos pauvres amis doivent courtiser votre com-
    pagnie ?
Quoi, vous semblez tout joyeux ?

JAQUES

Un fou, un fou ! J'ai rencontré un fou dans la
    forêt,
Un fou en costume bariolé[3] (ô pitoyable monde) !
Aussi vrai que je mange pour vivre, j'ai rencontré
    un fou,
Qui était allongé et se dorait au soleil,
Et vous injuriait Dame Fortune en termes excellents,
En termes excellemment choisis, pourtant c'était
    un fou en costume bariolé.

'Good morrow, fool,' quoth I. 'No, sir,' quoth
   he,
'Call me not fool till heaven hath sent me
   fortune :'
And then he drew a dial from his poke,   20
And looking on it, with lack-lustre eye,
Says, very wisely, 'It is ten o'clock :
Thus we may see,' quoth he, 'how the world
   wags :
'Tis but an hour ago since it was nine,
And after one hour more 'twill be eleven ;   25
And so, from hour to hour, we ripe, and ripe,
And then, from hour to hour, we rot, and rot ;
And thereby hangs a tale.' When I did hear
The motley fool thus moral on the time,
My lungs began to crow like chanticleer,   30
That fools should be so deep-contemplative ;
And I did laugh sans intermission
An hour by his dial. O noble fool !
A worthy fool ! Motley's the only wear.

DUKE SENIOR

What fool is this ?   35

JAQUES

O worthy fool ! One that hath been a courtier
And says, if ladies be but young and fair,
They have the gift to know it ; and in his brain,
Which is as dry as the remainder biscuit
After a voyage, he hath strange places cramm'd   40

« Bonjour, fou », lui dis-je. « Non, Monsieur », me
    dit-il,
« Ne me traitez pas de fou jusqu'à ce que le Ciel
    m'ait envoyé la fortune. »
Là-dessus, il sort un cadran de son sac,
Et le considérant d'un œil fixe et sans éclat,
Il dit, fort sagement : « Il est dix heures.
C'est ainsi qu'on peut voir comment marche le
    monde ;
Il y a seulement une heure, il était neuf heures,
Et dans une heure il sera onze heures ;
Et ainsi, d'heure en heure, on mûrit, on mûrit,
Et ainsi, d'heure en heure, on pourrit, on pourrit ;
Et je pourrais en dire plus long. » Comme j'enten-
    dais
Ce fou bariolé ainsi philosopher sur le temps,
Mes poumons, comme un coq, se sont mis à chanter,
À la pensée que des fous soient si méditatifs ;
Et j'ai ri, sans relâche,
Une heure, à son cadran. Ô noble fou !
Excellent fou ! L'habit bariolé est le seul de mise.

LE DUC AÎNÉ

Quel est ce fou ?

JAQUES

Ô l'excellent fou ! Il fut autrefois courtisan
Et dit que si les dames sont jeunes et belles,
Elles ont le don de le savoir. Et dans sa cervelle,
Aussi sèche que le biscuit qui reste
Après une traversée, il a d'étranges lieux communs

With observation, the which he vents
In mangled forms. O that I were a fool !
I am ambitious for a motley coat.

DUKE SENIOR

Thou shalt have one.

JAQUES

             It is my only suit ;
Provided that you weed your better judg-   45
   ments
Of all opinion that grows rank in them
That I am wise. I must have liberty
Withal, as large a charter as the wind,
To blow on whom I please, for so fools have ;
And they that are most galled with my folly,   50
They most must laugh. And why, sir, must they
   so ?
The 'why' is plain as way to parish church :
He that a fool doth very wisely hit
Doth very foolishly, although he smart,
Not to seem senseless of the bob. If not,   55
The wise man's folly is anatomiz'd
Even by the squandering glances of the fool.
Invest me in my motley. Give me leave
To speak my mind, and I will through and
   through

Bourrés de formules, qu'il débite
Par bribes et par lambeaux. Ah, si j'étais fou !
J'ai pour toute ambition un habit bariolé.

LE DUC AÎNÉ

Tu en auras un.

JAQUES

C'est l'habit que je veux ;
À condition que vous désherbiez vos meilleurs juge-
    ments
De toute opinion qui y pousse trop drue, selon
    laquelle
Je suis sage. Il faut que je sois libre,
Que j'aie franchise entière, comme le vent,
De souffler sur qui je veux, car les fous ont ce pri-
    vilège ;
Et ceux qu'aura le plus écorchés ma folie,
Doivent le plus en rire. Et pourquoi le doivent-ils,
    Monsieur ?
Le « pourquoi » est aussi clair que le chemin de
    l'église paroissiale :
Celui qu'un fou touche au vif dans sa sagesse
Agit très follement, même s'il lui en cuit,
S'il ne sait se montrer insensible aux sarcasmes.
    Sinon,
La folie du sage est mise à nu
Par les allusions mêmes que le fou lance au hasard.
Mettez-moi l'habit bariolé[1]. Donnez-moi la per-
    mission
De dire ma pensée, et je prétends de part en part

Cleanse the foul body of th' infected world,   60
If they will patiently receive my medicine.

DUKE SENIOR

Fie on thee ! I can tell what thou wouldst do.

JAQUES

What, for a counter, would I do but good ?

DUKE SENIOR

Most mischievous foul sin, in chiding sin :
For thou thyself hast been a libertine,   65
As sensual as the brutish sting itself.
And all th'embossed sores and headed evils,
That thou with licence of free foot hast
    caught,
Wouldst thou disgorge into the general world.

JAQUES

Why, who cries out on pride,   70
That can therein tax any private party ?
Doth it not flow as hugely as the sea,
Till that the weary very means do ebb ?
What woman in the city do I name,
When that I say the city-woman bears   75
The cost of princes on unworthy shoulders ?
Who can come in and say that I mean her,
When such a one as she, such is her neigh-
    bour ?
Or what is he of basest function
That says his bravery is not of my cost,   80

Purger le corps infect de ce monde pourri,
Si l'on veut patiemment accepter mes remèdes.

LE DUC AÎNÉ

Fi donc ! Je sais bien ce que tu ferais.

JAQUES

Je parie que je ne ferais que du bien.

LE DUC AÎNÉ

Péché infect et malveillant que de fustiger le péché :
Car tu as toi-même été un libertin,
Aussi sensuel que le dard bestial.
Et toutes les plaies purulentes et les pustules prêtes
     à crever,
Que tu as attrapées dans ta licence vagabonde,
Tu les dégorgerais sur le monde entier.

JAQUES

Voyons, celui qui se récrie contre l'orgueil,
S'en prend-il pour cela à quelqu'un en particulier ?
Le flot de l'orgueil ne monte-t-il pas aussi haut que
     la mer,
Jusqu'à ce que ses ressources s'épuisent et refluent ?
Quelle femme dans la cité est-ce que je nomme,
Quand je dis que la femme de la cité porte
Un luxe princier sur d'indignes épaules ?
Qui peut venir me dire que je la vise,
Quand, telle qu'elle est, telle est sa voisine ?
Ou si un homme de la plus humble condition
Me répond que ses beaux habits ne me coûtent rien,

Thinking that I mean him, but therein suits
His folly to the mettle of my speech ?
There then : how then ? What then ? Let me see
    wherein
My tongue hath wrong'd him : if it do him right,
Then he hath wrong'd himself ; if he be free,   85
Why then my taxing like a wild-goose flies,
Unclaim'd of any man. But who comes here ?

Enter ORLANDO, *[with his sword drawn]*.

ORLANDO

Forbear, and eat no more.

JAQUES

Why, I have eat none yet.

ORLANDO

Nor shalt not, till necessity be serv'd.   90

JAQUES

Of what kind should this cock come of ?

DUKE SENIOR

Art thou thus bolden'd, man, by thy distress,
Or else a rude despiser of good manners,
That in civility thou seem'st so empty ?

ORLANDO

You touch'd my vein at first : the thorny point   95

Croyant que je le vise, n'expose-t-il pas
Sa folie à la veine de ma critique ?
Alors : eh bien ? Quoi donc ? Voyons en quoi
Ma langue lui a fait du tort : si elle dit juste,
Il s'est lui-même fait du tort ; s'il est innocent,
Alors ma critique s'envole ainsi qu'une oie sauvage,
Et nul ne la prend pour soi. Mais qui vient là ?

Entre ORLANDO *[, l'épée tirée].*

ORLANDO

Arrêtez, ne mangez plus.

JAQUES

Mais, je n'ai encore rien mangé.

ORLANDO

Tu ne mangeras pas avant que le besoin ne soit
servi.

JAQUES

De quelle engeance sort ce jeune coq ?

LE DUC AÎNÉ

L'ami, est-ce la détresse qui te rend si hardi,
Ou est-ce par grossier mépris des bonnes manières,
Que tu sembles si dépourvu de civilité ?

ORLANDO

Vous avez touché juste au premier mot : la pointe
épineuse

Of bare distress hath ta'en from me the show
Of smooth civility : yet am I inland bred
And know some nurture. But forbear, I say,
He dies that touches any of this fruit
Till I and my affairs are answered.   100

JAQUES

An you will not be answer'd with reason, I must
  die.

DUKE SENIOR

What would you have ? Your gentleness shall
  force
More than your force move us to gentleness.

ORLANDO

I almost die for food, and let me have it.

DUKE SENIOR

Sit down and feed, and welcome to our table.   105

ORLANDO

Speak you so gently ? Pardon me, I pray you :
I thought that all things had been savage here ;
And therefore put I on the countenance
Of stern commandment. But whate'er you are
That in this desert inaccessible,   110
Under the shade of melancholy boughs,
Lose and neglect the creeping hours of time,
If ever you have look'd on better days,
If ever been where bells have knoll'd to church,

De la détresse nue m'a ôté les dehors
De la civilité soyeuse : pourtant je suis des villes
Et j'ai du savoir-vivre. Mais arrêtez, vous dis-je,
Il meurt, celui qui touche à un seul de ces fruits
Avant que moi et mes besoins soient satisfaits.

JAQUES

Si la raison ne peut vous satisfaire, que je meure.

LE DUC AÎNÉ

Que voulez-vous ? Votre douceur aura plus de force
Que votre force ne nous décidera à la douceur.

ORLANDO

Je meurs presque de faim, donnez-moi à manger.

LE DUC AÎNÉ

Asseyez-vous et mangez, soyez le bienvenu à notre
table.

ORLANDO

Vous parlez si courtoisement ? Pardonnez-moi, de
grâce :
J'ai cru que tout ici était sauvage[1] ;
Aussi ai-je pris un air
D'autorité farouche. Mais, qui que vous soyez,
Vous qui, dans ce désert inaccessible,
À l'ombre de rameaux mélancoliques,
Perdez nonchalamment les heures lentes du temps,
Si jamais vous avez connu des jours meilleurs,
Jamais été là où les cloches appellent à l'église,

If ever sat at any good man's feast,   115
If ever from your eyelids wip'd a tear,
And know what 'tis to pity and be pitied,
Let gentleness my strong enforcement be :
In the which hope I blush, and hide my sword.

DUKE SENIOR

True is it that we have seen better days,   120
And have with holy bell been knoll'd to
    church,
And sat at good men's feasts and wip'd our
    eyes
Of drops that sacred pity hath engender'd :
And therefore sit you down in gentleness
And take upon command what help we have   125
That to your wanting may be minister'd.

ORLANDO

Then but forbear your food a little while,
Whiles, like a doe, I go to find my fawn
And give it food. There is an old poor man,
Who after me hath many a weary step   130
Limp'd in pure love : till he be first suffic'd,
Oppress'd with two weak evils, age and
    hunger,
I will not touch a bit.

Jamais pris place au festin d'un homme généreux,
Si jamais de vos paupières vous avez essuyé une
    larme,
Et savez ce que c'est que ressentir ou inspirer de la
    pitié,
Que la douceur soit ma grande violence :
Dans cet espoir, je rougis, et je cache mon épée.

LE DUC AÎNÉ

Il est vrai que nous avons vu des jours meilleurs,
Que la cloche sainte nous a appelés à l'église,
Que nous avons pris place aux festins d'hommes
    généreux,
Et essuyé de nos yeux les pleurs que la sainte pitié
    y avait fait naître :
Aussi, asseyez-vous dans la douceur
Et prenez à volonté les ressources
Que nous pouvons offrir à votre dénuement.

ORLANDO

Alors, abstenez-vous un moment de nourriture,
Pendant que, comme une biche, je vais chercher
    mon faon
Pour lui donner à manger. C'est un pauvre vieillard,
Qui, à pas fatigués, s'est traîné à ma suite
Par pur dévouement ; jusqu'à ce qu'il soit rassasié,
Oppressé comme il l'est par deux cruelles faiblesses,
    l'âge et la faim,
Je ne toucherai pas à un seul morceau.

DUKE SENIOR

Go find him out,
And we will nothing waste till you return.

ORLANDO

I thank ye, and be blest for your good comfort !   135

[Exit.]

DUKE SENIOR

Thou seest we are not all alone unhappy :
This wide and universal theatre
Presents more woeful pageants than the scene
Wherein we play in.

JAQUES

All the world's a stage,
And all the men and women merely players ;   140
They have their exits and their entrances,
And one man in his time plays many parts,
His acts being seven ages. At first the infant,
Mewling and puking in the nurse's arms.
Then, the whining school-boy, with his satchel   145
And shining morning face, creeping like snail
Unwillingly to school. And then the lover,
Sighing like furnace, with a woeful ballad
Made to his mistress' eyebrow. Then a soldier,
Full of strange oaths, and bearded like the   150
    pard,

LE DUC AÎNÉ

Allez le chercher,
Nous ne toucherons à rien jusqu'à votre retour.

ORLANDO

Merci, et béni pour votre généreux secours !

[Il sort.]

LE DUC AÎNÉ

Tu vois, nous ne sommes pas seuls à être mal-
heureux :
Le vaste théâtre de l'univers
Présente de plus douloureux spectacles que la scène
Où nous jouons.

JAQUES

Le monde entier est un théâtre[1],
Et tous, hommes et femmes, n'y sont que des
acteurs ;
Ils ont leurs sorties et leurs entrées,
Et chacun dans sa vie a plusieurs rôles à jouer,
Dans un drame en sept âges. D'abord le nouveau-
né,
Vagissant et bavant dans les bras de nourrice.
Puis l'écolier geignard, avec son cartable
Et son visage frais du matin, qui, comme un escargot,
Se traîne à regret à l'école. Et puis l'amoureux,
Soupirs de forge et ballade dolente
Sur les sourcils de sa maîtresse. Puis, le soldat,
Plein de jurons étranges, poilu comme la panthère,

Jealous in honour, sudden, and quick in quar-
        rel,
Seeking the bubble reputation
Even in the cannon's mouth. And then, the
        justice,
In fair round belly with good capon lin'd,
With eyes severe, and beard of formal cut,   155
Full of wise saws, and modern instances,
And so he plays his part. The sixth age shifts
Into the lean and slipper'd pantaloon,
With spectacles on nose, and pouch on side,
His youthful hose well sav'd, a world too wide   160
For his shrunk shank, and his big manly voice,
Turning again toward childish treble, pipes
And whistles in his sound. Last scene of all,
That ends this strange eventful history,
Is second childishness and mere oblivion,   165
Sans teeth, sans eyes, sans taste, sans every-
        thing.

Re-enter ORLANDO, *with* ADAM.

DUKE SENIOR

Welcome. Set down your venerable burthen,
And let him feed.

ORLANDO

I thank you most for him.

Jaloux de son honneur, violent, et prompt à la que-
    relle,
Recherchant la bulle d'air de la gloire
Dans la gueule même du canon. Puis, le juge de paix,
Beau ventre rond doublé de chapon fin,
Œil sévère, et barbe bien taillée,
Plein d'augustes dictons, d'exemples rebattus,
Et c'est ainsi qu'il joue son rôle. Le sixième âge
    tourne
Au Pantalon[1] décharné, en pantoufles,
Lunettes sur le nez, bourse au côté,
Les hauts-de-chausses de sa jeunesse, bien conservés,
    trop larges d'un monde
Pour ses jarrets amaigris, et sa grosse voix
    d'homme,
Retournant au fausset de l'enfance,
A le son de la flûte et du sifflet. Le tout dernier
    tableau,
Qui clôt cette histoire étrange et mouvementée,
C'est la seconde enfance et la mémoire absente,
Sans dents, sans yeux, sans goût, sans rien.

> *Entrent à nouveau* ORLANDO *avec* ADAM.

LE DUC AÎNÉ

Soyez les bienvenus. Déposez votre vénérable far-
    deau[2],
Et qu'il mange.

ORLANDO

Mille mercis pour lui.

ADAM

So had you need,
I scarce can speak to thank you for myself.   170

DUKE SENIOR

Welcome, fall to : I will not trouble you
As yet, to question you about your fortunes.
Give us some music, and, good cousin, sing.

SONG [*by* AMIENS]

Blow, blow, thou winter wind,
Thou art not so unkind   175
As man's ingratitude.
Thy tooth is not so keen,
Because thou art not seen,

Although thy breath be rude.
Heigh-ho, sing heigh-ho, unto the green holly   180
Most friendship is feigning, most loving mere folly :
Then, heigh-ho, the holly !
This life is most jolly.

Freeze, freeze, thou bitter sky,
That dost not bite so nigh   185
As benefits forgot.
Though thou the waters warp,
Thy sting is not so sharp
As friend remember'd not.

ADAM

Vous faites bien,
Je peux à peine parler pour vous dire merci moi-
même.

LE DUC AÎNÉ

Soyez le bienvenu, à table : je ne veux pas encore
vous importuner
Avec des questions sur ce qui vous est arrivé.
De la musique, et vous, cher cousin, chantez.

CHANSON [*par* AMIENS]

Souffle, souffle, vent d'hiver,
Tu n'es pas aussi pervers
Que l'ingratitude humaine.
Ta morsure est moins terrible
Parce que tu es invisible,

Si rude soit ton haleine.
Heigh-ho, chantons heigh-ho, sous la branche de houx,
Trompeuse est l'amitié, et folie est l'amour :
Heigh-ho, vive le houx !
Vivre ici est bien doux.

Gèle, gèle, ciel cinglant,
Toi qui ne mords pas autant
Que des bienfaits oubliés.
Si tu rides les rivières,
Ta brûlure est moins amère
Que pour l'ami délaissé.

Heigh-ho, sing [heigh-ho, unto the green holly 190
Most friendship is feigning, most loving mere folly :
  Then, heigh-ho, the holly !
  This life is most jolly].

DUKE SENIOR

If that you were the good Sir Rowland's son,
As you have whisper'd faithfully you were, 195
And as mine eye doth his effigies witness
Most truly limn'd and living in your face,
Be truly welcome hither : I am the Duke
That lov'd your father ; the residue of your
  fortune,
Go to my cave and tell me. Good old man, 200
Thou art right welcome as thy master is.
Support him by the arm. Give me your hand,
And let me all your fortunes understand.

                              Exeunt.

Heigh-ho, chantons [heigh-ho, sous la branche de houx,
Trompeuse est l'amitié, et folie est l'amour.
   Heigh-ho, vive le houx !
   Vivre ici est bien doux].

LE DUC AÎNÉ

Si vous êtes bien le fils du bon Sire Roland,
Comme vous me l'avez murmuré fidèlement,
Et comme mes yeux en témoignent, qui retrouvent
Son très véritable et vivant portrait dans votre visage,
Soyez véritablement le bienvenu ici. Je suis le Duc
Qui aimait votre père. Le reste de votre fortune,
Venez dans ma grotte me le raconter. Bon vieillard,
Tu es tout aussi bienvenu que ton maître.
Tenez-le par le bras. Donnez-moi votre main
Et dites-moi tout ce que fut votre destin.

Ils sortent.

ACT III

SCENE I

Enter DUKE [FREDERICK],
Lords, and OLIVER.

DUKE [FREDERICK]

Not see him since ? Sir, sir, that cannot be :
But were I not the better part made mercy,
I should not seek an absent argument
Of my revenge, thou present. But look to it :
Find out thy brother, wheresoe'er he is,   5
Seek him with candle, bring him dead or living
Within this twelvemonth, or turn thou no
    more
To seek a living in our territory.
Thy lands and all things that thou dost call
    thine,
Worth seizure, do we seize into our hands,   10

ACTE III

SCÈNE I

Entrent le DUC [FRÉDÉRIC],
des seigneurs et OLIVIER.

LE DUC [FRÉDÉRIC]

Pas vu depuis ? Monsieur, Monsieur, cela ne se
    peut :
Si la pitié en moi n'avait pas le dessus,
Je ne chercherais pas à me venger d'un absent,
Toi présent. Mais attention :
Trouve-moi ton frère, où qu'il soit,
Cherche-le à la chandelle[1], ramène-le mort ou vif
D'ici un an, ou bien ne reviens plus
Quêter ta subsistance sur notre territoire.
Tes terres et toutes les choses que tu appelles
    tiennes,
Tout ce qui peut valoir d'être saisi, nous le saisis-
    sons entre nos mains,

Till thou canst quit thee by thy brother's
  mouth
Of what we think against thee.

OLIVER

O that your highness knew my heart in this !
I never lov'd my brother in my life.

DUKE FREDERICK

More villain thou. Well, push him out of ₁₅
  doors,
And let my officers of such a nature
Make an extent upon his house and lands :
Do this expediently and turn him going.

Exeunt.

SCENE II

Enter ORLANDO *[, with a paper].*

ORLANDO

Hang there my verse, in witness of my love,
And thou, thrice-crowned queen of night, survey
With thy chaste eye, from thy pale sphere above,
Thy huntress' name that my full life doth
  sway.
O Rosalind ! These trees shall be my books   ₅
And in their barks my thoughts I'll character,
That every eye which in this forest looks

Jusqu'à ce que tu sois disculpé par la bouche de
    ton frère
De ce que nous pensons contre toi.

OLIVIER

Oh, si Votre Altesse connaissait mon cœur !
Je n'ai jamais aimé mon frère de ma vie.

LE DUC FRÉDÉRIC

Tu n'en es que plus scélérat. Allons, qu'on le jette
    à la porte
Et que ceux de mes officiers dont c'est la tâche
Mettent le séquestre sur sa maison et sur ses terres :
Qu'on procède au plus vite, et qu'on le chasse.

Ils sortent.

SCÈNE II

Entre ORLANDO *[, avec un papier].*

ORLANDO

Demeurez là, mes vers, témoins de mon amour,
Et toi, trois fois couronnée, reine de la nuit[1],
Que ton œil chaste voie, de ton pâle séjour,
Le nom de ta chasseresse qui règne sur ma vie[2].
Ô Rosalinde ! Ces arbres seront mes livres
Et sur leur écorce je graverai mes pensées,
Afin que, dans cette forêt, tous les yeux puissent
    suivre

Shall see thy virtue witness'd every where.
Run, run, Orlando, carve on every tree
The fair, the chaste, and unexpressive she.   10

Exit.

Enter CORIN *and* CLOWN [TOUCH-
STONE].

CORIN

And how like you this shepherd's life, Master
Touchstone ?

CLOWN

Truly, shepherd, in respect of itself, it is a
good life ; but in respect that it is a shepherd's
life, it is naught. In respect that it is solitary, I   15
like it very well ; but in respect that it is private,
it is a very vile life. Now, in respect it is in the
fields, it pleaseth me well ; but in respect it is
not in the court, it is tedious. As is it a spare life,
look you, it fits my humour well ; but as there is   20
no more plenty in it, it goes much against my
stomach. Hast any philosophy in thee, shepherd ?

CORIN

No more but that I know the more one
sickens the worse at ease he is ; and that he   25
that wants money, means and content is
without three good friends ; that the pro-
perty of rain is to wet and fire to burn ;

Du regard ta vertu, en tous lieux exaltée.
Ô cours, cours, Orlando, sur chaque arbre graver
La très belle, la chaste, l'inexprimable aimée.

Il sort.

Entrent CORIN *et* LE BOUFFON [PIERRE
DE TOUCHE].

CORIN

Et comment trouvez-vous cette vie de berger,
Monsieur Pierre de Touche ?

LE BOUFFON

À vrai dire, berger, si on la considère en soi, c'est
une bonne vie ; mais si on considère que c'est une
vie de berger, elle ne vaut rien. Si on considère
qu'elle est solitaire, je l'aime beaucoup ; mais si on
considère qu'elle est à l'écart de tout, c'est une vie
méprisable. Si on considère qu'elle est à la campagne, elle me plaît bien ; mais si on considère
qu'elle est loin de la Cour, elle est ennuyeuse : comme
c'est une vie frugale, voyez-vous, elle convient à
mon humeur ; mais, comme on n'y trouve aucune
abondance, elle va tout à fait contre mes appétits.
As-tu en toi quelque philosophie, berger ?

CORIN

Pas plus que de savoir que plus on est malade,
moins on est à son aise ; et que celui qui n'a ni
argent, ni gagne-pain, ni joie, se retrouve sans
trois bons amis ; que le propre de la pluie est
de mouiller et le propre du feu de brûler ;

that good pasture makes fat sheep, and that a
great cause of the night is lack of the sun ; that   30
he that hath learned no wit by nature nor art
may complain of good breeding or comes of a
very dull kindred.

CLOWN

Such a one is a natural philosopher. Wast ever
in court, shepherd ?   35

CORIN

No, truly.

CLOWN

Then thou art damn'd.

CORIN

Nay, I hope.

CLOWN

Truly, thou art damn'd like an ill-roasted egg,
all on one side.   40

CORIN

For not being at court ? Your reason.

CLOWN

Why, if thou never wast at court, thou
never saw'st good manners ; if thou never
saw'st good manners, then thy manners
must be wicked ; and wickedness is sin,   45

que les bons pâturages engraissent les moutons ; et qu'une grande cause de la nuit est l'absence de soleil ; et que celui à qui ni la nature ni l'étude n'ont donné d'esprit peut se plaindre d'une mauvaise éducation, ou bien c'est qu'il est né de parents très stupides.

LE BOUFFON

Cet homme-là est un philosophe nature. As-tu jamais été à la Cour, berger ?

CORIN

Ma foi, non.

LE BOUFFON

Alors, tu es damné.

CORIN

J'espère que non.

LE BOUFFON

Ma foi, tu es damné comme un œuf mal cuit, cuit d'un seul côté[1].

CORIN

Parce que je n'ai pas été à la Cour ? Votre raison.

LE BOUFFON

Eh bien, si tu n'as jamais été à la Cour, tu n'as jamais vu les bonnes manières ; si tu n'as jamais vu les bonnes manières, alors tes manières sont sûrement mauvaises, et le mal est un péché,

and sin is damnation. Thou art in a parlous
state, shepherd.

CORIN

Not a whit, Touchstone : those that are good
manners at the court are as ridiculous in the
country as the behavior of the country is most 50
mockable at the court. You told me you salute
not at the court, but you kiss your hands : that
courtesy would be uncleanly, if courtiers were
shepherds.

CLOWN

Instance, briefly ; come, instance. 55

CORIN

Why, we are still handling our ewes, and their
fells, you know, are greasy.

CLOWN

Why, do not your courtier's hands sweat ? And
is not the grease of a mutton as wholesome as
the sweat of a man ? Shallow, shallow. A better 60
instance I say. Come.

CORIN

Besides, our hands are hard.

CLOWN

Your lips will feel them the sooner. Shallow
again : a more sounder instance, come.

et le péché, c'est la damnation. Tu es dans une situation critique[1], berger.

CORIN

Pas du tout, Pierre de Touche : ces manières qui sont de bonnes manières à la Cour sont aussi ridicules à la campagne que les façons de la campagne sont risibles à la Cour. Vous m'avez dit que l'on ne se salue pas, à la Cour, sans se baiser les mains : cette courtoisie serait malpropre si les courtisans étaient des bergers.

LE BOUFFON

Exemple, vite ; allons, exemple.

CORIN

Eh bien, nous sommes tout le temps à toucher nos brebis, et leurs toisons, vous le savez, sont graisseuses.

LE BOUFFON

Voyons, est-ce que les mains d'un courtisan ne suent pas ? Et la graisse d'un mouton n'est-elle pas aussi saine que la sueur d'un homme ? Creux, creux. Trouve un meilleur exemple, te dis-je. Allez.

CORIN

De plus, nos mains sont calleuses.

LE BOUFFON

Vos lèvres n'en sentent que mieux le contact. Creux encore : trouve un exemple plus solide, allez.

CORIN

And they are often tarr'd over with the sur- 65
gery of our sheep : and would you have us kiss
tar ? The courtier's hands are perfum'd with
civet.

CLOWN

Most shallow man ! Thou worms-meat, in respect of a good piece of flesh indeed ! Learn of 70
the wise, and perpend ! Civet is of a baser birth
than tar, the very uncleanly flux of a cat. Mend
the instance, shepherd.

CORIN

You have too courtly a wit for me, I'll rest.

CLOWN

Wilt thou rest damn'd ? God help thee, shal- 75
low man ! God make incision in thee, thou art
raw !

CORIN

Sir, I am a true labourer : I earn that I eat ; get
that I wear ; owe no man hate, envy no man's
happiness ; glad of other men's good, content 80
with my harm ; and the greatest of my pride is
to see my ewes graze and my lambs suck.

CORIN

Et elles sont souvent pleines de goudron à cause
des soins que nous donnons à nos bêtes ; vou-
driez-vous que nous embrassions du goudron ?
Les mains du courtisan sont parfumées à la civette.

LE BOUFFON

Homme totalement creux[1] ! Tu n'es que de la chair
à vermine à côté d'un bon morceau de viande !
Écoute les sages et réfléchis ! La civette est d'une
origine plus basse que le goudron, c'est la sale
sécrétion d'un chat. Ravaude ton exemple, berger.

CORIN

Vous avez trop l'esprit de la Cour pour moi, j'en
reste là.

LE BOUFFON

Tu veux rester damné ? Dieu te vienne en aide,
homme creux ! Dieu t'incise, tu es trop bleu[2] !

CORIN

Monsieur, je suis un vrai travailleur : je gagne ce
que je mange ; je produis ce que je porte ; je n'ai
de haine pour personne ; je n'envie le bonheur de
personne ; content du bien d'autrui, je prends bien
mes misères ; et ma plus grande fierté est de voir
paître mes brebis et téter mes agneaux.

CLOWN

That is another simple sin in you, to bring the
ewes and the rams together and to offer to get
your living by the copulation of cattle ; to be   85
bawd to a bell-wether, and to betray a she-lamb
of a twelvemonth to a crooked-pated, old, cuck-
oldly ram, out of all reasonable match. If thou
beest not damn'd for this, the devil himself will
have no shepherds. I cannot see else how thou   90
shouldst 'scape.

CORIN

Here comes young Master Ganymede, my new
mistress's brother.

Enter ROSALIND.

ROSALIND *[, reading]*.

From the east to western Ind,
  No jewel is like Rosalind.   95
Her worth being mounted on the wind,
  Through all the world bears Rosalind.
All the pictures fairest lin'd
  Are but black to Rosalind.
Let no fair be kept in mind   100
  But the fair of Rosalind.

CLOWN

I'll rhyme you so, eight years together, dinners
and suppers and sleeping-hours excepted : it is
the right butter-women's rank to market.

LE BOUFFON

Voilà encore un pur et franc péché de votre part,
mettre ensemble brebis et béliers et être prêt à
gagner votre vie par la copulation du bétail ; servir
d'entremetteur à un bélier porte-grelot et livrer
une agnelle de douze mois à un vieux cornard de
bélier à caboche tordue, un accouplement qui passe
la raison. Si tu n'es pas damné pour cela, c'est que
le diable lui-même ne veut pas de bergers. Autrement, je ne vois pas comment tu peux lui échapper.

CORIN

Voici venir le jeune Monsieur Ganymède, le frère
de ma nouvelle maîtresse.

Entre ROSALINDE.

ROSALINDE *[, lisant]*.

De l'est jusqu'à l'ouest de l'Inde,
    Nul joyau tel que Rosalinde.
Partout le vent emportera
    La gloire de Rosalinda.
Les portraits les plus délicats
    Sont noirs, près de Rosalinda.
Nul visage on ne retiendra
    Sauf ta beauté, Rosalinda.

LE BOUFFON

Je vous rimerai comme cela, huit ans d'affilée[1],
excepté au dîner, au souper et pendant les heures
de sommeil. Ça s'enchaîne à la queue leu leu
comme des crémières qui s'en vont au marché[2].

ROSALIND

Out, Fool !   105

CLOWN

For a taste :
> *If a hart do lack a hind,*
> > *Let him seek out Rosalind.*
>
> *If the cat will after kind,*
> > *So be sure will Rosalind.*   110
>
> *Wint'red garments must be lin'd,*
> > *So must slender Rosalind.*
>
> *They that reap must sheaf and bind,*
> > *Then to cart with Rosalind.*
>
> *Sweetest nut hath sourest rind,*   115
> > *Such a nut is Rosalind.*
>
> *He that sweetest rose will find*
> > *Must find love's prick, and Rosalind.*

This is the very false gallop of verses : why do
you infect yourself with them ?   120

ROSALIND

Peace, you dull fool ! I found them on a tree.

CLOWN

Truly, the tree yields bad fruit.

ROSALIND

I'll graff it with you, and then I shall graff it with
a medlar ; then it will be the earliest fruit i'th'country : for you'll be rotten ere you be half ripe,   125

ROSALINDE

Tais-toi, fou !

LE BOUFFON

Un petit avant-goût :

> *S'il manque au dindon une dinde,*
>   *Qu'il aille chercher Rosalinde.*
> *Si la chatte veut le matou,*
>   *Rosalinde fera itou.*
> *Habits d'hiver fourrés d'hermine,*
>   *Fourrée sera ma Rosaline.*
> *Le moissonneur engrangera,*
>   *À la charrette Rosalinda.*
> *Écorce amère, douce aveline,*
>   *Cette noisette est Rosaline.*
> *Qui cherche rose très câline*
>   *Trouve l'épine, et Rosaline.*

Voilà bien le faux galop des vers ; pourquoi vous en infecter[1] ?

ROSALINDE

Tais-toi, fou stupide ! Je les ai trouvés sur un arbre.

LE BOUFFON

Ma foi, cet arbre-là donne de mauvais fruits[2].

ROSALINDE

Je te grefferai dessus avec une bouture de néflier. Comme ça, tu seras le fruit le plus précoce du pays, car tu seras à moitié pourri avant d'être mûr,

and that's the right virtue of the medlar.

CLOWN

You have said ; but whether wisely or no, let the
forest judge.

ROSALIND

Peace ! Here comes my sister, reading : stand
aside.   130

Enter CELIA *with a writing.*

CELIA *[, reading].*

Why should this a desert be,
    For it is unpeopled ? No !
Tongues I'll hang on every tree,
    That shall civil sayings show.
Some, how brief the life of man   135
    Runs his erring pilgrimage,
That the stretching of a span
    Buckles in his sum of age.
Some, of violated vows
    'Twixt the souls of friend and friend.   140
But upon the fairest boughs,
    Or at every sentence end,
Will I Rosalinda write,
    Teaching all that read to know
The quintessence of every sprite   145
    Heaven would in little show.
Therefore Heaven Nature charg'd

comme les nèfles[1] qui ne sont bonnes à manger que blettes.

LE BOUFFON

Bien dit ; quant à savoir si c'est sagement ou non, que la forêt en soit juge.

ROSALINDE

Tais-toi ! Voici venir ma sœur, elle lit. Mettons-nous à l'écart.

Entre CÉLIA *avec un écrit.*

CÉLIA *[, lisant].*

Pourquoi ce lieu serait sauvage
       Parce qu'il est inhabité ? Non !
Aux arbres, je donne un langage,
       Porteur de graves réflexions.
Que la vie est brève, ô combien,
       Un vagabond pèlerinage,
Et toute la largeur d'une main[2]
       Boucle la somme de notre âge.
Je parlerai de vœux parjures
       Entre les âmes des amis.
Mais sur les plus belles ramures,
       Où, quand la phrase se finit,
Je veux écrire Rosalinde,
       Apprenant à tous les lecteurs
Qu'en elle le Ciel voulut joindre
       La quintessence du meilleur[3].
Car le Ciel Nature a chargé

That one body should be fill'd
With all graces wide-enlarg'd :
   Nature presently distill'd   150
Helen's cheek, but not her heart,
   Cleopatra's majesty,
Atalanta's better part,
   Sad Lucretia's modesty.
Thus Rosalind of many parts   155
   By heavenly synod was devis'd,
Of many faces, eyes and hearts,
   To have the touches dearest priz'd.
Heaven would that she these gifts should have,
   And I to live and die her slave.   160

ROSALIND

O most gentle Jupiter ! What tedious homily of
love have you wearied your parishioners withal,
and never cried 'Have patience, good people !'

CELIA

How now ! back, friends ! Shepherd, go off a
  little.
Go with him, sirrah.   165

CLOWN

Come, shepherd, let us make an honourable
retreat ; though not with bag and baggage, yet
with scrip and scrippage.

               Exit [with Corin].

De rassembler en un seul corps
Toutes les grâces dispersées :
Nature a distillé alors
La joue d'Hélène, mais non son cœur,
De Cléopâtre la fierté,
Et d'Atalante[1] le meilleur,
De Lucrèce[2] la chasteté.
Par un céleste aréopage
Rosalinde fut composée
De maints cœurs, maints yeux, maints visages,
Elle eut les traits les plus précieux.
Le Ciel voulait qu'elle eût tous ces dons
Et que je vive et meure son esclave[3].

ROSALINDE

Ô très doux Jupiter ! De quelle fastidieuse homélie
d'amour vous avez fatigué vos paroissiens, sans
jamais vous écrier : « Patience, bonnes gens ! »

CÉLIA

Eh bien ? Du champ, les amis ! Berger, écarte-toi
un peu.
Et toi, là-bas, suis-le.

LE BOUFFON

Viens, berger, faisons une retraite honorable ; sinon
avec armes et bagages, du moins avec sac et bissac.

Il sort [avec Corin].

CELIA

Didst thou hear these verses ?

ROSALIND

O, yes, I heard them all, and more too, for some 170
of them had in them more feet than the verses
would bear.

CELIA

That's no matter : the feet might bear the verses.

ROSALIND

Ay, but the feet were lame and could not bear
themselves without the verse, and therefore stood 175
lamely in the verse.

CELIA

But didst thou hear without wondering how thy
name should be hang'd and carv'd upon these
trees ?

ROSALIND

I was seven of the nine days out of the wonder 180
before you came ; for look here what I found
on a palm-tree ; I was never so be-rhym'd since
Pythagoras' time, that I was an Irish rat, which I
can hardly remember.

CELIA

Trow you who hath done this ?   185

CÉLIA

Tu as entendu ces vers ?

ROSALINDE

Oh oui, j'ai tout entendu, et plus encore, car certains d'entre eux avaient en eux plus de pieds qu'ils n'en peuvent supporter.

CÉLIA

Qu'importe, si les pieds pouvaient porter les vers.

ROSALINDE

Oui, mais les pieds étaient boiteux et ne pouvaient se porter tout seuls sans le vers, aussi faisaient-ils boiter le vers[1].

CÉLIA

Mais tu les as entendus sans t'émerveiller que ton nom soit accroché et gravé sur ces arbres ?

ROSALINDE

J'avais déjà épuisé les sept neuvièmes de mon étonnement quand tu es arrivée ; car regarde ce que j'ai trouvé sur un palmier[2] ; je n'avais pas été si rimaillée depuis l'époque de Pythagore où j'étais un rat irlandais[3], ce dont je ne me souviens guère.

CÉLIA

As-tu idée de qui a fait cela ?

ROSALIND

Is it a man ?

CELIA

And a chain, that you once wore, about his
  neck.
Change you colour ?

ROSALIND

I prithee, who ?

CELIA

O Lord, Lord ! it is a hard matter for friends 190
to meet ; but mountains may be remov'd with
earthquakes, and so encounter.

ROSALIND

Nay, but who is it ?

CELIA

Is it possible ?

ROSALIND

Nay, I prithee now with most petitionary vehe- 195
mence, tell me who it is.

CELIA

O wonderful, wonderful, and most wonderful
wonderful, and yet again wonderful, and after
that, out of all hooping !

ROSALINDE

Est-ce un homme ?

CÉLIA

Oui, avec une chaîne à son cou que vous portiez
  naguère.
Vous changez de couleur ?

ROSALINDE

Je t'en prie, qui ?

CÉLIA

Ô Seigneur, Seigneur ! qu'il est difficile aux amis
de se rencontrer alors que les montagnes, déplacées
par des tremblements de terre, parviennent à se
rejoindre[1].

ROSALINDE

Allons, mais qui est-ce ?

CÉLIA

Est-il possible ?

ROSALINDE

Allons, je t'en prie, maintenant, avec la plus véhé-
mente imploration, dis-moi qui c'est.

CÉLIA

Ô merveilleux, merveilleux, merveilleusement merveilleux, et plus merveilleux encore, et au-delà de
toute exclamation !

ROSALIND

Good my complexion ! dost thou think, though 200
I am caparison'd like a man, I have a doublet
and hose in my disposition ? One inch of delay
more is a South-sea of discovery. I prithee, tell
me who is it quickly, and speak apace : I would
thou couldst stammer, that thou mightst pour 205
this conceal'd man out of thy mouth, as wine
comes out of a narrow-mouth'd bottle, either
too much at once, or none at all. I prithee, take
the cork out of thy mouth, that I may drink thy
tidings.   210

CELIA

So you may put a man in your belly.

ROSALIND

Is he of God's making ? What manner of man ?
Is his head worth a hat ? Or his chin worth a
beard ?

CELIA

Nay, he hath but a little beard.   215

ROSALIND

Why, God will send more, if the man will be
thankful : let me stay the growth of his beard, if
thou delay me not the knowledge of his chin.

ROSALINDE

Par la rougeur de mon visage ! Crois-tu, parce que
je suis caparaçonnée comme un homme, que j'aie
un pourpoint et des hauts-de-chausses dans mon
tempérament ? Encore un pouce de retard, c'est
une expédition dans les mers du Sud[1]. Je t'en prie,
dis-moi qui c'est promptement, et parle vite : je te
voudrais bègue, pour que ta bouche me déverse
ce mystère d'homme-là, comme le vin sort d'une
bouteille au goulot étroit, trop à la fois ou pas du
tout. Je t'en prie, enlève le bouchon de ta bouche,
que je puisse boire tes nouvelles.

CÉLIA

Ainsi tu pourrais mettre un homme dans ton ventre.

ROSALINDE

Est-ce Dieu qui l'a fabriqué ? Quelle sorte d'homme
est-il ? Sa tête vaut-elle un chapeau ? Ou son menton
une barbe ?

CÉLIA

Non, il n'a pas beaucoup de barbe.

ROSALINDE

Eh bien, Dieu lui en enverra davantage, s'il se
montre reconnaissant : je veux bien attendre que la
barbe lui pousse, si tu ne retardes pas encore la
description de son menton.

CELIA

It is young Orlando, that tripp'd up the wrestler's heels, and your heart, both in an instant. ₂₂₀

ROSALIND

Nay, but the devil take mocking : speak, sad
brow and true maid.

CELIA

I'faith, coz, 'tis he.

ROSALIND

Orlando ?

CELIA

Orlando.   ₂₂₅

ROSALIND

Alas the day, what shall I do with my doublet
and hose ? What did he when thou saw'st him ?
What said he ? How look'd he ? Wherein went
he ? What makes him here ? Did he ask for me ?
Where remains he ? How parted he with thee ? ₂₃₀
And when shalt thou see him again ? Answer
me in one word.

CELIA

You must borrow me Gargantua's mouth first :
'tis a word too great for any mouth of this age's
size : to say ay and no to these particulars is ₂₃₅
more than to answer in a catechism.

CÉLIA

C'est le jeune Orlando qui, en une seule prise, a fait voler en l'air les talons du lutteur et votre cœur.

ROSALINDE

Mais que le diable emporte tes railleries. Parle, le front grave, en vierge véritable.

CÉLIA

En vérité, cousine, c'est lui.

ROSALINDE

Orlando ?

CÉLIA

Orlando.

ROSALINDE

Malheureux jour, que vais-je faire de mon pourpoint et de mes chausses ? Que faisait-il, quand tu l'as vu ? Qu'a-t-il dit ? Quel air avait-il ? Que portait-il ? Que fait-il ici ? A-t-il demandé après moi ? Où demeure-t-il ? Comment t'a-t-il quittée ? Et quand dois-tu le revoir ? Réponds-moi d'un mot.

CÉLIA

Il te faut me prêter d'abord la bouche de Gargantua[1]. Ce serait un mot trop grand pour une bouche d'aujourd'hui. Dire oui ou non à toutes tes questions prendrait plus de temps que de répondre au catéchisme.

ROSALIND

But doth he know that I am in this forest, and
in man's apparel ? Looks he as freshly as he did
the day he wrestled ?

CELIA

It is as easy to count atomies as to resolve the   240
propositions of a lover ; but take a taste of my
finding him, and relish it with good observance.
I found him under a tree, like a dropp'd acorn.

ROSALIND

It may well be call'd Jove's tree, when it drops
forth such fruit.   245

CELIA

Give me audience, good madam.

ROSALIND

Proceed.

CELIA

There lay he, stretch'd along, like a wounded
knight.

ROSALIND

Though it be pity to see such a sight, it well   250
becomes the ground.

ROSALINDE

Mais sait-il que je suis dans cette forêt, et en costume d'homme ? A-t-il l'air aussi vigoureux que le jour où il a lutté ?

CÉLIA

Il est aussi aisé de compter des atomes que de répondre aux questions d'une amoureuse. Mais déguste le récit de cette découverte, et savoure-le avec une attention scrupuleuse. Je l'ai trouvé sous un arbre, comme un gland qui vient de tomber.

ROSALINDE

On peut bien dire que c'est l'arbre de Jupiter[1] s'il laisse choir de tels fruits.

CÉLIA

Prêtez-moi l'oreille, chère Madame.

ROSALINDE

Poursuis.

CÉLIA

Il était là, étendu de tout son long, comme un chevalier blessé.

ROSALINDE

Si pitoyable que fût ce spectacle, il devait ennoblir le sol.

CELIA

Cry 'holla' to thy tongue, I prithee : it curvets
unseasonably. He was furnish'd like a hunter.

ROSALIND

O, ominous, he comes to kill my heart.

CELIA

I would sing my song without a burden : thou 255
bring'st me out of tune.

ROSALIND

Do you not know I am a woman ? when I think,
I must speak : sweet, say on.

CELIA

You bring me out. Soft ! Comes he not here ?

Enter ORLANDO *and* JAQUES.

ROSALIND

'Tis he : slink by, and note him.   260

JAQUES

I thank you for your company, but, good
     faith,
I had as lief have been myself alone.

CÉLIA

Crie « halte-là » à ta langue, je t'en prie ; elle fait des sauts à contretemps. Il était équipé comme un chasseur.

ROSALINDE

Ô, funeste présage ! Il vient me percer le cœur[1].

CÉLIA

Je voudrais bien chanter ma chanson sans refrain : tu me fais perdre l'air.

ROSALINDE

Ne savez-vous pas que je suis une femme ? Quand je pense, il faut que je parle. Ma douce, continuez.

CÉLIA

Vous me faites perdre mes idées. Doucement ! Ne vient-il pas ici ?

Entrent ORLANDO *et* JAQUES.

ROSALINDE

C'est lui : cachons-nous, et observons-le.

JAQUES

Je vous remercie de votre compagnie mais, en vérité,
J'aurais autant aimé être seul.

ORLANDO

And so had I ; but yet, for fashion sake,
I thank you too for your society.

JAQUES

God buy you : let's meet as little as we can.   265

ORLANDO

I do desire we may be better strangers.

JAQUES

I pray you, mar no more trees with writing love-
songs in their barks.

ORLANDO

I pray you, mar no more of my verses with
reading them ill-favouredly.   270

JAQUES

Rosalind is your love's name ?

ORLANDO

Yes, just.

JAQUES

I do not like her name.

ORLANDO

There was no thought of pleasing you when she
was christen'd.   275

ORLANDO

Et moi de même ; pourtant, puisque c'est l'usage,
Je vous remercie également de votre société.

JAQUES

Dieu vous garde : rencontrons-nous le moins possible.

ORLANDO

Je désire que nous soyons de plus en plus étrangers
l'un à l'autre.

JAQUES

De grâce, n'abîmez plus les arbres en écrivant des
chansons d'amour sur leur écorce.

ORLANDO

De grâce, n'abîmez plus mes vers en les lisant si mal.

JAQUES

Rosalinde est le nom de votre amour ?

ORLANDO

Oui, tout à fait.

JAQUES

Je n'aime pas son nom.

ORLANDO

On n'a pas pensé à vous faire plaisir quand on l'a
baptisée.

JAQUES

What stature is she of ?

ORLANDO

Just as high as my heart.

JAQUES

You are full of pretty answers : have you not been
acquainted with goldsmiths' wives, and conn'd
them out of rings ?   280

ORLANDO

Not so ; but I answer you right painted cloth,
from whence you have studied your questions.

JAQUES

You have a nimble wit ; I think 'twas made of
Atalanta's heels. Will you sit down with me, and
we two will rail against our mistress the world,   285
and all our misery.

ORLANDO

I will chide no breather in the world but myself,
against whom I know most faults.

JAQUES

The worst fault you have is to be in love.

JAQUES

Elle est grande ?

ORLANDO

Elle m'arrive au cœur.

JAQUES

Vous êtes plein de jolies réponses : n'avez-vous pas connu des femmes de bijoutiers, et appris par cœur les devises de certaines bagues[1] ?

ORLANDO

Non ; mais je vous réponds dans le style cliché des tapisseries édifiantes[2], puisque c'est là que vous avez étudié vos questions.

JAQUES

Vous avez un esprit agile ; on le croirait fait avec les talons d'Atalante[3]. Voulez-vous vous asseoir avec moi et, tous deux, nous invectiverons notre maîtresse le monde et toute notre misère ?

ORLANDO

Je ne veux fustiger personne au monde que moi, chez qui je trouve le plus de défauts à reprendre.

JAQUES

Votre pire défaut est d'être amoureux.

ORLANDO

'Tis a fault I will not change for your best virtue.
I am weary of you.

JAQUES

By my troth, I was seeking for a fool when I
found you.

ORLANDO

He is drown'd in the brook : look but in, and
you shall see him.   290

JAQUES

There I shall see mine own figure.

ORLANDO

Which I take to be either a fool, or a cipher.

JAQUES

I'll tarry no longer with you : farewell, good
Signior Love.

ORLANDO

I am glad of your departure : adieu, good Mon-   295
sieur Melancholy.

[Exit Jaques.]

ROSALIND, *aside.*

I will speak to him, like a saucy lackey, and
under that habit play the knave with him. — Do
you hear forester ?

ORLANDO

C'est un défaut que je n'échangerais pas contre votre plus belle vertu. Je suis fatigué de vous.

JAQUES

Ma foi, je cherchais un fou quand je vous ai trouvé.

ORLANDO

Il s'est noyé dans le ruisseau. Regardez dedans et vous l'y verrez.

JAQUES

Je n'y verrais que ma propre image.

ORLANDO

Que je tiens pour celle d'un fou, ou d'un zéro.

JAQUES

Je ne m'attarde pas plus longtemps avec vous : au revoir, cher Signor Amour[1].

ORLANDO

Je me réjouis de votre départ : adieu, cher Monsieur de la Mélancolie.

[Sort Jaques.]

ROSALINDE, *à part.*

Je vais lui parler, comme un laquais insolent et sous ce masque je vais le harceler. — Vous m'entendez, forestier ?

ORLANDO

Very well : what would you ?   300

ROSALIND

I pray you, what is't o'clock ?

ORLANDO

You should ask me what time o'day : there's no
clock in the forest.

ROSALIND

Then there is no true lover in the forest, else
sighing every minute and groaning every hour   305
would detect the lazy foot of Time as well as a
clock.

ORLANDO

And why not the swift foot of Time ? Had not
that been as proper ?

ROSALIND

By no means, sir : Time travels in divers paces   310
with divers persons. I'll tell you who Time
ambles withal, who Time trots withal, who
Time gallops withal and who he stands still
withal.

ORLANDO

I prithee, who doth he trot withal ?   315

ORLANDO

Fort bien ; que voulez-vous ?

ROSALINDE

Je vous en prie, quelle heure est-il ?

ORLANDO

Vous devriez me demander où en est le jour ; il n'y a pas d'horloge dans la forêt.

ROSALINDE

Alors il n'y a pas d'amoureux véritable dans la forêt, sinon ses soupirs toutes les minutes et ses gémissements toutes les heures marqueraient la marche paresseuse du Temps, aussi bien qu'une horloge.

ORLANDO

Et pourquoi pas la marche rapide du Temps[1] ? Ne serait-ce pas aussi juste ?

ROSALINDE

Nullement, Monsieur : le Temps voyage à des allures différentes pour des personnes différentes. Je vais vous dire pour qui le Temps va l'amble, pour qui le Temps va au trot, pour qui le Temps galope, pour qui il reste immobile.

ORLANDO

Je t'en prie, pour qui va-t-il au trot ?

ROSALIND

Marry, he trots hard with a young maid between
the contract of her marriage and the day it is
solemniz'd : if the interim be but a se'nnight,
Time's pace is so hard that it seems the length
of seven year.   320

ORLANDO

Who ambles Time withal ?

ROSALIND

With a priest that lacks Latin and a rich man
that hath not the gout : for the one sleeps easily
because he cannot study, and the other lives
merrily because he feels no pain, the one lacking   325
the burden of lean and wasteful learning, the
other knowing no burden of heavy tedious penury.
These Time ambles withal.

ORLANDO

Who doth he gallop withal ?

ROSALIND

With a thief to the gallows : for though he go as   330
softly as foot can fall, he thinks himself too soon
there.

ORLANDO

Who stays it still withal ?

ROSALINDE

Pardi, il va son trot cahotant pour la jeune fille
entre le contrat de son mariage et le jour des noces.
Si l'intervalle n'est que de sept nuits, l'allure du
temps est si pénible qu'il lui semble qu'il dure sept
ans.

ORLANDO

Pour qui le Temps va-t-il l'amble ?

ROSALINDE

Pour le prêtre qui n'a point de latin, et pour le
riche qui n'a pas la goutte : car l'un dort tranquille
parce qu'il ne peut pas étudier, et l'autre vit joyeux
parce qu'il n'éprouve aucune douleur, l'un n'a
point à porter le fardeau du maigre et exténuant
savoir, l'autre ne connaît pas le fardeau de la lourde
et accablante misère. Pour ceux-là, le Temps va
l'amble.

ORLANDO

Pour qui galope-t-il ?

ROSALINDE

Pour le voleur qu'on mène à la potence : car même
s'il va aussi lentement qu'un pied peut se poser, il
s'y trouve trop vite rendu.

ORLANDO

Pour qui reste-t-il immobile ?

ROSALIND

With lawyers in the vacation : for they sleep
between term and term and then they perceive   335
not how Time moves.

ORLANDO

Where dwell you, pretty youth ?

ROSALIND

With this shepherdess, my sister ; here in
the skirts of the forest, like fringe upon a petticoat.   340

ORLANDO

Are you native of this place ?

ROSALIND

As the cony that you see dwell where she is
kindled.

ORLANDO

Your accent is something finer than you could
purchase in so removed a dwelling.   345

ROSALIND

I have been told so of many : but indeed an old
religious uncle of mine taught me to speak, who
was in his youth an inland man, one that knew
courtship too well, for there he fell in love. I
have heard him read many lectures against it,   350

ROSALINDE

Pour les juges quand ils siègent : car ils dorment d'une session à l'autre et ne s'aperçoivent pas que le Temps passe.

ORLANDO

Où habitez-vous, joli garçon ?

ROSALINDE

Avec cette bergère, ma sœur, ici, à la lisière de la forêt, comme la frange au bord d'un jupon.

ORLANDO

Êtes-vous né en ces lieux ?

ROSALINDE

Comme le lapin que l'on voit habiter à l'endroit où sa mère l'a mis bas.

ORLANDO

Votre parler a je ne sais quoi de plus raffiné que celui qu'on peut acquérir dans un lieu aussi retiré.

ROSALINDE

Beaucoup de gens me l'ont dit : mais en fait un vieil oncle à moi qui était dans les ordres m'a appris à parler ; dans sa jeunesse, il avait vécu à la ville, c'était un homme qui connaissait trop bien la Cour car il y était tombé amoureux. Je l'ai entendu faire de nombreux sermons contre l'amour,

and I thank God I am not a woman, to be
touch'd with so many giddy offences as he hath
generally tax'd their whole sex withal.

ORLANDO

Can you remember any of the principal evils
that he laid to the charge of women ?   355

ROSALIND

There were none principal, they were all like
one another as half-pence are, every one fault
seeming monstrous till his fellow fault came to
match it.

ORLANDO

I prithee, recount some of them.   360

ROSALIND

No : I will not cast away my physic but on those
that are sick. There is a man haunts the forest,
that abuses our young plants with carving 'Rosalind' on their barks ; hangs odes upon haw-
thorns, and elegies on brambles ; all, forsooth,   365
deifying the name of Rosalind. If I could meet
that fancy-monger I would give him some good
counsel, for he seems to have the quotidian of
love upon him.

ORLANDO

I am he that is so love-shak'd, I pray you tell me 370
your remedy.

et je remercie Dieu de ne pas être une femme, pour
ne pas être atteint par les défauts et les folies qu'il
reprochait au sexe, en général.

ORLANDO

Pouvez-vous vous rappeler quelques-uns des principaux travers qu'il imputait aux femmes ?

ROSALINDE

Il n'y en avait pas de principaux. Ils se ressem-
blaient tous comme des pièces d'un demi-sou,
chacun ayant l'air monstrueux, jusqu'au moment
où son voisin venait l'égaler.

ORLANDO

Je t'en prie, cite-m'en quelques-uns.

ROSALINDE

Non : je ne dispenserai ma médecine qu'à ceux qui
sont malades. Il y a un homme qui hante la forêt et
qui dégrade nos jeunes plants en gravant « Rosalinde » sur leur écorce ; il accroche des odes aux
buissons d'aubépine et des élégies aux ronces ;
toutes, en vérité, divinisant le nom de Rosalinde.
Si je rencontrais ce trafiquant de désirs, je lui donnerais quelques bons conseils, car il semble avoir
en lui une tenace fièvre d'amour.

ORLANDO

C'est moi que l'amour agite si fort. De grâce,
dites-moi votre remède.

ROSALIND

There is none of my uncle's marks upon you :
he taught me how to know a man in love ; in
which cage of rushes I am sure you are not pri-
soner.   375

ORLANDO

What were his marks ?

ROSALIND

A lean cheek, which you have not ; a blue eye
and sunken, which you have not ; an unques-
tionable spirit, which you have not ; a beard
neglected, which you have not ; but I pardon   380
you for that, for simply your having in beard is a
younger brother's revenue ; then your hose
should be ungarter'd, your bonnet unbanded,
your sleeve unbutton'd, your shoe untied and
every thing about you demonstrating a careless   385
desolation ; but you are no such man ; you are
rather point-device in your accoutrements as
loving yourself than seeming the lover of any
other.

ORLANDO

Fair youth, I would I could make thee believe I   390
love.

ROSALINDE

Il n'y a sur vous aucun des symptômes indiqués par mon oncle : il m'a enseigné à reconnaître un homme pris par l'amour ; et dans cette cage d'osier je suis sûr que vous n'êtes pas prisonnier.

ORLANDO

Quels étaient ces symptômes ?

ROSALINDE

Une joue creuse, que vous n'avez pas ; un œil cave et cerné, que vous n'avez pas ; un esprit taciturne, que vous n'avez pas ; une barbe négligée, que vous n'avez pas — mais je vous pardonne pour cela car franchement, ce que vous avez de barbe n'est que le revenu d'un frère cadet. Et puis vos chausses devraient être sans jarretières, votre chapeau sans rubans, vos manches déboutonnées, votre soulier délacé, tout en vous traduisant l'abandon et le désespoir[1]. Mais vous n'êtes pas cet homme-là : vous êtes plutôt soigné dans votre mise, comme si vous étiez plus amoureux de vous-même qu'amoureux d'une autre personne.

ORLANDO

Beau jeune homme, je voudrais te convaincre que j'aime.

ROSALIND

Me believe it ? You may as soon make her that
you love believe it, which, I warrant, she is apter
to do than to confess she does : that is one of
the points in the which women still give the lie
to their consciences. But, in good sooth, are you
he that hangs the verses on the trees, wherein
Rosalind is so admir'd ?

ORLANDO

I swear to thee, youth, by the white hand of
Rosalind, I am that he, that unfortunate he.

ROSALIND

But are you so much in love as your rhymes
speak ?

ORLANDO

Neither rhyme nor reason can express how
much.

ROSALIND

Love is merely a madness, and, I tell you,
deserves as well a dark house and a whip as
madmen do : and the reason why they are not
so punish'd and cured is, that the lunacy is so
ordinary that the whippers are in love too. Yet I
profess curing it by counsel.

ROSALINDE

Me convaincre ? Vous auriez aussi vite fait d'en convaincre celle que vous aimez, et je vous garantis qu'elle est plus portée à le croire qu'à reconnaître qu'elle le croit : c'est là un des points sur lesquels les femmes donnent toujours le démenti à leur conscience. Mais, en vérité, êtes-vous celui qui accroche aux arbres ces vers, dans lesquels Rosalinde est si adulée ?

ORLANDO

Je te le jure, jeune homme, par la blanche main de Rosalinde, je suis celui-là, ce malheureux-là.

ROSALINDE

Mais êtes-vous aussi amoureux que le disent vos rimes ?

ORLANDO

Ni rime ni raison ne sauraient exprimer à quel point je le suis.

ROSALINDE

L'amour est une folie véritable et, je vous le dis, mérite le cachot et le fouet tout autant que les fous[1] ; et la raison pour laquelle les amoureux ne sont pas châtiés et traités de cette façon est que cette démence est si ordinaire que les fouetteurs sont amoureux aussi. Pourtant, je me fais fort de la guérir par mes conseils.

ORLANDO

Did you ever cure any so ?

ROSALIND

Yes, one, and in this manner. He was to imagine
me his love, his mistress ; and I set him every
day to woo me. At which time would I, being
but a moonish youth, grieve, be effeminate, 415
changeable, longing, and liking, proud, fantastical, apish, shallow, inconstant, full of tears, full
of smiles ; for every passion something, and for
no passion truly any thing, as boys and women
are for the most part cattle of this colour : 420
would now like him, now loathe him ; then
entertain him, then forswear him ; now weep
for him, then spit at him ; that I drave my suitor
from his mad humour of love to a living humour
of madness ; which was, to forswear the full 425
stream of the world, and to live in a nook merely
monastic : and thus I cur'd him, and this way
will I take upon me to wash your liver as clean
as a sound sheep's heart, that there shall not be
one spot of love in't. 430

ORLANDO

I would not be cured, youth.

ORLANDO

Avez-vous jamais guéri quelqu'un de cette façon ?

ROSALINDE

Oui, un homme, et voici comment. Il devait s'imaginer que j'étais son amour, sa maîtresse ; et je le
forçais à venir me faire la cour chaque jour. À
l'heure fixée, comme une jeune fille qui a ses
lunes, je me plaignais, j'étais efféminé, changeant,
orgueilleux, fantasque, maniéré, léger, inconstant,
plein de larmes, plein de sourires ; affectant toutes
les émotions, n'en éprouvant aucune, car garçons
et femmes sont pour la plupart bétail de cette
espèce : tantôt je l'aimais, tantôt le repoussais ;
puis je l'encourageais et, l'instant d'après, je le
rejetais ; tantôt je pleurais pour lui, tantôt je lui
crachais au visage ; tant et si bien que je fis passer
mon soupirant de cette folle humeur d'amour à
une véritable humeur de folie qui lui fit renoncer
au grand courant du monde pour aller vivre dans
une retraite toute monastique : voilà comment je
l'ai guéri, et c'est de cette façon que je veux entre-
prendre de vous laver le foie[1] et de vous le rendre
aussi propre que le cœur d'un mouton en bonne
santé, en sorte qu'il n'y reste plus une seule tache
d'amour.

ORLANDO

Je ne veux pas être guéri, jeune homme.

ROSALIND

I would cure you, if you would but call me
Rosalind, and come every day to my cote, and
woo me.

ORLANDO

Now, by the faith of my love, I will ! Tell me 435
where it is.

ROSALIND

Go with me to it and I'll show it you ; and by
the way you shall tell me where in the forest you
live. Will you go ?

ORLANDO

With all my heart, good youth. 440

ROSALIND

Nay you must call me Rosalind. Come, sister,
will you go ?

Exeunt.

ROSALINDE

Je veux vous guérir, si vous consentiez seulement
à m'appeler Rosalinde et à venir chaque jour dans
ma maison me faire la cour.

ORLANDO

Eh bien, sur la foi de mon amour, j'y consens !
Dites-moi où elle se trouve.

ROSALINDE

Venez avec moi, je vous la montrerai ; et, sur le
chemin, vous me direz à quel endroit de la forêt
vous habitez. Vous venez ?

ORLANDO

De tout mon cœur, gentil garçon.

ROSALINDE

Non, il faut m'appeler Rosalinde. Allons, ma sœur,
vous venez ?

Ils sortent.

SCENE III

Enter CLOWN, AUDREY *and* JAQUES.

CLOWN

Come apace, good Audrey, I will fetch up your
goats, Audrey ; and how, Audrey, am I the man
yet ? Doth my simple feature content you ?

AUDREY

Your features, Lord warrant us : what fea-
tures ?   5

CLOWN

I am here with thee and thy goats, as the most
capricious poet, honest Ovid, was among the
Goths.

JAQUES

O knowledge ill-inhabited, worse than Jove in a
thatch'd house !   10

CLOWN

When a man's verses cannot be understood,
nor a man's good wit seconded with the forward
child, understanding, it strikes a man more dead
than a great reckoning in a little room : truly, I
would the gods had made thee poetical.   15

SCÈNE III

Entrent LE BOUFFON,
AUDREY *et* JAQUES.

LE BOUFFON

Venez vite, bonne Audrey, j'irai chercher vos chèvres, Audrey ; et dites-moi, Audrey, suis-je toujours votre homme ? Est-ce que ma configuration vous plaît ?

AUDREY

Votre configuration ? Dieu nous garde ! Quelle configuration ?

LE BOUFFON

Je suis ici avec toi et tes boucs comme jadis le plus cabri des poètes, l'honnête Ovide, au milieu de ses Goths[1].

JAQUES

Ô savoir mal logé, plus mal que Jupiter dans une chaumière[2] !

LE BOUFFON

Quand un homme voit ses vers incompris, et que son esprit vif n'est pas relayé par ce précoce enfant, l'intelligence, ça vous l'étend plus raide qu'une addition trop salée dans un petit cabaret : en vérité, je voudrais que les dieux t'eussent faite poétique.

AUDREY

I do not know what 'poetical' is : is it honest in deed and word ? Is it a true thing ?

CLOWN

No, truly ; for the truest poetry is the most feigning, and lovers are given to poetry : and what they swear in poetry may be said as lovers 20 they do feign.

AUDREY

Do you wish then that the gods had made me poetical ?

CLOWN

I do, truly ; for thou swear'st to me thou art honest. Now, if thou wert a poet, I might have 25 some hope thou didst feign.

AUDREY

Would you not have me honest ?

CLOWN

No, truly, unless thou wert hard-favour'd ; for honesty coupled to beauty is to have honey a sauce to sugar. 30

JAQUES

A material fool !

AUDREY

Je ne sais pas ce que c'est, « poétique » : est-ce que c'est honnête à dire et à faire ? Est-ce que c'est une chose vraie ?

LE BOUFFON

En vérité, non ; car la poésie la plus vraie est la plus mensongère[1], et les amoureux s'adonnent à la poésie : et on peut dire que ce qu'ils jurent en vers, en tant qu'amoureux, est pur mensonge.

AUDREY

Et vous voudriez alors que les dieux m'aient faite poétique ?

LE BOUFFON

En vérité, oui ; car tu me jures que tu es vertueuse. Si tu étais poète, je pourrais espérer que c'est un mensonge.

AUDREY

Vous ne voudriez pas que je sois vertueuse ?

LE BOUFFON

En vérité, non, à moins que tu ne fusses laide ; car joindre la vertu à la beauté, c'est prendre du miel pour adoucir du sucre.

JAQUES

Voilà un fou réaliste !

AUDREY

Well, I am not fair, and therefore I pray the gods
make me honest.

CLOWN

Truly, and to cast away honesty upon a foul slut
were to put good meat into an unclean dish.   35

AUDREY

I am not a slut, though I thank the gods I am
foul.

CLOWN

Well, praised be the gods for thy foulness ! Slut-
tishness may come hereafter. But be it as it may
be, I will marry thee, and to that end I have   40
been with Sir Oliver Martext, the vicar of the
next village, who hath promis'd to meet me in
this place of the forest and to couple us.

JAQUES

I would fain see this meeting.

AUDREY

Well, the gods give us joy !   45

CLOWN

Amen. A man may, if he were of a fearful heart,
stagger in this attempt : for here we have no temple
but the wood, no assembly but horn-beasts.

AUDREY

Eh bien, je ne suis pas belle, je prie donc les dieux qu'ils me fassent vertueuse.

LE BOUFFON

Vraiment, gaspiller la vertu en la donnant à une garce laide, ce serait servir un bon plat dans une assiette sale.

AUDREY

Je ne suis pas une garce, même si je suis laide, c'est l'œuvre des dieux et je les en remercie.

LE BOUFFON

Eh bien, loués soient les dieux de ta laideur ! Garce, ça peut venir après. Quoi qu'il en soit, je veux t'épouser et, à cette fin, je suis allé trouver le Père Olivier Brouille-Prêche, curé du village le plus proche, qui m'a promis de me retrouver dans cette partie de la forêt et de nous accoupler.

JAQUES

Je voudrais bien voir cette rencontre.

AUDREY

Eh bien, que les dieux nous donnent de la joie !

LE BOUFFON

Amen. Un cœur timoré pourrait vaciller dans cette entreprise car ici nous n'avons d'autre temple que le bois, d'autres fidèles que les bêtes à cornes.

But what though ? Courage ! As horns are
odious, they are necessary. It is said, 'many a   50
man knows no end of his goods' ; right ! Many
a man has good horns, and knows no end of
them. Well, that is the dowry of his wife, 'tis
none of his own getting ; horns ? Even so. Poor
men alone ? No, no, the noblest deer hath   55
them as huge as the rascal. Is the single man
therefore blessed ? No : as a wall'd town is
more worthier than a village, so is the forehead
of a married man more honourable than the
bare brow of a bachelor ; and by how much   60
defence is better than no skill, by so much is a
horn more precious than to want. Here comes
Sir Oliver.

Enter SIR OLIVER MARTEXT.

Sir Oliver Martext, you are well met. Will you
dispatch us here under this tree, or shall we go   65
with you to your chapel ?

SIR OLIVER MARTEXT

Is there none here to give the woman ?

CLOWN

I will not take her on gift of any man.

Mais quoi ? Courage ! Les cornes ont beau être odieuses[1], elles sont inévitables. Il est dit, « bien des hommes ne savent pas où s'arrêtent leurs biens » ; juste ! Bien des hommes ont de belles cornes, et ne savent pas où elles s'arrêtent. Eh quoi, c'est la dot qu'apporte leur femme, ils n'y sont pour rien ; des cornes ? Eh oui. Les pauvres seulement ? Non, non, le plus noble cerf en a d'aussi considérables que le pauvre hère. L'homme qui vit seul est-il alors béni ? Non : de même qu'une ville forte est plus majestueuse qu'un village, de même le chef d'un homme marié est plus honorable que le front nu d'un célibataire ; et autant la défense est préférable à l'impuissance, autant une paire de cornes est plus précieuse que de ne pas en avoir. Voici venir Messire Olivier.

> *Entre* MESSIRE OLIVIER BROUILLE-PRÊCHE.

Messire Olivier Brouille-Prêche, heureux de vous voir. Préférez-vous nous expédier ici, sous cet arbre, ou voulez-vous que nous vous accompagnions jusqu'à votre chapelle ?

MESSIRE OLIVIER BROUILLE-PRÊCHE

N'y a-t-il personne ici pour présenter la femme ?

LE BOUFFON

Je ne veux pas l'accepter comme présent d'un autre homme.

SIR OLIVER MARTEXT

Truly, she must be given, or the marriage is not
lawful.   70

JAQUES *[, coming forward]*.

Proceed, proceed : I'll give her.

CLOWN

Good even, good Master What-ye-call't : how
do you, sir ? You are very well met : God 'ild
you for your last company, I am very glad to see
you, even a toy in hand here, sir. Nay, pray be   75
cover'd.

JAQUES

Will you be married, motley ?

CLOWN

As the ox hath his bow, sir, the horse his curb
and the falcon her bells, so man hath his desires,
and as pigeons bill, so wedlock would be nib-   80
bling.

JAQUES

And will you, being a man of your breeding,
be married under a bush like a beggar ? Get
you to church, and have a good priest that
can tell you what marriage is : this fellow will   85
but join you together as they join wainscot,

MESSIRE OLIVIER BROUILLE-PRÊCHE

Vraiment, il faut qu'elle soit présentée, sinon le mariage n'est pas valable.

JAQUES *[, s'avançant].*

Poursuivez, poursuivez. Moi, je la présenterai.

LE BOUFFON

Bonsoir, cher Monsieur Comment-qu'on-dit-déjà[1] : comment allez-vous, Monsieur ? Très heureux de vous voir : Dieu vous récompense de votre compagnie, l'autre fois. Je suis très content de vous voir. Nous avons une bagatelle à régler ici, Monsieur. Mais, de grâce, restez couvert.

JAQUES

Vous voulez donc vous marier, Bouffon ?

LE BOUFFON

De même que le bœuf a son joug, Monsieur, le cheval son frein et le faucon ses grelots, l'homme a ses désirs et, de même que les pigeons se becquettent, les époux aimeraient se grignoter.

JAQUES

Et vous voulez, vous, un homme de votre éducation, vous marier sous un buisson comme un mendiant ? Allez à l'église et prenez un bon prêtre qui pourra vous dire ce qu'est le mariage : cet homme-là se contentera de vous unir comme on joint des lambris,

then one of you will prove a shrunk panel and,
like green timber, warp, warp.

CLOWN

I am not in the mind but I were better to be
married of him than of another, for he is not   90
like to marry me well ; and not being well married, it will be a good excuse for me hereafter to
leave my wife.

JAQUES

Go thou with me, and let me counsel thee.

CLOWN

Come, sweet Audrey,   95
We must be married, or we must live in bawdry.
Farewell, good Master Oliver : not, —
                    O sweet Oliver,
                    O brave Oliver,
                    Leave me not behind thee :   100
but, —
                    Wind away,
                    Begone, I say,
                    I will not to wedding with thee.

SIR OLIVER MARTEXT

'Tis no matter ! Ne'er a fantastical knave of   105
them all shall flout me out of my calling.

                                        Exeunt.

bientôt l'un de vous sera un panneau rétréci et, comme du bois vert, se mettra à gauchir, à gauchir.

LE BOUFFON

J'ai dans l'idée que je ferais mieux d'être marié par lui plutôt que par un autre, car il y a peu de chance qu'il me marie bien ; et, n'étant pas bien marié, ce me sera une bonne excuse, plus tard, pour quitter ma femme.

JAQUES

Toi, viens avec moi et suis mes conseils.

LE BOUFFON

Viens, douce Audrey,
Il nous faut vivre dans le stupre, ou bien nous marier.
Au revoir, bon Père Olivier. Non point...

> *Ô doux Olivier,*
> *Ô brave Olivier,*
> *Ne me laisse pas derrière toi :*

mais...

> *Déguerpis,*
> *File, je te dis,*
> *Ce n'est pas toi qui me mariera.*

MESSIRE OLIVIER BROUILLE-PRÊCHE

C'est égal ! Ce n'est sûrement pas une de ces crapules excentriques qui par ses railleries me détournera de mon ministère.

Ils sortent.

SCENE IV

Enter ROSALIND *and* CELIA.

ROSALIND

Never talk to me, I will weep.

CELIA

Do, I prithee, but yet have the grace to consider
that tears do not become a man.

ROSALIND

But have I not cause to weep ?

CELIA

As good cause as one would desire, therefore   5
weep.

ROSALIND

His very hair is of the dissembling colour.

CELIA

Something browner than Judas's : marry, his
kisses are Judas's own children.

ROSALIND

I'faith, his hair is of a good colour.   10

SCÈNE IV

Entrent ROSALINDE *et* CÉLIA.

ROSALINDE

Ne me parle plus, je vais pleurer.

CÉLIA

Pleure donc, je te prie, mais fais-moi la grâce de
considérer que les larmes sont indignes d'un homme.

ROSALINDE

Mais n'ai-je pas de raisons de pleurer ?

CÉLIA

D'aussi bonnes raisons qu'on puisse le désirer,
pleure donc.

ROSALINDE

Même ses cheveux sont d'une couleur perfide[1].

CÉLIA

Un peu plus bruns que ceux de Judas : par Dieu,
ses baisers sont les enfants de Judas.

ROSALINDE

En vérité, ses cheveux sont d'une belle couleur.

CELIA

An excellent colour : your chestnut was ever the
only colour.

ROSALIND

And his kissing is as full of sanctity as the touch
of holy bread.

CELIA

He hath bought a pair of cast lips of Diana : a   15
nun of winter's sisterhood kisses not more reli-
giously ; the very ice of chastity is in them.

ROSALIND

But why did he swear he would come this
morning, and comes not ?

CELIA

Nay, certainly, there is no truth in him.   20

ROSALIND

Do you think so ?

CELIA

Yes ; I think he is not a pick-purse nor a horse-
stealer, but for his verity in love, I do think him
as concave as a cover'd goblet or a worm-eaten
nut.   25

CÉLIA

D'une excellente couleur : le châtain a toujours été la plus belle des couleurs.

ROSALINDE

Et ses baisers sont aussi sanctifiés que le contact du pain bénit.

CÉLIA

Il tient de Diane une paire de lèvres moulées sur les siennes : une religieuse vouée au chaste hiver ne donne pas de baisers plus religieux ; la glace même de la chasteté est en eux.

ROSALINDE

Mais pourquoi a-t-il juré qu'il viendrait ce matin et ne vient-il pas ?

CÉLIA

C'est sûrement qu'il n'y a pas de véracité en lui.

ROSALINDE

Tu le crois ?

CÉLIA

Oui ; je crois qu'il n'est ni détrousseur de bourse ni voleur de chevaux mais, pour sa sincérité en amour, je crois qu'il est aussi creux qu'un gobelet sous son couvercle ou une noix mangée par les vers.

ROSALIND

Not true in love ?

CELIA

Yes, when he is in, but I think he is not in.

ROSALIND

You have heard him swear downright he was.

CELIA

'Was' is not 'is'; besides, the oath of a lover
is no stronger than the word of a tapster : they   30
are both the confirmer of false reckonings. He
attends here in the forest on the Duke your
father.

ROSALIND

I met the Duke yesterday and had much question with him : he ask'd me of what parentage I   35
was ; I told him, of as good as he, so he laugh'd
and let me go. But what talk we of fathers, when
there is such a man as Orlando ?

CELIA

O, that's a brave man ! he writes brave verses,
speaks brave words, swears brave oaths and breaks   40
them bravely, quite traverse, athwart the heart
of his lover ; as a puisny tilter, that spurs his horse

ROSALINDE

Il n'est pas sincère en amour ?

CÉLIA

Si, quand il est amoureux, mais je crois qu'il ne l'est pas.

ROSALINDE

Tu l'as entendu jurer clairement qu'il l'était.

CÉLIA

« Était » n'est pas « est » ; du reste, le serment d'un amoureux n'a pas plus de poids que la parole d'un cabaretier : l'un et l'autre ne servent qu'à cautionner des comptes faux. Il est ici dans la forêt avec la suite du Duc votre père.

ROSALINDE

J'ai rencontré le Duc hier et j'ai beaucoup conversé avec lui : il m'a demandé de quelle famille j'étais ; je lui ai dit qu'elle était aussi bonne que la sienne ; là-dessus, il a ri et m'a laissée partir. Mais pourquoi parlons-nous de pères, quand il existe un homme comme Orlando ?

CÉLIA

Ah, l'homme admirable ! Il écrit des vers admirables, prononce des paroles admirables, fait des serments admirables, et les transgresse admirablement, de biais, en travers du cœur de son amoureuse ; pareil à un jouteur sans expérience qui éperonne son cheval

but on one side, breaks his staff like a noble
goose ; but all's brave that youth mounts and
folly guides. Who comes here ?   45

Enter CORIN.

CORIN

Mistress and master, you have oft inquir'd
After the shepherd that complain'd of love,
Who you saw sitting by me on the turf,
Praising the proud disdainful shepherdess
That was his mistress.

CELIA

                        Well : and what of him ?   50

CORIN

If you will see a pageant truly play'd,
Between the pale complexion of true love
And the red glow of scorn and proud disdain,
Go hence a little and I shall conduct you,
If you will mark it.

ROSALIND

                        O, come, let us remove,   55
The sight of lovers feedeth those in love :
Bring us to this sight, and you shall say
I'll prove a busy actor in their play.

Exeunt.

d'un seul côté et rompt sa lance comme un superbe
pataud ; mais ce qu'enfourche la jeunesse et que
guide la folie est toujours admirable. Qui vient là ?

Entre CORIN.

CORIN

Maîtresse et vous, maître, vous vous êtes souvent
   enquis
De ce berger qui gémissait d'amour,
Et que vous avez vu assis près de moi sur l'herbe
Exaltant la fière et dédaigneuse bergère
Sa maîtresse.

CÉLIA

Eh bien, que devient-il ?

CORIN

Si vous voulez voir une scène jouée au naturel,
Entre le teint pâle de l'amour véritable
Et le rouge éclatant du mépris et du fier dédain,
Éloignez-vous un peu d'ici et je vous conduirai,
Si vous voulez y assister.

ROSALINDE

Partons, viens,
La vue des amoureux nourrit ceux qui aiment ;
Montrez-nous ce spectacle[1] ; vous direz d'ici peu
Qu'en acteur je me suis démené dans leur jeu.

Ils sortent.

SCENE V

Enter SILVIUS *and* PHEBE.

SILVIUS

Sweet Phebe, do not scorn me, do not, Phebe :
Say that you love me not, but say not so
In bitterness ; the common executioner,
Whose heart th' accustom'd sight of death makes hard,
Falls not the axe upon the humbled neck   5
But first begs pardon : will you sterner be
Than he that dies and lives by bloody drops ?

Enter ROSALIND, CELIA, *and* CORIN.

PHEBE

I would not be thy executioner :
I fly thee, for I would not injure thee.
Thou tell'st me there is murder in mine eye,   10
'Tis pretty sure, and very probable,
That eyes, that are the frail'st and softest things,
Who shut their coward gates on atomies,
Should be call'd tyrants, butchers, murderers.
Now I do frown on thee with all my heart,   15
And if mine eyes can wound, now let them kill thee :
Now counterfeit to swoon, why now fall down,

SCÈNE V

Entrent SILVIUS *et* PHÉBÉ.

SILVIUS

Douce Phébé, ne me méprisez pas, non, Phébé :
Dites que vous ne m'aimez pas, mais ne le dites pas
Avec aigreur ; le bourreau public,
Dont l'habitude de voir la mort durcit le cœur,
N'abat point la hache sur le cou tendu
Sans demander d'abord pardon : serez-vous plus
    rigoureuse
Que celui qui, jusqu'à sa mort, vit du sang versé ?

Entrent ROSALINDE, CÉLIA, *et* CORIN.

PHÉBÉ

Je ne veux pas être ton bourreau :
Je te fuis, car je ne veux pas te faire souffrir.
Tu me dis qu'il y a du meurtre dans mon œil,
C'est joli, certes, et fort vraisemblable,
Que les yeux, qui sont les choses les plus fragiles et
    les plus tendres,
Qui ferment leurs portes craintives à la moindre
    poussière,
Soient traités de tyrans, de bouchers et de meur-
    triers.
Vois, de tout mon cœur, je fronce le sourcil sur toi,
Si mes yeux peuvent blesser, alors, qu'ils te tuent :
Fais semblant de t'évanouir, eh bien, tombe,

Or if thou canst not, Oh, for shame, for shame,
Lie not, to say mine eyes are murderers !
Now show the wound mine eye hath made in   20
  thee.
Scratch thee but with a pin, and there remains
Some scar of it. Lean but upon a rush,
The cicatrice and capable impressure
Thy palm some moment keeps ; but now mine
  eyes,
Which I have darted at thee, hurt thee not,   25
Nor, I am sure, there is no force in eyes
That can do hurt.

SILVIUS

O dear Phebe,
If ever — as that ever may be near —
You meet in some fresh cheek the power of
  fancy,
Then shall you know the wounds invisible   30
That love's keen arrows make.

PHEBE

But till that time
Come not thou near me : and when that time
  comes,
Afflict me with thy mocks, pity me not,
As till that time I shall not pity thee.

ROSALIND

And why, I pray you ? Who might be your   35
  mother,

Ou si tu ne peux pas, oh, par pudeur, par pudeur,
Ne mens pas, ne dis pas que mes yeux sont des
   meurtriers !
Eh bien, montre-moi la blessure que mon œil t'a
   faite.
Égratigne-toi seulement avec une épingle, il en
   reste
Une cicatrice ; appuie-toi sur un roseau,
La marque et l'empreinte visible
Restent un moment sur ta paume ; mais les regards,
Que j'ai dardés sur toi, ne te blessent pas,
Non, je suis sûre qu'il n'y a pas dans les yeux
La force de faire mal[1].

SILVIUS

          Ô chère Phébé,
Si jamais — et ce jamais peut être proche —
Vous rencontrez la puissance du désir dans une
   physionomie nouvelle,
Alors vous connaîtrez les blessures invisibles
Que font les flèches acérées de l'amour.

PHÉBÉ

          Mais jusqu'à ce temps-là
Ne t'approche pas de moi ; et quand ce temps
   viendra,
Crible-moi de tes moqueries, ne me plains pas,
Car jusqu'à ce temps-là je ne te plaindrai pas.

ROSALINDE

Et pourquoi, je vous prie ? Qui était votre mère,

That you insult, exult, and all at once,
Over the wretched ? What though you have no
   beauty,
As, by my faith, I see no more in you
Than without candle may go dark to bed,
Must you be therefore proud and pitiless ?   40
Why, what means this ? Why do you look on
   me ?
I see no more in you than in the ordinary
Of nature's sale-work ! 'Od's my little life,
I think she means to tangle my eyes too !
No, faith, proud mistress, hope not after it,   45
'Tis not your inky brows, your black silk hair,
Your bugle eyeballs, nor your cheek of cream,
That can entame my spirits to your worship.
You foolish shepherd, wherefore do you follow
   her,
Like foggy south puffing with wind and rain ?   50
You are a thousand times a properer man
Than she a woman. 'Tis such fools as you
That makes the world full of ill-favour'd chil-
   dren :
'Tis not her glass, but you, that flatters her,
And out of you she sees herself more proper   55
Than any of her lineaments can show her.
But, mistress, know yourself : down on your
   knees,

Pour insulter, exulter, du même souffle de voix,
Aux dépens des malheureux ? Quoi, si vous n'avez
    aucune beauté,
Car, ma foi, j'en vois si peu en vous
Que vous pouvez aller au lit dans le noir sans
    l'éclairage d'une chandelle,
Vous faut-il pour autant être orgueilleuse et sans
    pitié ?
Mais que veut dire ceci ? Pourquoi me fixez-vous ?
Je ne vois rien de plus en vous qu'un article ordi-
    naire
Du magasin de la Nature ! Dieu garde ma petite vie,
Je crois qu'elle veut ensorceler mes yeux aussi !
Ma foi non, arrogante demoiselle, n'ayez aucun
    espoir.
Ni vos sourcils d'encre, ni vos cheveux de soie noire,
Ni vos prunelles en perles de jais[1], ni votre joue de
    crème,
Ne sauraient forcer mes esprits à vous adorer.
Vous, berger stupide, pourquoi la poursuivre,
Comme un brouillard du Sud qui souffle vent et
    pluie ?
Comme homme, vous êtes mille fois plus beau
    qu'elle
Comme femme. Ce sont des imbéciles comme vous
Qui peuplent le monde d'enfants disgracieux :
Ce n'est pas son miroir qui la flatte, c'est vous,
Et en vous elle se voit plus belle
Qu'aucun de ses traits ne saurait la montrer.
Mais, ma petite demoiselle, apprenez à vous
    connaître : à genoux,

And thank heaven, fasting, for a good man's
    love ;
For I must tell you friendly in your ear,
Sell when you can, you are not for all markets :   60
Cry the man mercy, love him, take his offer :
Foul is most foul, being foul to be a scoffer.
So take her to thee, shepherd : fare you well.

PHEBE

Sweet youth, I pray you, chide a year together,
I had rather hear you chide than this man   65
    woo.

ROSALIND

He's fallen in love with your foulness, and she'll
fall in love with my anger. If it be so, as fast as
she answers thee with frowning looks, I'll sauce
her with bitter words. — Why look you so upon
me ?   70

PHEBE

For no ill will I bear you.

ROSALIND

I pray you, do not fall in love with me,
For I am falser than vows made in wine :
Besides, I like you not. If you will know my
    house,

Et remerciez le ciel, par le jeûne, de l'amour d'un
    homme bienveillant ;
Car je dois vous le dire en ami à l'oreille,
Vendez tant qu'il est temps, vous ne trouverez pas
    toujours preneur ;
Implorez la pitié de cet homme, aimez-le, acceptez
    son offre :
Les mépris d'une laide la rendent encore plus laide.
Aussi, prends-la pour toi, berger : bonne chance.

PHÉBÉ

Tendre jeune homme, je vous en prie, grondez un
    an de suite.
J'aime mieux vous entendre gronder que cet homme
    me courtiser.

ROSALINDE

Il est tombé amoureux de votre laideur, et elle, elle
va tomber amoureuse de ma colère. S'il en est ainsi,
dès qu'elle te répondra de ses airs renfrognés, je
l'assaisonnerai de paroles acerbes. Pourquoi me
regarder ainsi ?

PHÉBÉ

Ce n'est pas par haine envers vous.

ROSALINDE

Je vous en prie, ne tombez pas amoureuse de moi,
Car je suis plus faux que des serments d'ivrogne :
De plus, je ne vous aime pas. Si vous voulez savoir
    où est ma maison,

'Tis at the tuft of olives here hard by.   75
Will you go, sister ? Shepherd, ply her hard.
Come, sister. Shepherdess, look on him better,
And be not proud : though all the world could
     see,
None could be so abus'd in sight as he.
Come, to our flock.   80

> *Exit [Rosalind, with Celia and Corin].*

PHEBE

Dead Shepherd, now I find thy saw of might,
'Who ever lov'd, that lov'd not at first sight ?'

SILVIUS

Sweet Phebe —

PHEBE

            Ha, what say'st thou, Silvius ?

SILVIUS

Sweet Phebe, pity me.

PHEBE

Why, I am sorry for thee, gentle Silvius.   85

SILVIUS

Wherever sorrow is, relief would be :

C'est au bouquet d'oliviers[1], tout près.
Vous voulez partir, ma sœur ? Berger, traite-la durement.
Venez, ma sœur. Bergère, regardez-le plus gentiment.
Et ne soyez pas si fière ; si le monde entier voyait,
Personne autant que lui, par ses yeux, ne serait abusé.
Allons à nos moutons.

Sortent [Rosalinde, Célia et Corin].

PHÉBÉ

Maintenant je connais la force de tes mots, ô berger disparu,
« Qui a jamais aimé aime au premier regard[2]. »

SILVIUS

Douce Phébé…

PHÉBÉ

Hé ? Que dis-tu, Silvius ?

SILVIUS

Douce Phébé, plains-moi.

PHÉBÉ

Eh bien, je suis désolée pour toi, gentil Silvius.

SILVIUS

Là où est la souffrance, on souhaiterait le soulagement :

If you do sorrow at my grief in love,
By giving love your sorrow and my grief
Were both extermin'd.

PHEBE

Thou hast my love, is not that neighbourly ? 90

SILVIUS

I would have you.

PHEBE

        Why, that were covetousness.
Silvius, the time was that I hated thee,
And yet it is not that I bear thee love ;
But since that thou canst talk of love so well,
Thy company, which erst was irksome to me, 95
I will endure ; and I'll employ thee too :
But do not look for further recompense
Than thine own gladness that thou art employ'd.

SILVIUS

So holy and so perfect is my love,
And I in such a poverty of grace, 100
That I shall think it a most plenteous crop
To glean the broken ears after the man
That the main harvest reaps : loose now and then
A scatter'd smile, and that I'll live upon.

Si vous souffrez de mon chagrin d'amour,
En me donnant votre amour, votre souffrance et
  mon chagrin
Seraient tous les deux détruits.

PHÉBÉ

Tu as mon amour. N'est-ce pas ce que je dois à
  mon prochain[1] ?

SILVIUS

C'est vous que je veux.

PHÉBÉ

                    Mais ce serait de la convoitise.
Silvius, il fut un temps où je te haïssais,
Et ce n'est pas encore que je te porte de l'amour ;
Mais puisque tu sais si bien parler d'amour,
Ta compagnie qui, jadis, m'était pénible,
Je la supporterai ; et je t'emploierai aussi :
Mais n'espère pas une autre récompense
Que ton propre plaisir d'être à mon service.

SILVIUS

Si sacré et si parfait est mon amour,
Et je suis dans une telle indigence de grâce,
Que ce sera pour moi une riche récolte
De glaner les épis brisés derrière l'homme
Qui recueille le gros de la moisson. Laisse échapper
  parfois
Un sourire au hasard, et j'en ferai ma vie.

PHEBE

Know'st thou the youth that spoke to me ere- 105
 while ?

SILVIUS

Not very well, but I have met him oft,
And he hath bought the cottage and the bounds
That the old carlot once was master of.

PHEBE

Think not I love him, though I ask for him :
'Tis but a peevish boy — yet he talks well — 110
But what care I for words ? —Yet words do well
When he that speaks them pleases those that
 hear.
It is a pretty youth — not very pretty —
But, sure, he's proud — and yet his pride
 becomes him ;
He'll make a proper man : the best thing in 115
 him
Is his complexion ; and faster than his tongue
Did make offence, his eye did heal it up.
He is not very tall — yet for his years he's tall.
His leg is but so so — and yet 'tis well.
There was a pretty redness in his lip, 120
A little riper and more lusty red
Than that mix'd in his cheek : 'twas just the dif-
 ference
Betwixt the constant red and mingl'd damask.

PHÉBÉ

Connais-tu le jeune homme qui m'a parlé tout à
l'heure ?

SILVIUS

Pas très bien, mais je l'ai souvent rencontré,
Et c'est lui qui a acheté la maison et les prés
Dont le vieux paysan était propriétaire.

PHÉBÉ

Ne va pas croire que je l'aime parce que je m'in-
forme à son sujet :
Ce n'est qu'un niais — pourtant il parle bien —
Mais que me font les mots ? — Pourtant les mots
sonnent bien
Quand celui qui les dit plaît à ceux qui écoutent.
C'est un joli garçon — pas très joli, pourtant —
Mais, pour sûr, il est fier, et pourtant sa fierté lui
va bien ;
Ça fera un bel homme ; ce qu'il a de mieux
C'est son teint ; et plus vite que sa langue
Ne blessait, son regard guérissait.
Il n'est pas très grand — pourtant pour son âge il
est grand.
Sa jambe est comme ci comme ça — et pourtant,
elle n'est pas mal.
Sa lèvre était d'un joli rouge,
Un peu plus foncé et d'un rouge plus vif
Que celui qui colore sa joue : juste la différence
Entre le rouge franc et l'incarnat des roses de Damas.

There be some women, Silvius, had they mark'd
   him
In parcels as I did, would have gone near   125
To fall in love with him : but for my part
I love him not nor hate him not ; and yet
Have more cause to hate him than to love him :
For what had he to do to chide at me ?
He said mine eyes were black and my hair black,   130
And, now I am remember'd, scorn'd at me.
I marvel why I answer'd not again,
But that's all one : omittance is no quittance.
I'll write to him a very taunting letter,
And thou shalt bear it, wilt thou, Silvius ?   135

SILVIUS

Phebe, with all my heart.

PHEBE

      I'll write it straight :
The matter's in my head and in my heart,
I will be bitter with him and passing short.
Go with me, Silvius.

Exeunt.

Il y a des femmes, Silvius, qui, si elles l'avaient
Détaillé comme moi, auraient été tout près
De tomber amoureuses de lui ; mais, pour ma part,
Je ne l'aime ni ne le hais ; et pourtant
J'ai plus de raisons de le haïr que de l'aimer :
Car qu'est-ce qui lui a pris de gronder contre moi ?
Il m'a dit que mes yeux étaient noirs, mes cheveux
   noirs,
Et maintenant, je m'en souviens, il m'a traitée de
   haut.
Je m'étonne de ne pas lui avoir répondu,
Mais c'est égal : omission n'est pas rémission.
Je vais lui écrire une lettre très sarcastique,
Que tu lui porteras, n'est-ce pas, Silvius ?

SILVIUS

Phébé, de tout mon cœur.

PHÉBÉ

                Je vais l'écrire tout de suite.
Les mots sont dans ma tête et dans mon cœur,
Je serai cinglante avec lui et plus que sèche.
Viens avec moi, Silvius.

Ils sortent.

ACT IV

SCENE I

Enter ROSALIND *and* CELIA, *and* JAQUES.

JAQUES

I prithee, pretty youth, let me be better acquainted with thee.

ROSALIND

They say you are a melancholy fellow.

JAQUES

I am so : I do love it better than laughing.

ROSALIND

Those that are in extremity of either are abomi-   5
nable fellows, and betray themselves to every
modern censure, worse than drunkards.

ACTE IV

SCÈNE I

Entrent ROSALINDE *et* CÉLIA, *et* JAQUES.

JAQUES

Je t'en prie, charmant jeune homme, permets-moi de faire plus ample connaissance avec toi.

ROSALINDE

On dit que vous êtes un individu mélancolique.

JAQUES

Je le suis : j'aime mieux ça que de rire.

ROSALINDE

Ceux qui donnent dans un extrême ou dans l'autre sont de détestables individus, et s'exposent, plus encore que les ivrognes, à la critique commune.

JAQUES

Why, 'tis good to be sad and say nothing.

ROSALIND

Why then 'tis good to be a post.

JAQUES

I have neither the scholar's melancholy, which ₁₀
is emulation ; nor the musician's, which is fantastical, nor the courtier's, which is proud ; nor
the soldier's, which is ambitious ; nor the law-
yer's, which is politic ; nor the lady's, which is
nice ; nor the lover's, which is all these ; but it ₁₅
is a melancholy of mine own, compounded of
many simples, extracted from many objects,
and indeed the sundry's contemplation of my
travels, in which my often rumination wraps me
in a most humorous sadness. ₂₀

ROSALIND

A traveller ! By my faith, you have great reason
to be sad : I fear you have sold your own lands
to see other men's ; then, to have seen much
and to have nothing, is to have rich eyes and
poor hands. ₂₅

JAQUES

Yes, I have gain'd my experience.

Enter ORLANDO.

JAQUES

Eh quoi, il est bon d'être triste et de ne rien dire.

ROSALINDE

Alors il est bon d'être une bûche.

JAQUES

Je n'ai ni la mélancolie du savant, qui est jalouse ; ni celle du musicien, qui est fantasmagorique ; ni celle du courtisan, qui est altière ; ni celle du soldat, qui est ambitieuse ; ni celle de l'homme de loi, qui est politique ; ni celle de la dame, qui est maniérée ; ni celle de l'amoureux, qui est tout cela réuni ; mais c'est une mélancolie bien à moi, composée de plusieurs éléments, extraite de plusieurs objets, et en vérité née d'observations diverses, au cours de mes voyages, mélancolie dans laquelle ma fréquente rumination m'enveloppe d'une tristesse très fantasque.

ROSALINDE

Un voyageur ! Ma foi, vous avez grande raison d'être triste : vous avez, je le crains, vendu vos terres pour aller voir celles d'autres hommes ; en ce cas, avoir vu beaucoup et n'avoir rien, c'est avoir les yeux riches et les mains pauvres.

JAQUES

Oui, j'y ai gagné mon expérience.

Entre ORLANDO.

ROSALIND

And your experience makes you sad : I had
rather have a fool to make me merry than
experience to make me sad, and to travel for it
too !   30

ORLANDO

Good day and happiness, dear Rosalind !

JAQUES

Nay, then, God buy you, and you talk in blank
verse.

ROSALIND

Farewell, Monsieur Traveller : look you lisp,
and wear strange suits ; disable all the benefits   35
of your own country : be out of love with your
nativity, and almost chide God for making
you that countenance you are ; or I will scarce
think you have swam in a gondola. *[Exit Jaques.]*
Why how now Orlando, where have you been   40
all this while ? You a lover ? And you serve
me such another trick, never come in my sight
more.

ORLANDO

My fair Rosalind, I come within an hour of my
promise.   45

ROSALINDE

Et votre expérience vous rend triste : j'aimerais mieux un fou pour me rendre gaie que l'expérience pour me rendre triste, et dire qu'il faut voyager pour en arriver là !

ORLANDO

Bonjour, bonheur à vous, ma chère Rosalinde !

JAQUES

Eh bien alors, adieu, si vous parlez en vers blancs.

ROSALINDE

Au revoir, Monsieur le Voyageur : ne manquez pas de prendre un accent étranger, portez des vêtements bizarres ; dénigrez tous les avantages de votre pays ; soyez plein d'amertume pour le jour de votre naissance, et prenez-vous-en presque à Dieu de vous avoir fait tel que vous êtes ; autrement, j'aurai peine à croire que vous avez vogué en gondole. *[Sort Jaques.]* Eh bien quoi, Orlando, où étiez-vous tout ce temps ? Vous, un amoureux ? Si vous me servez encore un tour pareil, ne vous montrez plus jamais devant moi.

ORLANDO

Ma belle Rosalinde, je suis en retard d'une heure à peine sur ma promesse.

ROSALIND

Break an hour's promise in love ? He that will
divide a minute into a thousand parts, and break
but a part of the thousandth part of a minute in
the affairs of love, it may be said of him that
Cupid hath clapp'd him o'th' shoulder, but I'll   50
warrant him heart-whole.

ORLANDO

Pardon me, dear Rosalind.

ROSALIND

Nay, and you be so tardy, come no more in my
sight : I had as lief be woo'd of a snail.

ORLANDO

Of a snail ?   55

ROSALIND

Ay, of a snail : for though he comes slowly, he
carries his house on his head ; a better jointure
I think than you make a woman : besides he
brings his destiny with him.

ORLANDO

What's that ?   60

ROSALINDE

Manquer d'une heure à sa promesse en amour ?
Celui qui partagerait une minute en mille fractions,
et qui manquerait seulement à une fraction du mil-
lième d'une minute en affaires d'amour, on peut
dire de lui que Cupidon l'a touché à l'épaule, mais
je vous garantis son cœur intact[1].

ORLANDO

Pardonnez-moi, chère Rosalinde.

ROSALINDE

Non, si vous êtes si traînard, ne paraissez plus
devant moi : j'aimerais autant être courtisée par un
escargot.

ORLANDO

Par un escargot ?

ROSALINDE

Oui, par un escargot : car, bien qu'il chemine lentement, il porte au moins sa maison sur sa tête ;
plus bel apport, je pense, que vous n'en ferez jamais
à une femme : de surcroît, il apporte sa destinée
avec lui.

ORLANDO

Qui est quoi ?

ROSALIND

Why, horns ! which such as you are fain to be
beholding to your wives for : but he comes
armed in his fortune and prevents the slander
of his wife.

ORLANDO

Virtue is no horn-maker ; and my Rosalind is   65
virtuous.

ROSALIND

And I am your Rosalind.

CELIA

It pleases him to call you so : but he hath a
Rosalind of a better leer than you.

ROSALIND

Come, woo me, woo me : for now I am in a   70
holiday humour and like enough to consent.
What would you say to me now, and I were your
very very Rosalind ?

ORLANDO

I would kiss before I spoke.

ROSALIND

Nay, you were better speak first, and when   75
you were gravell'd for lack of matter, you

ROSALINDE

Mais, ses cornes ! ce que vos pareils sont contraints de devoir à leurs femmes : mais lui, il arrive tout armé de son sort, et prévient le mal qu'on dira de sa femme.

ORLANDO

La vertu n'est pas faiseuse de cornes ; et ma Rosalinde est vertueuse.

ROSALINDE

Et je suis votre Rosalinde.

CÉLIA

Il lui plaît de vous appeler ainsi : mais il a une Rosalinde de plus belle figure que vous.

ROSALINDE

Allons, faites-moi la cour, faites-moi la cour : car, aujourd'hui, je suis dans mon humeur des jours de fête et assez disposée à consentir. Que me diriez-vous, à présent, si j'étais votre vraie, vraie Rosalinde ?

ORLANDO

J'embrasserais avant de parler.

ROSALINDE

Non, vous feriez mieux de parler d'abord et, quand vous seriez enlisé, par manque d'inspiration, vous

might take occasion to kiss : very good orators
when they are out, they will spit, and for lovers
lacking — God warr'nt us ! — matter, the
cleanliest shift is to kiss.   80

ORLANDO

How if the kiss be denied ?

ROSALIND

Then she puts you to entreaty, and there begins
new matter.

ORLANDO

Who could be out, being before his beloved
mistress ?   85

ROSALIND

Marry that should you if I were your mistress,
or I should think my honesty ranker than my
wit.

ORLANDO

What, of my suit ?

ROSALIND

Not out of your apparel, and yet out of your   90
suit. Am not I your Rosalind ?

ORLANDO

I take some joy to say you are, because I would
be talking of her.

pourriez profiter de cette occasion pour embrasser :
de très bons orateurs, quand ils ont un trou, se
mettent à cracher, et pour les amoureux en manque
d'inspiration — Dieu nous en préserve ! — rien de
tel qu'un baiser pour les tirer d'affaire.

ORLANDO

Et si le baiser est refusé ?

ROSALINDE

Alors, elle vous condamne à supplier, et voilà un
nouveau sujet de conversation.

ORLANDO

Qui pourrait être à court devant la femme qu'il
aime ?

ROSALINDE

Pardi, ce serait vous, si j'étais votre maîtresse, sans
quoi je croirais ma pudeur plus hardie que mon
esprit.

ORLANDO

Moi, je serais à court ?

ROSALINDE

Pas à court, hors d'état de faire votre cour. Ne
suis-je pas votre Rosalinde ?

ORLANDO

Je prends quelque joie à dire que vous l'êtes parce
que je voudrais toujours parler d'elle.

ROSALIND

Well, in her person, I say I will not have you.

ORLANDO

Then in mine own person, I die.   95

ROSALIND

No, faith, die by attorney : the poor world is
almost six thousand years old, and in all this
time there was not any man died in his own
person, videlicet, in a love-cause. Troilus had
his brains dash'd out with a Grecian club, yet he   100
did what he could to die before, and he is one of
the patterns of love. Leander, he would have
liv'd many a fair year though Hero had turn'd
nun, if it had not been for a hot midsummer
night ; for, good youth, he went but forth to   105
wash him in the Hellespont, and being taken
with the cramp, was drown'd, and the foolish
chroniclers of that age found it was Hero of
Sestos. But these are all lies : men have died
from time to time and worms have eaten them,   110
but not for love.

ORLANDO

I would not have my right Rosalind of this
mind, for I protest her frown might kill me.

ROSALINDE

Eh bien, en sa personne, je vous dis que je ne veux
pas de vous.

ORLANDO

Eh bien, en ma personne, je meurs.

ROSALINDE

En vérité, non, mourez par procuration : le pauvre
monde est presque vieux de six mille ans, et pendant tout ce temps il n'y a pas eu un seul homme
qui soit mort en sa personne, je veux dire, par
amour. Troïlus eut la cervelle pulvérisée par la
massue d'un Grec, pourtant il avait fait tout son
possible pour mourir d'amour avant, et c'est l'un
des parangons d'amour. Léandre, lui, aurait vécu
un nombre respectable d'années même si Héro[1]
était entrée en religion, s'il n'y avait eu la chaleur
d'une certaine nuit d'été ; car, ce bon jeune homme
alla tout simplement se baigner dans l'Hellespont
et, pris d'une crampe, se noya, et les chroniqueurs
imbéciles du temps prétendirent que c'était à cause
de Héro de Sestos. Mais tout cela n'est que men-
songes : de temps en temps des hommes sont morts
et les vers les ont mangés, mais ils ne sont pas
morts d'amour.

ORLANDO

Je ne voudrais pas que ce fût le sentiment de ma
vraie Rosalinde, car je proteste qu'un froncement
de ses sourcils pourrait me tuer.

ROSALIND

By this hand, it will not kill a fly. But come, now
I will be your Rosalind in a more coming-on 115
disposition : and ask me what you will, I will
grant it.

ORLANDO

Then love me, Rosalind.

ROSALIND

Yes faith will I, Fridays and Saturdays, and all.

ORLANDO

And wilt thou have me ? 120

ROSALIND

Ay, and twenty such.

ORLANDO

What sayest thou ?

ROSALIND

Are you not good ?

ORLANDO

I hope so.

ROSALIND

Why then, can one desire too much of a good 125
thing ? Come, sister, you shall be the priest and

ROSALINDE

Par cette main, il ne tuera pas une mouche. Mais allons, à présent je serai une Rosalinde d'une humeur plus accommodante ; demandez-moi ce que vous voulez, je vous l'accorderai.

ORLANDO

Alors, aime-moi, Rosalinde.

ROSALINDE

Ma foi oui, les vendredis, les samedis, et les autres jours.

ORLANDO

Et veux-tu de moi ?

ROSALINDE

Oui, et de vingt autres comme toi.

ORLANDO

Que dis-tu ?

ROSALINDE

N'êtes-vous pas un bon parti ?

ORLANDO

J'espère que si.

ROSALINDE

Eh bien alors, peut-on désirer trop de ce qui est bon ? Allons, ma sœur, vous serez le prêtre et vous

marry us : give me your hand, Orlando. What
do you say, sister ?

ORLANDO

Pray thee, marry us.

CELIA

I cannot say the words.   130

ROSALIND

You must begin, 'Will you, Orlando —'

CELIA

Go to. Will you, Orlando, have to wife this
Rosalind ?

ORLANDO

I will.

ROSALIND

Ay, but when ?   135

ORLANDO

Why now ; as fast as she can marry us.

ROSALIND

Then you must say 'I take thee Rosalind for
wife.'

nous marierez. Donnez-moi votre main, Orlando. Que dites-vous, petite sœur ?

ORLANDO

Je t'en prie, marie-nous.

CÉLIA

Je ne connais pas la formule.

ROSALINDE

Vous devez commencer par «Voulez-vous Orlando… »

CÉLIA

D'accord. Voulez-vous, Orlando, prendre pour femme Rosalinde ici présente ?

ORLANDO

Je le veux.

ROSALINDE

Oui, mais quand ?

ORLANDO

Mais tout de suite ; dès qu'elle pourra nous marier.

ROSALINDE

Alors, il te faut dire : « Rosalinde, je te prends pour femme. »

ORLANDO

I take thee Rosalind for wife.

ROSALIND

I might ask you for your commission. But I do 140
take thee Orlando for my husband : there's a
girl goes before the priest, and certainly a woman's
thought runs before her actions.

ORLANDO

So do all thoughts, they are wing'd.

ROSALIND

Now tell me how long you would have her, after 145
you have possess'd her.

ORLANDO

For ever, and a day.

ROSALIND

Say a day, without the ever : no, no, Orlando,
men are April when they woo, December when
they wed ; maids are May when they are maids, 150
but the sky changes when they are wives. I will
be more jealous of thee than a Barbary cock-
pigeon over his hen, more clamorous than a
parrot against rain, more new-fangled than an
ape, more giddy in my desires than a monkey. 155

ORLANDO

Rosalinde, je te prends pour femme.

ROSALINDE

Je pourrais vous demander ce qui vous y autorise. Mais n'importe, Orlando, je te prends pour mari : voilà une jeune fille qui devance le prêtre, et assurément les pensées d'une femme courent devant ses actions[1].

ORLANDO

Ainsi font toutes les pensées, elles ont des ailes.

ROSALINDE

Maintenant, dites-moi combien de temps vous la désirerez, après l'avoir possédée ?

ORLANDO

Toujours, plus un jour.

ROSALINDE

Dites « un jour » et supprimez « toujours » : non, non, Orlando, les hommes sont Avril quand ils font la cour, Décembre quand ils sont mariés. Les filles sont Mai tant qu'elles sont filles, mais le ciel change quand elles sont épouses. Je serai plus jalouse de toi qu'un pigeon de Barbarie de sa femelle[2], plus criarde qu'un perroquet qui sent venir la pluie, plus avide de nouveautés qu'une guenon, plus versatile dans mes désirs qu'un singe.

I will weep for nothing, like Diana in the foun-
tain, and I will do that when you are dispos'd to
be merry ; I will laugh like a hyen, and that
when thou art inclin'd to sleep.

ORLANDO

But will my Rosalind do so ?   160

ROSALIND

By my life, she will do as I do.

ORLANDO

O, but she is wise.

ROSALIND

Or else she could not have the wit to do
this : the wiser, the waywarder. Make the doors
upon a woman's wit, and it will out at the case- 165
ment ; shut that and 'twill out at the key-hole ;
stop that, 'twill fly with the smoke out at the
chimney.

ORLANDO

A man that had a wife with such a wit, he might
say, 'Wit, whither wilt ?'   170

ROSALIND

Nay, you might keep that check for it, till you
met your wife's wit going to your neighbour's
bed.

Je pleurerai pour un rien, comme Diane à la fontaine[1], et ce, quand vous serez disposé à la gaieté ; je me mettrai à rire comme une hyène et ce, quand tu auras envie de dormir.

ORLANDO

Mais ma Rosalinde fera-t-elle vraiment cela ?

ROSALINDE

Par ma vie, elle fera ce que je fais.

ORLANDO

Oh, mais son esprit est avisé.

ROSALINDE

Sinon, elle n'aurait pas l'esprit de faire cela. Plus la femme a d'esprit, plus elle est rebelle. Verrouillez les portes sur l'esprit d'une femme, et il s'échappera par la fenêtre ; fermez celle-ci, et il s'échappera par le trou de la serrure ; bouchez-le, il s'envolera avec la fumée par la cheminée.

ORLANDO

L'homme qui aurait une femme dotée de tant d'esprit aurait de quoi dire : « Esprit, où t'en vas-tu ? »

ROSALINDE

Oh, gardez cette remarque pour le jour où vous verrez l'esprit de votre femme entrer dans le lit de votre voisin.

ORLANDO

And what wit could wit have, to excuse that ?

ROSALIND

Marry, to say she came to seek you there. You 175
shall never take her without her answer, unless
you take her without her tongue. O that woman
that cannot make her fault her husband's occasion, let her never nurse her child herself, for
she will breed it like a fool.   180

ORLANDO

For these two hours, Rosalind, I will leave
thee.

ROSALIND

Alas, dear love, I cannot lack thee two hours.

ORLANDO

I must attend the Duke at dinner : by two
o'clock I will be with thee again.   185

ROSALIND

Ay, go your ways, go your ways, I knew what
you would prove : my friends told me as much,
and I thought no less : that flattering tongue of
yours won me ; 'tis but one cast away, and so,
come death ! Two o'clock is your hour ?   190

ORLANDO

Et quel trait d'esprit son esprit trouverait-il pour excuser cela ?

ROSALINDE

Parbleu, elle dira qu'elle venait vous y chercher. Vous ne la trouverez jamais à court de répliques à moins que vous ne la trouviez sans langue. Oh, la femme qui ne sait pas faire de sa faute l'occasion de s'en prendre à son mari, qu'elle ne s'occupe pas elle-même de son enfant, car elle en fera un sot.

ORLANDO

Je vais te quitter pendant deux heures, Rosalinde.

ROSALINDE

Hélas, cher amour, je ne peux pas me priver deux heures de toi.

ORLANDO

Je dois tenir compagnie au Duc à dîner : à deux heures, je serai de retour auprès de toi.

ROSALINDE

Oui, allez votre chemin, allez votre chemin, je savais comment vous tourneriez : mes proches me l'avaient bien dit, et je n'en pensais pas moins : cette langue flatteuse m'avait conquise ; ce n'est qu'une femme délaissée, ainsi, vienne la mort ! Deux heures est bien votre heure ?

ORLANDO

Ay, sweet Rosalind.

ROSALIND

By my troth, and in good earnest, and so God
mend me, and by all pretty oaths that are not
dangerous, if you break one jot of your promise or come one minute behind your hour, 195
I will think you the most pathetical break-
promise, and the most hollow lover, and the
most unworthy of her you call Rosalind, that
may be chosen out of the gross band of the
unfaithful : therefore beware my censure and 200
keep your promise.

ORLANDO

With no less religion than if thou wert indeed
my Rosalind : so adieu.

ROSALIND

Well, Time is the old justice that examines all
such offenders, and let Time try : adieu. 205

Exit [Orlando].

CELIA

You have simply misus'd our sex in your love-
prate : we must have your doublet and hose
pluck'd over your head, and show the world
what the bird hath done to her own nest.

ORLANDO

Oui, douce Rosalinde.

ROSALINDE

Par ma foi, et pour tout de bon, et que Dieu m'assiste, et par tous les jolis serments qui ne sont pas dangereux, si vous manquez d'un iota à votre promesse, ou si vous arrivez une minute après l'heure dite, je vous tiendrai pour le plus pitoyable parjure et pour l'amoureux le plus creux et le plus indigne de celle que vous appelez Rosalinde, qu'on puisse choisir dans toute la cohue des amants infidèles : aussi, prenez garde à mes blâmes et tenez votre promesse.

ORLANDO

Aussi religieusement que si tu étais vraiment ma Rosalinde : donc, adieu.

ROSALINDE

Bon, le Temps est le vieux juge qui examine tous les coupables de cette espèce, que le Temps se prononce : adieu.

Sort [Orlando].

CÉLIA

Vous avez proprement diffamé notre sexe dans votre bavardage d'amour : il va falloir que nous vous mettions votre pourpoint et vos hauts-de-chausses par-dessus la tête, pour montrer au monde ce que l'oiseau a fait à son propre nid.

ROSALIND

O coz, coz, coz, my pretty little coz, that thou 210
didst know how many fathom deep I am in
love ! But it cannot be sounded : my affection
hath an unknown bottom, like the bay of
Portugal.

CELIA

Or rather, bottomless, that as fast as you pour 215
affection in, it runs out.

ROSALIND

No, that same wicked bastard of Venus, that
was begot of thought, conceiv'd of spleen and
born of madness, that blind rascally boy, that
abuses every one's eyes because his own are 220
out, let him be judge how deep I am in love. I'll
tell thee, Aliena, I cannot be out of the sight of
Orlando : I'll go find a shadow and sigh till he
come.

CELIA

And I'll sleep.   225

Exeunt.

ROSALINDE

Ah cousine, cousine, cousine, ma jolie petite cousine, si tu savais à combien de brasses va la profondeur de mon amour ! Mais c'est insondable : ma
passion a un fond inconnu, comme la Baie du
Portugal[1].

CÉLIA

Ou plutôt, elle n'a pas de fond du tout. Aussi vite
que tu la verses, ta passion s'échappe.

ROSALINDE

Non ; ce méchant bâtard de Vénus[2], qui fut engendré par désenchantement, conçu par caprice et né
de la folie, cette aveugle petite canaille, qui trompe
les yeux de chacun parce que les siens ne voient
plus[3], qu'il juge, lui, à quelle profondeur d'amour
je suis. Je te dirai, Aliéna, que je ne peux plus vivre
sans voir Orlando : je vais chercher de l'ombre
pour y soupirer jusqu'à son retour.

CÉLIA

Et moi, je vais dormir.

Elles sortent.

SCENE II

Enter JAQUES, *Lords, and Foresters.*

JAQUES

Which is he that killed the deer ?

A LORD

Sir, it was I.

JAQUES

Let's present him to the Duke, like a Roman
conqueror ; and it would do well to set the
deer's horns upon his head, for a branch of   5
victory. — Have you no song, forester, for this
purpose ?

FORESTER

Yes, sir.

JAQUES

Sing it : 'tis no matter how it be in tune, so it
make noise enough.   10

MUSIC, SONG.

What shall he have that kill'd the deer ?
His leather skin, and horns to wear.
Then sing him home, the rest shall bear
This burden.

SCÈNE II

Entrent JAQUES, *des seigneurs, et des forestiers.*

JAQUES

Quel est celui qui a tué le cerf ?

UN SEIGNEUR

Monsieur, c'est moi.

JAQUES

Présentons-le au Duc comme un conquérant romain ; et ce ne serait pas mal de lui placer les cornes du cerf sur la tête comme lauriers de la victoire. —Veneur, n'avez-vous pas une chanson pour la circonstance ?

UN FORESTIER

Si, mon seigneur.

JAQUES

Chantez-la : peu importe si vous ne chantez pas juste, pourvu que cela fasse du bruit.

MUSIQUE, CHANSON.

Au tueur du cerf que sera-t-il donné ?
Le cuir de sa peau, ses cornes à porter.
Suivons-le de nos chants. Aux autres d'entonner
Ce refrain.

Take thou no scorn to wear the horn, 15
It was a crest ere thou wast born :
Thy father's father wore it,
And thy father bore it :
The horn, the horn, the lusty horn
Is not a thing to laugh to scorn. 20

Exeunt.

SCENE III

Enter ROSALIND *and* CELIA.

ROSALIND

How say you now, is it not past two o'clock ?
And here much Orlando !

CELIA

I warrant you, with pure love, and troubled
brain, he hath ta'en his bow and arrows, and is
gone forth to sleep. Look who comes here. 5

Enter SILVIUS.

SILVIUS

My errand is to you, fair youth,
My gentle Phebe did bid me give you this.
I know not the contents, but, as I guess
By the stern brow and waspish action

De porter la corne tu ne dois dédaigner,
Dès avant ta naissance on portait ce cimier :
Ton grand-père en fut ceint,
Et ton père eut le sien.
La corne, la corne, corne de volupté,
N'est pas une chose à dédaigner.

Ils sortent.

SCÈNE III

Entrent ROSALINDE *et* CÉLIA.

ROSALINDE

Eh bien, qu'en dis-tu, n'est-il pas plus de deux heures ? Et si peu d'Orlando !

CÉLIA

Je te garantis que, cédant à la pureté de son amour et au trouble de sa cervelle, il a pris son arc et ses flèches et il est allé dormir. Regarde qui vient ici.

Entre SILVIUS.

SILVIUS

Mon message est pour vous, beau jeune homme.
Ma douce Phébé m'a prié de vous donner ceci.
Je n'en connais pas le contenu, mais à ce que je devine
Au front sévère et aux gestes irrités

Which she did use as she was writing of it,   10
It bears an angry tenour : pardon me,
I am but as a guiltless messenger.

ROSALIND

Patience herself would startle at this letter,
And play the swaggerer, bear this, bear all :
She says I am not fair, that I lack manners,   15
She calls me proud, and that she could not love
   me
Were man as rare as phoenix. 'Od's my will,
Her love is not the hare that I do hunt.
Why writes she so to me ? Well, shepherd, well,
This is a letter of your own device.   20

SILVIUS

No, I protest, I know not the contents,
Phebe did write it.

ROSALIND

                    Come, come, you are a fool,
And turn'd into the extremity of love.
I saw her hand : she has a leathern hand,
A freestone-colour'd hand ; I verily did think   25
That her old gloves were on, but 'twas her
   hands.
She has a huswife's hand, but that's no matter :
I say she never did invent this letter,
This is a man's invention and his hand.

Qu'elle faisait en l'écrivant,
La teneur en est courroucée : pardonnez-moi.
Je ne suis qu'un messager innocent.

ROSALINDE

La patience elle-même bondirait devant cette lettre,
Et jouerait les bravaches, supporter ceci, c'est tout
    supporter :
Elle dit que je ne suis pas beau, que je n'ai pas de
    manières.
Elle me traite d'orgueilleux, dit qu'elle ne saurait
    m'aimer,
L'homme fût-il aussi rare que le phénix. Par Dieu,
Son amour n'est pas le lièvre que je traque ;
Pourquoi m'écrit-elle cela ? Allons, berger, allons,
C'est une lettre de ta propre invention.

SILVIUS

Non, je proteste que je n'en connais pas le contenu,
C'est Phébé qui l'a écrite.

ROSALINDE

                              Allons, allons, vous êtes un sot,
Porté jusqu'à l'extrême de l'amour.
J'ai vu sa main : c'est une main tannée,
Une main couleur de grès : j'ai vraiment cru
Qu'elle portait ses vieux gants, mais non, c'étaient
    ses mains.
Elle a une main de ménagère, mais qu'importe :
Je dis qu'elle n'a jamais inventé cette lettre,
Elle est de l'invention et de la main d'un homme.

SILVIUS

Sure, it is hers.   30

ROSALIND

Why, 'tis a boisterous and a cruel style,
A style for-challengers : why, she defies me,
Like Turk to Christian ; women's gentle brain
Could not drop forth such giant-rude inven-
    tion,
Such Ethiop words, blacker in their effect   35
Than in their countenance. Will you hear the
    letter ?

SILVIUS

So please you, for I never heard it yet ;
Yet heard too much of Phebe's cruelty.

ROSALIND

She Phebes me : mark how the tyrant writes.

                                              Reads.

> *Art thou god to shepherd turn'd,*   40
> *That a maiden's heart hath burn'd ?*
Can a woman rail thus ?

SILVIUS

Call you this railing ?

SILVIUS

Je vous assure que c'est d'elle.

ROSALINDE

Quoi, c'est un style tapageur et cruel,
Un style provocateur : ma foi, elle me défie,
Comme un Turc le Chrétien[1] ; le tendre cerveau
    d'une femme
Ne saurait distiller ces inventions si monstrueuse-
    ment barbares,
Ces mots éthiopiens, dont le sens est plus noir
Que leur visage[2]. Voulez-vous entendre la lettre ?

SILVIUS

S'il vous plaît, je ne l'ai pas entendue ;
Mais je ne connais que trop la cruauté de Phébé.

ROSALINDE

Elle me fait sa Phébé : remarquez comme écrit ce
    tyran.

Elle lit.

> *Es-tu un dieu transformé en berger,*
> *Pour qu'un cœur de vierge soit embrasé ?*
Est-ce qu'une femme peut injurier de la sorte ?

SILVIUS

Vous appelez ça des injures ?

ROSALIND

Reads.

> *Why, thy godhead laid apart,*
> *Warr'st thou with a woman's heart ?* 45

Did you ever hear such railing ?

> *Whiles the eye of man did woo me,*
> *That could do no vengeance to me.*

Meaning me a beast.

> *If the scorn of your bright eyne* 50
> *Have power to raise such love in mine,*
> *Alack, in me, what strange effect*
> *Would they work in mild aspect ?*
> *Whiles you chid me, I did love ;*
> *How then might your prayers move ?* 55
> *He that brings this love to thee*
> *Little knows this love in me ;*
> *And by him seal up thy mind,*
> *Whether that thy youth and kind*
> *Will the faithful offer take* 60
> *Of me and all that I can make ;*
> *Or else by him my love deny,*
> *And then I'll study how to die.*

SILVIUS

Call you this chiding ?

CELIA

Alas, poor shepherd ! 65

ROSALINDE

Elle lit.

Pourquoi délaissant ta divinité,
Contre un cœur de femme viens-tu guerroyer ?

Avez-vous jamais entendu de pareilles injures ?

Tant que l'œil d'un homme me courtisait,
Aucun malheur n'était à redouter.

Voulant dire par là que je suis une bête.

Si le dédain de vos yeux éclatants
Pour ouvrir les miens à l'amour sont si puissants,
Las ! en moi, quel étrange effet
Aurait produit leur tendre aspect ?
Tu me grondais, moi je t'aimais ;
Que serait-ce si tu me priais ?
Celui qui vient te porter mon amour
Ne sait guère que mon cœur en est lourd ;
Par lui apprends-moi sous scellé,
Si veulent tes jeunes années
La sincère offrande accepter
De moi et de tout ce que j'ai
Mais si ton refus est mon sort,
Je ne songerai qu'à la mort.

SILVIUS

Vous appelez ça gronder ?

CÉLIA

Hélas, pauvre berger !

ROSALIND

Do you pity him ? No, he deserves no pity : wilt
thou love such a woman ? What, to make thee
an instrument, and play false strains upon thee ?
Not to be endur'd ! Well, go your way to her —
for I see love hath made thee a tame snake—   70
and say this to her : that if she love me, I charge
her to love thee ; if she will not, I will never have
her, unless thou entreat for her. If you be a true
lover, hence, and not a word ; for here comes
more company.   75

Exit Silvius.
Enter OLIVER.

OLIVER

Good morrow, fair ones : pray you, if you know,
Where in the purlieus of this forest stands
A sheep-cote fenc'd about with olive trees ?

CELIA

West of this place, down in the neighbour bot-
    tom :
The rank of osiers by the murmuring stream   80
Left on your right hand brings you to the place.
But at this hour the house doth keep itself,
There's none within.

OLIVER

If that an eye may profit by a tongue,
Then should I know you by description,   85

ROSALINDE

Vous avez pitié de lui ? Non, il ne mérite aucune
pitié. Tu veux aimer une femme pareille ? Quoi,
faire de toi un instrument et jouer sur toi de faux
accords ? Intolérable ! Eh bien, va la trouver — car
je vois que l'amour a fait de toi un serpent appri-
voisé — et dis-lui ceci : que si elle m'aime, je lui
ordonne de t'aimer ; si elle ne veut pas, je ne voudrai
jamais d'elle, à moins que tu me supplies en sa
faveur. Si tu es un amoureux véritable, hors d'ici,
et pas un mot ; car voici venir de la compagnie.

Sort Silvius.
Entre OLIVIER.

OLIVIER

Bonjour, beaux amis. De grâce, savez-vous
Où, aux confins de cette forêt, se trouve
Une bergerie entourée d'oliviers ?

CÉLIA

À l'ouest de ce lieu, au fond du val voisin ;
La rangée d'osiers qui borde le ruisseau murmurant,
Laissée à main droite, vous mène à cet endroit.
Mais à l'heure qu'il est, la maison se garde toute
   seule,
Il n'y a personne dedans.

OLIVIER

Si l'œil peut tirer profit de ce que dit la langue,
Alors je devrais vous reconnaître à la description
   qu'on m'a faite,

Such garments and such years : 'The boy is
   fair,
Of female favour, and bestows himself
Like a ripe sister ; the woman low
And browner than her brother.' Are not you
The owner of the house I did inquire for ?   90

CELIA

It is no boast, being ask'd, to say we are.

OLIVER

Orlando doth commend him to you both,
And to that youth he calls his Rosalind
He sends this bloody napkin. Are you he ?

ROSALIND

I am : what must we understand by this ?   95

OLIVER

Some of my shame, if you will know of me
What man I am, and how, and why, and where
This handkercher was stain'd.

CELIA

                   I pray you, tell it.

OLIVER

When last the young Orlando parted from
   you

Mêmes vêtements, même âge. « Le garçon a le teint
   clair,
Des traits féminins, et se comporte
Comme une sœur aînée. La femme est petite
Et plus brune que son frère. » N'est-ce pas vous
Le maître de la maison que je cherchais ?

CÉLIA

Il n'y a nulle vanité, puisque vous nous interrogez,
   à vous répondre que c'est nous.

OLIVIER

Orlando se recommande à tous les deux,
Et au jeune homme qu'il appelle sa Rosalinde
Il envoie ce mouchoir ensanglanté. Est-ce vous ?

ROSALINDE

C'est moi. Que doit nous apprendre ceci ?

OLIVIER

Un peu de ma honte, si vous tenez à savoir de moi
Quel homme je suis, et comment, et pourquoi, et
   où
Ce mouchoir fut taché de sang.

CÉLIA

               De grâce, dites-le.

OLIVIER

Récemment, quand le jeune Orlando s'est séparé
   de vous,

He left a promise to return again   100
Within an hour, and pacing through the forest,
Chewing the food of sweet and bitter fancy,
Lo, what befell ! He threw his eye aside,
And mark what object did present itself :
Under an oak, whose boughs were moss'd with   105
  age
And high top bald with dry antiquity,
A wretched ragged man, o'ergrown with hair,
Lay sleeping on his back ; about his neck
A green and gilded snake had wreath'd itself,
Who with her head, nimble in threats approach'd   110
The opening of his mouth ; but suddenly,
Seeing Orlando, it unlink'd itself,
And with indented glides, did slip away
Into a bush, under which bush's shade
A lioness, with udders all drawn dry,   115
Lay couching, head on ground, with catlike
  watch,
When that the sleeping man should stir ; for
  'tis
The royal disposition of that beast
To prey on nothing that doth seem as dead :
This seen, Orlando did approach the man,   120
And found it was his brother, his elder brother.

CELIA

O, I have heard him speak of that same brother,
And he did render him the most unnatural
That liv'd amongst men.

Il vous laissa la promesse de revenir
Au bout d'une heure ; il cheminait par la forêt,
Ruminant de doux-amers pensers d'amour,
Écoutez ce qui advint ! Il jeta un œil de côté,
Et voyez le spectacle qui s'offrit à lui :
Sous un vieux chêne aux branches moussues par la
    vieillesse,
À la haute cime chauve desséchée par le temps,
Un misérable en haillons, au poil hirsute,
Gisait endormi sur le dos. Autour de son cou,
Un serpent vert et or s'était enroulé,
Sa tête vive et menaçante s'approchait
De sa bouche ouverte ; mais soudain,
À la vue d'Orlando, il se déroula,
Et de ses reptations sinueuses se faufila
Dans un buisson, à l'ombre duquel
Une lionne[1], aux mamelles desséchées,
Était tapie, la tête contre le sol, guettant comme un
    chat,
L'instant où l'homme endormi bougerait ; car c'est
L'humeur royale de ce fauve
De ne pas faire sa proie de ce qui semble mort :
ayant vu ceci, Orlando s'approcha de cet homme,
Et découvrit que c'était son frère, son frère aîné.

CÉLIA

Oh, je l'ai entendu parler de ce frère,
Qu'il décrivait comme l'être le plus dénaturé
Qui ait jamais vécu parmi les hommes.

OLIVER

> And well he might so do,
For well I know he was unnatural. 125

ROSALIND

But to Orlando : did he leave him there,
Food to the suck'd and hungry lioness ?

OLIVER

Twice did he turn his back and purpos'd so ;
But kindness, nobler ever than revenge,
And nature, stronger than his just occasion, 130
Made him give battle to the lioness,
Who quickly fell before him : in which hurt-
ling
From miserable slumber I awak'd.

CELIA

Are you his brother ?

ROSALIND

> Was't you he rescu'd ?

CELIA

Was't you that did so oft contrive to kill him ? 135

OLIVER

'Twas I ; but 'tis not I : I do not shame

OLIVIER

Et il avait raison,
Car je sais bien, moi, à quel point il était dénaturé.

ROSALINDE

Mais revenons à Orlando : l'a-t-il laissé là,
En pâture à la lionne tarie et affamée ?

OLIVIER

Deux fois il tourna le dos, dans ce but ;
Mais l'humanité, plus noble toujours que la ven-
geance,
Et la nature, plus forte que cette occasion de se
venger,
Lui firent livrer bataille à la lionne,
Qui bientôt tomba sous ses coups ; au bruit de cette
lutte,
Je me suis réveillé d'un sommeil misérable.

CÉLIA

Vous êtes son frère ?

ROSALINDE

Est-ce vous qu'il a sauvé ?

CÉLIA

Est-ce vous qui avez si souvent comploté pour le
tuer ?

OLIVIER

C'était moi. Mais ce n'est pas moi : je n'ai pas honte

To tell you what I was, since my conversion
So sweetly tastes, being the thing I am.

ROSALIND

But, for the bloody napkin ?

OLIVER

                              By and by.
When from the first to last betwixt us two   140
Tears our recountments had most kindly
     bath'd,
As how I came into that desert place —
In brief, he led me to the gentle Duke,
Who gave me fresh array and entertainment,
Committing me unto my brother's love,   145
Who led me instantly unto his cave,
There stripp'd himself, and here upon his
     arm
The lioness had torn some flesh away,
Which all this while had bled ; and now he
     fainted
And cried, in fainting, upon Rosalind.   150
Brief, I recover'd him, bound up his wound,
And, after some small space, being strong at
     heart,
He sent me hither, stranger as I am,
To tell this story, that you might excuse
His broken promise, and to give this napkin   155

De vous dire ce que j'étais, puisque ma métamor-
    phose
A une saveur si douce, pour celui que je suis devenu.

ROSALINDE

Mais, et le mouchoir ensanglanté ?

OLIVIER

                                    J'y viens.
Quand, d'un bout à l'autre de nos aventures,
Des larmes eurent très tendrement baigné le récit,
Quand je lui eus raconté comment j'étais venu
    dans cet endroit désert —
Vite, il me conduisit au noble Duc,
Qui me donna des habits neufs et m'offrit l'hospi-
    talité,
Me confiant à l'amour de mon frère,
Qui me mena aussitôt à sa grotte,
Où il se dévêtit, et là, sur son bras,
La lionne avait arraché un lambeau de chair
Qui saignait depuis tout ce temps ; alors, il s'éva-
    nouit,
Et, dans son évanouissement, appela Rosalinde.
Bref, je le fis revenir à lui, je pansai sa blessure,
Et après un peu de temps, son cœur ayant repris
    des forces,
Il m'envoya ici, étranger que je suis,
Vous raconter cette histoire, pour que vous l'excu-
    siez
D'avoir manqué à sa promesse, et pour donner ce
    mouchoir,

Dyed in his blood unto the shepherd youth
That he in sport doth call his Rosalind.

[Rosalind faints.]

CELIA

Why, how now, Ganymede ! sweet Ganymede !

OLIVER

Many will swoon when they do look on blood.

CELIA

There is more in it. Cousin Ganymede !   160

OLIVER

Look, he recovers.

ROSALIND

I would I were at home.

CELIA

We'll lead you thither. I pray you, will you take
him by the arm ?

OLIVER

Be of good cheer, youth : you a man ? You lack   165
a man's heart.

ROSALIND

I do so, I confess it. Ah, sirrah, a body would
think this was well counterfeited. I pray you, tell
your brother how well I counterfeited. Heigh-ho !

Teint de son sang, au jeune berger
Que, par jeu, il appelle sa Rosalinde.

[Rosalinde s'évanouit.]

CÉLIA

Qu'avez-vous, Ganymède ! Cher Ganymède !

OLIVIER

Bien des gens s'évanouissent à la vue du sang.

CÉLIA

Il y a autre chose. Cousin Ganymède !

OLIVIER

Voyez, il revient à lui.

ROSALINDE

Je voudrais être à la maison.

CÉLIA

Nous allons vous y conduire. Je vous en prie, voulez-vous le prendre par le bras ?

OLIVIER

Du courage, mon garçon : vous, un homme ! Vous
n'avez pas le cœur d'un homme.

ROSALINDE

Non, je l'avoue. Ah, l'ami, on peut dire que c'était
bien joué. De grâce, dites à votre frère comme j'ai
bien joué la comédie. Ha ha !

OLIVER

This was not counterfeit, there is too great tes- 170
timony in your complexion that it was a passion
of earnest.

ROSALIND

Counterfeit, I assure you.

OLIVER

Well then, take a good heart and counterfeit to
be a man. 175

ROSALIND

So I do : but, i' faith, I should have been a woman
by right.

CELIA

Come, you look paler and paler : pray you, draw
homewards. Good sir, go with us.

OLIVER

That will I : for I must bear answer back 180
How you excuse my brother, Rosalind.

ROSALIND

I shall devise something : but, I pray you, commend my counterfeiting to him. Will you go ?

Exeunt.

OLIVIER

Ce n'était pas du jeu, et votre pâleur atteste trop bien que votre défaillance était véritable.

ROSALINDE

Simple jeu, je vous assure.

OLIVIER

Eh bien, alors, du cœur, et jouez à être un homme.

ROSALINDE

C'est ce que je fais. Mais, ma foi, j'étais fait pour être une femme.

CÉLIA

Viens, tu as l'air de plus en plus pâle : je t'en prie, rentrons à la maison. Cher Monsieur, venez avec nous.

OLIVIER

Volontiers : car il faut que je dise à mon frère
En quels termes vous l'excusez, Rosalinde.

ROSALINDE

Je trouverai bien quelque chose. Mais, de grâce, dites-lui comme j'ai bien joué. Voulez-vous venir ?

Ils sortent.

ACT V

SCENE I

Enter CLOWN *and* AUDREY.

CLOWN

We shall find a time, Audrey, patience, gentle
Audrey.

AUDREY

Faith, the priest was good enough, for all the
old gentleman's saying.

CLOWN

A most wicked Sir Oliver, Audrey, a most vile   5
Martext. But, Audrey, there is a youth here in
the forest lays claim to you.

ACTE V

SCÈNE I

Entrent LE BOUFFON *et* AUDREY.

LE BOUFFON

Nous trouverons bien le temps, Audrey, patience, gentille Audrey.

AUDREY

Ma foi, ce prêtre était bien assez bon, quoi qu'en ait dit le vieux gentilhomme.

LE BOUFFON

Un fort méchant prêtre, ce Père Olivier, un abject Brouille-Prêche. Mais, Audrey, il y a ici un jeune homme, dans la forêt, qui a des prétentions sur vous.

AUDREY

Ay, I know who 'tis ; he hath no interest in me
in the world : here comes the man you mean.

Enter WILLIAM.

CLOWN

It is meat and drink to me to see a clown : by 10
my troth, we that have good wits, have much to
answer for : we shall be flouting ; we cannot
hold.

WILLIAM

Good ev'n, Audrey.

AUDREY

God ye good ev'n, William. 15

WILLIAM

And good ev'n to you, sir.

CLOWN

Good ev'n, gentle friend. Cover thy head, cover
thy head. Nay, prithee, be cover'd. How old are
you, friend ?

WILLIAM

Five and twenty, sir. 20

CLOWN

A ripe age. Is thy name William ?

AUDREY

Oui, je sais qui c'est ; il n'a aucun droit au monde sur moi : voici venir l'homme dont vous parlez.

Entre WILLIAM.

LE BOUFFON

C'est pour moi boire et manger que de voir un cul-terreux : par ma foi, nous, les gens d'esprit, nous aurons bien des comptes à rendre : il nous faut railler ; c'est plus fort que nous.

WILLIAM

Bonsoir, Audrey.

AUDREY

Bien le bonsoir, William.

WILLIAM

Et le bonsoir à vous, Monsieur.

LE BOUFFON

Bonsoir, mon bon ami. Couvre-toi, couvre-toi. Non, je t'en prie, reste couvert. Quel âge avez-vous, l'ami ?

WILLIAM

Vingt-cinq ans, Monsieur.

LE BOUFFON

C'est l'âge parfait. Ton nom est William ?

WILLIAM

William, sir.

CLOWN

A fair name. Was't born i'th' forest here ?

WILLIAM

Ay, sir, I thank God.

CLOWN

'Thank God'. A good answer. Art rich ?   25

WILLIAM

'Faith, sir, so so.

CLOWN

'So so' is good, very good, very excellent good ;
and yet it is not ; it is but so so. Art thou wise ?

WILLIAM

Ay, sir, I have a pretty wit.

CLOWN

Why, thou sayest well. I do now remember a   30
saying : 'The fool doth think he is wise, but the
wise man knows himself to be a fool.' The heathen
philosopher, when he had a desire to eat a grape,
would open his lips when he put it into his mouth,
meaning thereby that grapes were made to eat,   35

WILLIAM

William, Monsieur.

LE BOUFFON

Un joli nom. Tu es né ici, dans la forêt ?

WILLIAM

Oui, Monsieur, « grâce à Dieu ».

LE BOUFFON

« Grâce à Dieu. » Bonne réponse. Es-tu riche ?

WILLIAM

Ma foi, Monsieur, comme ci comme ça.

LE BOUFFON

« Comme ci comme ça », c'est bon, c'est très bon, c'est très excellemment bon. Et pourtant, non, c'est seulement comme ci comme ça. Es-tu sage ?

WILLIAM

Oui, Monsieur, je ne manque pas de sagesse.

LE BOUFFON

Ma foi, bien dit. Je me rappelle maintenant un dicton : « Le fou croit qu'il est sage, mais le sage sait fort bien qu'il est fou. » Le philosophe païen, quand il avait envie de manger du raisin, ouvrait les lèvres quand il le mettait dans sa bouche, signifiant par là que le raisin est fait pour être mangé

and lips to open. You do love this maid ?

WILLIAM

I do, sir.

CLOWN

Give me your hand. Art thou learned ?

WILLIAM

No, sir.

CLOWN

Then learn this of me : To have, is to have. For 40
it is a figure in rhetoric that drink, being pour'd
out of a cup into a glass, by filling the one, doth
empty the other. For all your writers do consent
that ipse is he : now, you are not ipse, for I
am he. 45

WILLIAM

Which he, sir ?

CLOWN

He, sir, that must marry this woman. Therefore,
you clown, abandon — which is in the vulgar
leave — the society — which in the boorish is
company — of this female — which in the 50
common is woman ; which together is, abandon
the society of this female, or, clown, thou peri-
shest ; or, to thy better understanding, diest ; or,

et les lèvres pour s'ouvrir. Vous aimez cette jeune
fille ?

WILLIAM

Oui, Monsieur.

LE BOUFFON

Donnez-moi votre main. Es-tu instruit ?

WILLIAM

Non, Monsieur.

LE BOUFFON

Alors, apprends ceci de moi : Avoir, c'est avoir.
Car c'est une figure de rhétorique qu'un liquide,
quand on le verse d'une coupe dans un verre, en
remplissant l'un vide l'autre. Car tous nos auteurs
sont d'accord pour dire qu'*ipse*, c'est lui. Donc
vous n'êtes pas *ipse*, car je suis lui.

WILLIAM

Quel lui, Monsieur ?

LE BOUFFON

Celui qui doit épouser cette femme. Aussi, cul-terreux, abandonnez — c'est-à-dire, en langage vul-
gaire laissez — la société — c'est-à-dire, en langage
paysan la compagnie — de cette femelle — c'est-à-
dire en langage courant de cette femme. Ce qui
donne, mis bout à bout : abandonne la société
de cette femelle ou, cul-terreux, tu péris ; ou,
pour te faire mieux comprendre, tu meurs ; ou,

to wit, I kill thee, make thee away, translate thy
life into death, thy liberty into bondage : I will
deal in poison with thee, or in bastinado, or in
steel ; I will bandy with thee in faction ; I will
o'errun thee with policy ; I will kill thee a
hundred and fifty ways ; therefore tremble and
depart.

AUDREY

Do, good William.

WILLIAM

God rest you merry, sir.

Exit.
Enter CORIN.

CORIN

Our master and mistress seeks you : come away,
away !

CLOWN

Trip, Audrey, trip, Audrey, I attend, I attend.

Exeunt.

si tu préfères, je te tue, je t'expédie, je change ta vie en mort, ta liberté en esclavage : j'agirai sur toi par le poison, la bastonnade, ou le fer ; je rivaliserai d'insultes avec toi ; je t'écraserai par l'intrigue ; je te tuerai de cent cinquante façons ; tremble donc et pars.

AUDREY

Fais-le, bon William.

WILLIAM

Dieu vous tienne en joie, Monsieur.

Il sort.
Entre CORIN.

CORIN

Notre maître et notre maîtresse vous cherchent : venez, venez !

LE BOUFFON

File, Audrey, file, Audrey, je te suis, je te suis.

Ils sortent.

SCENE II

Enter ORLANDO *and* OLIVER.

ORLANDO

Is't possible, that on so little acquaintance you
should like her ? That, but seeing, you should
love her ? And loving woo ? And, wooing, she
should grant ? And will you persever to enjoy
her ?   5

OLIVER

Neither call the giddiness of it in question, the
poverty of her, the small acquaintance, my
sudden wooing, nor her sudden consenting ;
but say with me, I love Aliena ; say with her that
she loves me ; consent with both that we may   10
enjoy each other : it shall be to your good : for
my father's house, and all the revenue that was
old Sir Rowland's, will I estate upon you, and
here live and die a shepherd.

ORLANDO

You have my consent. Let your wedding be   15
tomorrow : thither will I invite the Duke and
all's contented followers. Go you and prepare
Aliena ; for look you, here comes my Rosalind.

Enter ROSALIND.

SCÈNE II

Entrent ORLANDO *et* OLIVIER.

ORLANDO

Est-il possible que, la connaissant si peu, elle vous ait plu ? Qu'à peine vue, vous l'aimiez ? Qu'à peine aimée, vous la courtisiez ? Et qu'à peine courtisée, elle consente ? Et allez-vous pousser jusqu'à vouloir la posséder ?

OLIVIER

Ne mettez pas en question la hâte vertigineuse de tout ceci, la pauvreté de la jeune fille, le peu de connaissance que nous avons l'un et l'autre, ma déclaration soudaine, son consentement soudain. Mais dites avec moi que j'aime Aliéna ; dites avec elle qu'elle m'aime ; consentez avec nous à ce que nous soyons l'un à l'autre. Ce sera dans votre intérêt car la maison de mon père, et tous les revenus qui furent jadis au vieux Sire Roland, je veux tout vous céder pour vivre et mourir ici en berger.

ORLANDO

Vous avez mon consentement. Que votre mariage ait lieu demain. J'y inviterai le Duc et ceux de ses compagnons qui y sont disposés. Allez y préparer Aliéna ; car, voyez-vous, voici venir ma Rosalinde.

Entre ROSALINDE.

ROSALIND

God save you, brother.

OLIVER

And you, fair sister.   20

[Exit.]

ROSALIND

O, my dear Orlando, how it grieves me to see
thee wear thy heart in a scarf !

ORLANDO

It is my arm.

ROSALIND

I thought thy heart had been wounded with the
claws of a lion.   25

ORLANDO

Wounded it is, but with the eyes of a lady.

ROSALIND

Did your brother tell you how I counterfeited to
swoon, when he show'd me your handkerchief ?

ORLANDO

Ay, and greater wonders than that.

ROSALINDE

Dieu vous garde, mon frère.

OLIVIER

Vous aussi, jolie sœur[1].

[Il sort.]

ROSALINDE

Oh, mon cher Orlando, comme cela me peine de te voir porter ton cœur en écharpe !

ORLANDO

Mais c'est mon bras.

ROSALINDE

Je croyais que ton cœur avait été blessé par les griffes d'une lionne.

ORLANDO

Blessé, il l'est, mais par les yeux d'une femme.

ROSALINDE

Votre frère vous a-t-il raconté comme j'ai bien joué la comédie de l'évanouissement, quand il m'a montré votre mouchoir ?

ORLANDO

Oui, et de plus grands prodiges que celui-là.

ROSALIND

O, I know where you are ; nay, 'tis true : there   30
was never any thing so sudden but the fight
of two rams, and Caesar's thrasonical brag of
'I came, saw, and overcame'. For your brother,
and my sister, no sooner met, but they look'd ;
no sooner look'd but they lov'd ; no sooner   35
lov'd, but they sigh'd ; no sooner sigh'd but they
ask'd one another the reason ; no sooner knew
the reason but they sought the remedy ; and in
these degrees have they made a pair of stairs to
marriage, which they will climb incontinent, or   40
else be incontinent before marriage : they are in
the very wrath of love and they will together.
Clubs cannot part them.

ORLANDO

They shall be married tomorrow, and I will bid
the Duke to the nuptial. But, O, how bitter a   45
thing it is to look into happiness through another
man's eyes : by so much the more shall I tomorrow be at the height of heart-heaviness, by how
much I shall think my brother happy in having
what he wishes for.   50

ROSALIND

Why then tomorrow, I cannot serve your turn
for Rosalind ?

ROSALINDE

Oh, je sais à quoi vous pensez ; oui, c'est vrai : il n'y eut jamais rien de si soudain, hormis le choc de deux béliers, ou la vantardise hyperbolique de César, son « Je suis venu, j'ai vu, j'ai vaincu[1] ». Car votre frère et ma sœur ne s'étaient pas plus tôt rencontrés qu'ils se regardaient ; pas plus tôt regardés qu'ils s'aimaient ; pas plus tôt aimés qu'ils soupiraient ; ils n'avaient pas plus tôt soupiré qu'ils s'en demandaient la raison ; pas plus tôt connu la raison qu'ils en cherchaient le remède ; et, de degré en degré, ils se sont fait vers le mariage un escalier qu'ils vont gravir incontinent, sous peine d'être incontinents avant le mariage. Ils sont dans toute la fureur de l'amour, et il faut absolument qu'ils s'unissent. Des coups de massue ne les sépareraient pas.

ORLANDO

Ils seront mariés demain, et je prierai le Duc de venir à la cérémonie. Mais, oh, comme il est amer de contempler le bonheur par les yeux d'un autre homme : demain, mon cœur sera d'autant plus au comble de la tristesse que je saurai mon frère heureux de posséder ce qu'il désire.

ROSALINDE

Et quoi, ne puis-je demain vous servir de Rosalinde ?

ORLANDO

I can live no longer by thinking.

ROSALIND

I will weary you then no longer with idle talking.
Know of me then, for now I speak to some   55
purpose, that I know you are a gentleman of
good conceit : I speak not this that you should
bear a good opinion of my knowledge, inso-
much I say I know you are ; neither do I labour
for a greater esteem than may in some little   60
measure draw a belief from you, to do yourself
good and not to grace me. Believe then, if you
please, that I can do strange things : I have, since
I was three year old, convers'd with a magician,
most profound in his art, and yet not damnable.   65
If you do love Rosalind so near the heart as your
gesture cries it out, when your brother marries
Aliena, shall you marry her. I know into what
straits of fortune she is driven, and it is not
impossible to me, if it appear not inconvenient   70
to you, to set her before your eyes tomorrow,
human as she is, and without any danger.

ORLANDO

Speak'st thou in sober meanings ?

ROSALIND

By my life I do, which I tender dearly, though I
say I am a magician. Therefore, put you in your   75

ORLANDO

Je ne peux plus vivre de pensées.

ROSALINDE

Je ne vous fatiguerai donc plus de vaines paroles.
Apprenez alors de moi — car à présent je parle
sérieusement — que je sais que vous êtes un gentilhomme intelligent. Je ne dis pas cela pour que vous
ayez bonne opinion de mon savoir, parce que je dis
que je sais cela de vous ; et si je travaille à gagner
votre estime, c'est seulement pour vous amener à
croire qu'il est question de vous faire du bien, non
de me glorifier. Croyez donc, s'il vous plaît, que je
peux accomplir d'étranges choses. J'ai, depuis l'âge
de trois ans, fréquenté un magicien très versé dans
son art mais qui ne risque pas la damnation[1]. Si
vous aimez Rosalinde aussi près du cœur que votre
comportement le proclame, quand votre frère épou-
sera Aliéna, vous l'épouserez. Je sais dans quelle
mauvaise passe la fortune l'a conduite, et il ne m'est
pas impossible, si cela ne vous paraît pas déplacé,
de la faire surgir demain devant vos yeux, en personne, et sans aucun danger[2].

ORLANDO

Parles-tu sérieusement ?

ROSALINDE

Oui, sur ma vie, à laquelle je tiens chèrement, même
si je dis que je suis magicien. Aussi, mettez vos

best array, bid your friends ; for if you will be
married tomorrow, you shall, and to Rosalind if
you will.

Enter SILVIUS *and* PHEBE.

Look, here comes a lover of mine and a lover of
hers.   80

PHEBE

Youth, you have done me much ungentleness,
To show the letter that I writ to you.

ROSALIND

I care not if I have : it is my study
To seem despiteful and ungentle to you.
You are there followed by a faithful shepherd,   85
Look upon him, love him : he worships you.

PHEBE

Good shepherd, tell this youth what 'tis to love.

SILVIUS

It is to be all made of sighs and tears ;
And so am I for Phebe.

PHEBE

And I for Ganymede.   90

ORLANDO

And I for Rosalind.

plus beaux atours, conviez vos amis ; car si vous
voulez être marié demain, vous le serez ; et à Rosalinde, si vous le voulez.

Entrent SILVIUS *et* PHÉBÉ.

Voyez, voici venir une amoureuse à moi, et un
amoureux à elle.

PHÉBÉ

Jeune homme, vous avez été fort discourtois,
De montrer la lettre que je vous ai écrite.

ROSALINDE

Cela m'est bien égal : c'est toute mon étude
De vous paraître méprisant et discourtois.
Vous êtes ici suivie par un berger fidèle[1],
Regardez-le, aimez-le : il vous vénère.

PHÉBÉ

Bon berger, dis à ce jeune homme ce que c'est que
d'aimer.

SILVIUS

C'est être tout entier soupirs et larmes,
Comme je le suis pour Phébé.

PHÉBÉ

Et moi pour Ganymède.

ORLANDO

Et moi pour Rosalinde.

ROSALIND

And I for no woman.

SILVIUS

It is to be all made of faith and service,
And so am I for Phebe.

PHEBE

And I for Ganymede.   95

ORLANDO

And I for Rosalind.

ROSALIND

And I for no woman.

SILVIUS

It is to be all made of fantasy,
All made of passion, and all made of wishes,
All adoration, duty, and observance,   100
All humbleness, all patience, and impatience,
All purity, all trial, all observance :
And so am I for Phebe.

PHEBE

And so am I for Ganymede.

ORLANDO

And so am I for Rosalind.   105

ROSALINDE

Et moi pour aucune femme.

SILVIUS

C'est être tout entier fidélité et dévouement,
Comme je le suis pour Phébé.

PHÉBÉ

Et moi pour Ganymède.

ORLANDO

Et moi pour Rosalinde.

ROSALINDE

Et moi pour aucune femme.

SILVIUS

C'est être tout entier fantasmes,
Tout entier passion, et tout désirs,
Tout adoration, loyauté et respect,
Tout humilité, tout patience et impatience,
Tout pureté, tout endurance, tout obéissance :
Comme je le suis pour Phébé.

PHÉBÉ

Et moi pour Ganymède.

ORLANDO

Et moi pour Rosalinde.

ROSALIND

And so am I for no woman.

PHEBE

If this be so, why blame you me to love you ?

SILVIUS

If this be so, why blame you me to love you ?

ORLANDO

If this be so, why blame you me to love you ?

ROSALIND

Who do you speak to 'Why blame you me to   110
love you ?' ?

ORLANDO

To her that is not here, nor doth not hear.

ROSALIND

Pray you, no more of this, 'tis like the howling
of Irish wolves against the moon. *[To Silvius.]*
I will help you, if I can. *[To Phebe.]* I would   115
love you, if I could. Tomorrow meet me all
together. *[To Phebe.]* I will marry you, if ever I
marry woman, and I'll be married tomorrow.
[To Orlando.] I will satisfy you, if ever I satisfied

ROSALINDE

Et moi pour aucune femme.

PHÉBÉ

S'il en est ainsi, pourquoi me blâmez-vous de vous aimer ?

SILVIUS

S'il en est ainsi, pourquoi me blâmez-vous de vous aimer ?

ORLANDO

S'il en est ainsi, pourquoi me blâmez-vous de vous aimer ?

ROSALINDE

À qui dites-vous : « Pourquoi me blâmez-vous de vous aimer ? » ?

ORLANDO

À celle qui n'est pas ici, et n'entend pas.

ROSALINDE

De grâce, ne parlons plus de cela, c'est comme les loups d'Irlande qui hurlent à la lune[1]. *[À Silvius.]* Je vous aiderai si je le peux. *[À Phébé.]* Je vous aimerais si je le pouvais. Demain, venez me retrouver tous ensemble. *[À Phébé.]* Je vous épouserai, si jamais j'épouse une femme, et j'épouserai demain. *[À Orlando.]* Je vous satisferai, si jamais je satisfais

man, and you shall be married tomorrow. *[To* 120
Silvius.] I will content you, if what pleases you
contents you, and you shall be married tomorrow. *[To Orlando.]* As you love Rosalind, meet.
*[To Silvius.] A*s you love Phebe, meet. And as I
love no woman, I'll meet. So fare you well : I 125
have left you commands.

SILVIUS

I'll not fail, if I live.

PHEBE

Nor I.

ORLANDO

Nor I.

Exeunt.

SCENE III

Enter Clown *and* Audrey.

CLOWN

Tomorrow is the joyful day, Audrey, tomorrow
will we be married.

AUDREY

I do desire it with all my heart ; and I hope
it is no dishonest desire to desire to be a

un homme, et vous serez marié demain. *[À Silvius.]*
Je vous réjouirai, si ce qui vous plaît vous réjouit, et
vous serez marié demain. *[À Orlando.]* S'il est vrai
que vous aimez Rosalinde, soyez là. *[À Silvius.]* S'il
est vrai que vous aimez Phébé, soyez là. Et s'il est
vrai que je n'aime aucune femme, je serai là. Sur
ce, au revoir : je vous ai laissé vos instructions.

SILVIUS

Je serai là, si je vis.

PHÉBÉ

Moi aussi.

ORLANDO

Moi aussi.

Ils sortent.

SCÈNE III

Entrent LE BOUFFON *et* AUDREY.

LE BOUFFON

Demain est l'heureux jour, Audrey, demain, nous
serons mariés.

AUDREY

Je le désire de tout mon cœur ; et j'espère que ce
n'est pas un désir malhonnête que celui d'être une

woman of the world. Here comes two of the 5
banish'd Duke's pages.

Enter two Pages.

FIRST PAGE

Well met, honest gentleman.

CLOWN

By my troth, well met : come, sit, sit, and a
song.

SECOND PAGE

We are for you, sit i'th'middle. 10

FIRST PAGE

Shall we clap into't roundly, without hawking,
or spitting, or saying we are hoarse, which are
the only prologues to a bad voice ?

SECOND PAGE

I'faith, i'faith, and both in a tune like two gipsies
on a horse. 15

SONG

It was a lover and his lass,
> *With a hey, and a ho, and a hey nonino,*
That o'er the green corn-field did pass.
> *In spring time, the only pretty ring time,*
When birds do sing, hey ding a ding, ding. 20
Sweet lovers love the spring.

femme mariée. Voici venir deux des pages du Duc banni.

Entrent deux Pages.

PREMIER PAGE

Heureux de vous rencontrer, honnête gentilhomme.

LE BOUFFON

Par ma foi, heureux également de vous rencontrer. Allons, assis, assis, et une chanson.

SECOND PAGE

Nous sommes à vous. Asseyez-vous au milieu.

PREMIER PAGE

Allons-y rondement, sans nous racler la gorge ni cracher, ni dire que nous sommes enroués, infaillible prologue d'une vilaine voix.

SECOND PAGE

Sûr, sûr, et tous les deux en mesure, à l'unisson, comme deux bohémiens sur un cheval[1].

CHANSON

Y avait un amant et sa mie,
      Et un hey, et un ho, et un hey nonino,
Par les blés verts l'avait suivie,
      Au printemps, au joli temps des anneaux[2],
Quand oiseaux chantent, et digue digue don,
Les tendres amants aiment le printemps.

Between the acres of the rye,
  With a hey, and a ho, and a hey nonino,
These pretty country folks would lie,
  In spring time, &c.   25

This carol they began that hour,
  With a hey, and a ho, and a hey nonino,
How that a life was but a flower
  In spring time, &c.

And therefore take the present time,   30
  With a hey, and a ho, and a hey nonino,
For love is crowned with the prime
  In spring time, &c.

CLOWN

Truly, young gentlemen, though there was no
great matter in the ditty, yet the note was very   35
untuneable.

FIRST PAGE

You are deceiv'd, sir, we kept time, we lost not
our time.

CLOWN

By my troth, yes : I count it but time lost to hear
such a foolish song. God buy you, and God   40
mend your voices ! Come, Audrey.

Exeunt.

Où les seigles se séparaient,
      Et un hey, et un ho, et un hey nonino,
Nos villageois s'étions couchés,
      Au printemps, etc.

Se mirent à chanter ce chœur,
      Et un hey, et un ho, et un hey nonino,
Comme quoi la vie n'est qu'une fleur,
      Au printemps, etc.

Saisissez le bonheur du jour,
      Et un hey, et un ho, et un hey nonino,
Le printemps couronne l'amour,
      Au printemps, etc.

LE BOUFFON

À dire vrai, jeunes gens, même si cette chanson-nette n'avait pas grand sens, pourtant, l'air était faux[1].

PREMIER PAGE

Vous faites erreur, Monsieur, nous avons gardé le tempo, nous n'avons pas perdu notre temps.

LE BOUFFON

Par ma foi, si : j'estime que c'est perdre son temps que d'écouter une chanson si bête. Dieu vous garde, et Dieu raccommode vos voix ! Viens, Audrey.

Ils sortent.

SCENE IV

Enter DUKE SENIOR, AMIENS, JAQUES,
    ORLANDO, OLIVER, *and* CELIA.

DUKE SENIOR

Dost thou believe, Orlando, that the boy
Can do all this that he hath promised ?

ORLANDO

I sometimes do believe, and sometimes do not,
As those that fear they hope, and know they
    fear.

Enter ROSALIND, SILVIUS, *and* PHEBE.

ROSALIND

Patience once more, whiles our compact is   5
    urg'd :
You say, if I bring in your Rosalind,
You will bestow her on Orlando here ?

DUKE SENIOR

That would I, had I kingdoms to give with her.

ROSALIND

And you say, you will have her, when I bring
    her ?

SCÈNE IV

Entrent le Duc Aîné, Amiens, Jaques,
Orlando, Olivier, *et* Célia.

LE DUC AÎNÉ

Crois-tu, Orlando, que ce jeune garçon
Puisse accomplir tout ce qu'il a promis ?

ORLANDO

Parfois je le crois, et parfois non,
Comme on craint son espoir et qu'on connaît ses
craintes.

Entrent Rosalinde, Silvius, *et* Phébé.

ROSALINDE

Patience une fois de plus, tandis que nous rappe-
lons notre pacte :
Vous dites que si j'amène votre Rosalinde,
Vous la donnerez à Orlando que voici ?

LE DUC AÎNÉ

Oui, même si j'avais des royaumes à donner avec
elle.

ROSALINDE

Et vous, vous dites que vous la prendrez pour
femme, si je l'amène ?

ORLANDO

That would I, were I of all kingdoms king.   10

ROSALIND

You say, you'll marry me, if I be willing ?

PHEBE

That will I, should I die the hour after.

ROSALIND

But if you do refuse to marry me,
You'll give yourself to this most faithful shep-
    herd ?

PHEBE

So is the bargain.   15

ROSALIND

You say that you'll have Phebe if she will ?

SILVIUS

Though to have her and death were both one
    thing.

ROSALIND

I have promis'd to make all this matter even :
Keep you your word, O Duke, to give your
    daughter,
You yours, Orlando, to receive his daughter ;   20

ORLANDO

Oui, même si j'étais roi de tous les royaumes.

ROSALINDE

Vous dites que vous m'épouserez, si je suis consentante ?

PHÉBÉ

Oui, même si je devais mourir dans l'heure qui suivra.

ROSALINDE

Mais si vous refusez de m'épouser,
Vous vous donnerez à ce très fidèle berger ?

PHÉBÉ

Tel est notre marché.

ROSALINDE

Vous dites que vous prendrez Phébé pour femme si elle y consent ?

SILVIUS

Même si la prendre et mourir était une seule et même chose.

ROSALINDE

J'ai promis d'éclaircir toute cette affaire :
Tenez votre parole, ô Duc, et donnez votre fille,
Vous, la vôtre, Orlando, et recevez sa fille ;

Keep your word, Phebe, that you'll marry me,
Or else refusing me, to wed this shepherd ;
Keep your word, Silvius, that you'll marry her.
If she refuse me ; and from hence I go
To make these doubts all even.   25

              Exeunt Rosalind and Celia.

DUKE SENIOR

I do remember in this shepherd boy
Some lively touches of my daughter's favour.

ORLANDO

My lord, the first time that I ever saw him,
Methought he was a brother to your daughter :
But, my good lord, this boy is forest-born,   30
And hath been tutor'd in the rudiments
Of many desperate studies, by his uncle,
Whom he reports to be a great magician,
Obscured in the circle of this forest.

              Enter CLOWN *and* AUDREY.

JAQUES

There is sure another flood toward, and these   35
couples are coming to the ark. Here comes a
pair of very strange beasts, which in all tongues
are call'd fools.

CLOWN

Salutation and greeting to you all !

Tenez votre parole, Phébé, de m'épouser,
Ou, si vous refusez, d'épouser ce berger ;
Tenez votre parole, Silvius, de l'épouser.
Si elle me refuse ; et sur ce, je pars d'ici
Afin d'éclaircir tous ces doutes.

Sortent Rosalinde et Célia.

LE DUC AÎNÉ

Je trouve sur le visage de ce jeune berger
Certains traits de ressemblance avec ma fille.

ORLANDO

Mon seigneur, la première fois que je l'ai vu,
J'ai cru que c'était un frère de votre fille :
Mais, mon bon seigneur, ce garçon est né dans la
    forêt,
Et a été initié aux rudiments
De plusieurs sciences dangereuses[1] par son oncle,
Dont il dit que c'est un grand magicien,
Caché dans le cercle de cette forêt.

Entrent LE BOUFFON *et* AUDREY.

JAQUES

Assurément, un autre déluge se prépare, et ces
couples viennent vers l'arche. Voici venir une
paire de très étranges animaux[2] que, dans toutes
les langues, on appelle fous.

LE BOUFFON

Salutations et compliments à tous !

JAQUES

Good my lord, bid him welcome. This is the mot- 40
ley-minded gentleman that I have so often met
in the forest : he hath been a courtier he swears.

CLOWN

If any man doubt that, let him put me to my
purgation. I have trod a measure, I have flatter'd a lady, I have been politic with my friend, 45
smooth with mine enemy, I have undone three
tailors, I have had four quarrels, and like to
have fought one.

JAQUES

And how was that ta'en up ?

CLOWN

'Faith we met, and found the quarrel was upon 50
the seventh cause.

JAQUES

How seventh cause ? Good my lord, like this
fellow.

DUKE SENIOR

I like him very well.

CLOWN

God 'ild you, sir, I desire you of the like. I press 55
in here, sir, amongst the rest of the country
copulatives, to swear and to forswear, according

JAQUES

Mon bon seigneur, souhaitez-lui la bienvenue. C'est
le gentilhomme à l'esprit bariolé que j'ai souvent
rencontré dans la forêt ; il a été à la Cour, il le jure.

LE BOUFFON

Si quelqu'un doute de cela, qu'il me mette à
l'épreuve. J'ai dansé une pavane, j'ai adulé une
dame, j'ai été retors avec mon ami, doucereux avec
mon ennemi, j'ai ruiné trois tailleurs, j'ai eu quatre
querelles, et j'ai failli me battre pour l'une d'elles.

JAQUES

Et comment celle-là a-t-elle été réglée ?

LE BOUFFON

Ma foi, nous nous rencontrâmes et découvrîmes
que la querelle en était au septième degré[1].

JAQUES

Comment cela, au septième degré ? Mon bon seigneur, appréciez le bonhomme.

LE DUC AÎNÉ

Je l'apprécie beaucoup.

LE BOUFFON

Dieu vous récompense, Monsieur, pareillement.
J'accours ici, Monsieur, parmi les autres copula-
teurs rustiques, pour jurer et me parjurer, car le

as marriage binds and blood breaks : a poor
virgin, sir, an ill-favour'd thing, sir, but mine
own ; a poor humour of mine, sir, to take that　60
that no man else will : rich honesty dwells like a
miser, sir, in a poor house, as your pearl in your
foul oyster.

DUKE SENIOR

By my faith, he is very swift and sententious.

CLOWN

According to the fool's bolt, sir, and such dulcet　65
diseases.

JAQUES

But, for the seventh cause — How did you find
the quarrel on the seventh cause ?

CLOWN

Upon a lie, seven times removed : — bear your
body more seeming, Audrey — as thus, sir. — I　70
did dislike the cut of a certain courtier's beard :
he sent me word, if I said his beard was not
cut well, he was in the mind it was : this is call'd
the Retort Courteous. If I sent him word again
'it was not well cut,' he would send me word,　75
he cut it to please himself : this is call'd the
Quip Modest. If again 'it was not well cut',
he disabled my judgment : this is called the

mariage unit et la chaleur du sang sépare : une
pauvre vierge, Monsieur, une chose disgraciée,
Monsieur, mais qui est toute à moi ; une pauvre
fantaisie qui m'est venue, Monsieur, de prendre ce
dont aucun autre homme ne veut : la riche vertu
habite comme un avare, Monsieur, dans une pauvre
maison, comme la perle dans l'huître fangeuse.

LE DUC AÎNÉ

Par ma foi, il est fort vif et pénétrant.

LE BOUFFON

Comme les flèches que décoche le fou, Monsieur,
qui plaisent mais irritent.

JAQUES

Mais revenons-en au septième degré — comment
avez-vous découvert que la querelle en était au
septième degré ?

LE BOUFFON

Grâce au démenti sept fois réfuté. — Tenez-vous
plus gracieusement, Audrey — voilà, Monsieur. J'en
étais venu à critiquer la façon dont la barbe d'un
certain courtisan était taillée : il me fit savoir que,
si je disais que sa barbe n'était pas bien taillée, son
opinion à lui était qu'elle l'était : c'est ce qu'on
appelle la Réplique Courtoise. Si je lui faisais savoir
à nouveau qu'« elle n'était pas bien taillée », il
m'envoyait dire à son tour qu'il la taillait pour
qu'elle soit à son goût : c'est ce qu'on appelle la

Reply Churlish. If again, 'it was not well cut', he
would answer I spake not true : this is call'd the   80
Reproof Valiant. If again, 'it was not well cut',
he would say, I lie : this is call'd the Counter-
check Quarrelsome ; and so to the Lie Circum-
stantial and the Lie Direct.

JAQUES

And how oft did you say his beard was not well   85
cut ?

CLOWN

I durst go no further than the Lie Circumstan-
tial ; nor he durst not give me the Lie Direct ;
and so we measur'd swords, and parted.

JAQUES

Can you nominate in order now the degrees of   90
the lie ?

CLOWN

O sir, we quarrel in print, by the book : as
you have books for good manners. I will name
you the degrees. The first, the Retort Courteous ; the second, the Quip Modest ; the   95

Raillerie Modérée. Si je disais encore qu'« elle n'était pas bien taillée », il récusait mon jugement : c'est ce qu'on appelle la Repartie Hargneuse. Si de nouveau, « elle n'était pas bien taillée », il répondait que je ne disais pas la vérité : c'est ce qu'on appelle la Remontrance Vaillante. Si de nouveau, « elle n'était pas bien taillée », il disait que je mentais : c'est ce qu'on appelle la Contre-attaque Querelleuse ; et ainsi de suite jusqu'au Démenti Conditionnel et au Démenti Catégorique.

JAQUES

Et combien de fois lui avez-vous dit que sa barbe n'était pas bien taillée ?

LE BOUFFON

Je n'ai pas osé aller plus avant que le Démenti Conditionnel ; et lui n'a pas osé me donner le Démenti Catégorique ; et là-dessus nous avons mesuré nos épées, et nous nous sommes séparés.

JAQUES

À présent, pouvez-vous me citer dans l'ordre les degrés du Démenti ?

LE BOUFFON

Ô Monsieur, nous nous querellons au pied de la lettre, selon les règles du traité : de même qu'il y a des traités de bonnes manières[1]. Je vais vous énumérer les différents degrés. Le premier, la Réplique Courtoise ; le deuxième, la Raillerie Intrépide ; le

third, the Reply Churlish ; the fourth, the
Reproof Valiant ; the fifth, the Countercheque
Quarrelsome ; the sixth, the Lie with Circum-
stance ; the seventh, the Lie Direct : all these
you may avoid but the Lie Direct ; and you may   100
avoid that too, with an If. I knew when seven
justices could not take up a quarrel, but when
the parties were met themselves, one of them
thought but of an If ; as, 'If you said so, then I
said so ;' and they shook hands, and swore   105
brothers. Your If is the only peacemaker : much
virtue in If.

JAQUES

Is not this a rare fellow, my lord ? He's as good
at any thing, and yet a fool.

DUKE SENIOR

He uses his folly like a stalking-horse, and under   110
the presentation of that he shoots his wit.

Enter HYMEN, ROSALIND, *and* CELIA.
Still Music.

HYMEN

Then is there mirth in heaven,
When earthly things made even
Atone together.
Good Duke receive thy daughter   115

troisième, la Repartie Hargneuse ; le quatrième, la
Remontrance Intrépide ; le cinquième, la Contre-
attaque Querelleuse ; le sixième, le Démenti Conditionnel ; le septième, le Démenti Catégorique : on
peut tous les éluder, sauf le Démenti Catégorique ;
et encore, on peut également éluder celui-là avec
un « Si ». J'ai connu un cas où sept juges ne parve-
naient pas à régler une querelle mais, quand les
parties se rencontrèrent, l'une d'elles songea à un
« Si » ; du genre : « Si vous disiez ceci, moi, je dirais
cela » ; et ils se serrèrent la main et se jurèrent une
amitié fraternelle. Votre « Si » est le grand pacifica-
teur : il y a beaucoup de vertu dans un « Si ».

JAQUES

N'est-ce pas là un bonhomme singulier, mon seigneur ? Il est aussi bon sur tous les sujets, et pourtant ce n'est qu'un fou.

LE DUC AÎNÉ

Il se met à l'affût derrière sa folie, à l'abri de laquelle
il décoche ses traits d'esprit.

Entrent HYMEN, ROSALINDE, *et* CÉLIA.
Douce musique.

HYMEN

Au ciel, c'est la félicité,
Quand, sur terre, toutes choses apaisées
        Retrouvent l'harmonie.
Bon Duc, reçois ta fille,

Hymen from heaven brought her,
    Yea, brought her hither,
That thou mightst join her hand with his
Whose heart within his bosom is.

ROSALIND

                [To Duke senior.]

To you I give myself, for I am yours.   120

                [To Orlando.]

To you I give myself, for I am yours.

DUKE SENIOR

If there be truth in sight, you are my daughter.

ORLANDO

If there be truth in sight, you are my Rosalind.

PHEBE

If sight and shape be true,
Why then, my love adieu !   125

ROSALIND

I'll have no father, if you be not he :
I'll have no husband, if you be not he :
Nor ne'er wed woman, if you be not she.

Du ciel, Hymen l'a fait venir,
Oui, fait venir ici,
Pour que tu donnes sa main
À qui a du cœur en son sein.

ROSALINDE

[Au Duc.]

À vous je me donne car je suis vôtre.

[À Orlando.]

À vous je me donne car je suis vôtre.

LE DUC AÎNÉ

S'il y a de la vérité dans la vue, vous êtes ma fille.

ORLANDO

S'il y a de la vérité dans la vue, vous êtes ma
   Rosalinde.

PHÉBÉ

S'il y a de la vérité dans cette forme et dans mes
   yeux,
Alors, à mon amour je dis adieu !

ROSALINDE

Je n'aurai pas de père, si ce n'est vous.
Je n'aurai pas de mari, si ce n'est vous.
Ni n'épouserai de femme, si ce n'est vous.

HYMEN

Peace, ho ! I bar confusion,
'Tis I must make conclusion   130
Of these most strange events :
Here's eight that must take hands,
To join in Hymen's bands,
If truth holds true contents.
You and you, no cross shall part :   135
You and you, are heart in heart.
You, to his love must accord,
Or have a woman to your lord.
You and you, are sure together,
As the winter to foul weather.   140
Whiles a wedlock-hymn we sing,
Feed yourselves with questioning ;
That reason wonder may diminish,
How thus we met, and these things finish.

SONG

Wedding is great Juno's crown,   145
O blessed bond of board and bed.
    'Tis Hymen peoples every town ;
High wedlock then be honoured :
Honour, high honour and renown,
    To Hymen, god of every town !   150

DUKE SENIOR

O my dear niece, welcome thou art to me,
Even daughter welcome, in no less degree.

HYMEN

Ô Paix ! Je bannis la confusion,
De moi viendra la conclusion
De ces étranges événements :
Huit, ici, doivent se donner la main,
Qu'Hymen va unir de ses liens,
Si de la vérité vous êtes contents.
Vous et vous, n'aurez qu'un bonheur :
Vous et vous, n'êtes qu'un seul cœur.
À son amour, accordez-vous,
Ou prenez femme pour époux.
Vous et vous, unis tout autant,
Que l'hiver et le mauvais temps.
Et pendant notre épithalame,
De questions nourrissez vos âmes ;
Qu'à la raison cède l'étonnement,
De ces rencontres et de ce dénouement.

CHANSON

Junon a pour couronne le saint hyménée[1],
Table et lit sont des liens sacrés.
            L'hymen peuple chaque cité ;
Lien du mariage, sois honoré :
Honneur, et gloire, et renommée,
            À l'Hymen, dieu de chaque cité !

LE DUC AÎNÉ

Ô ma chère nièce, tu es la bienvenue auprès de
    moi,
Aussi bienvenue que si tu étais ma fille.

PHEBE

I will not eat my word, now thou art mine,
Thy faith my fancy to thee doth combine.

Enter [JAQUES DE BOYS], *second brother.*

[JAQUES DE BOYS]

Let me have audience for a word or two :   155
I am the second son of old Sir Rowland,
That bring these tidings to this fair assembly.
Duke Frederick, hearing how that every day
Men of great worth resorted to this forest,
Address'd a mighty power ; which were on   160
    foot,
In his own conduct, purposely to take
His brother here, and put him to the sword :
And to the skirts of this wild wood he came ;
Where, meeting with an old religious man,
After some question with him, was converted   165
Both from his enterprise, and from the world,
His crown bequeathing to his banish'd bro-
    ther,
And all their lands restor'd to them again
That were with him exil'd. This to be true,
I do engage my life.

DUKE SENIOR

                    Welcome, young man.   170
Thou offer'st fairly to thy brothers' wedding :
To one his lands withheld, and to the other

PHÉBÉ

Je ne reprendrai pas ma parole, désormais, tu es
    mien,
Ta fidélité unit mon amour au tien.

Entre [JAQUES DES BOIS], *deuxième frère.*

[JAQUES DES BOIS]

Écoutez-moi, je n'ai qu'un ou deux mots à dire :
Je suis le deuxième fils du vieux Sire Roland,
Et j'apporte ce message à cette belle assemblée.
Le Duc Frédéric, apprenant chaque jour
Que des hommes de grande valeur s'étaient retirés
    dans cette forêt,
Leva une puissante armée ; qui était en marche,
Sous son commandement, afin de s'emparer
De son frère, ici, et de le passer au fil de l'épée :
Parvenu aux confins de ce bois sauvage,
Il rencontra un vieil homme pieux,
Après quelque entretien avec lui, il renonça
À la fois à son entreprise et au monde.
Sa couronne, il la lègue à son frère banni,
Et restitue toutes leurs terres à ceux
Qui furent avec lui exilés. Tout ceci est vrai,
Je le jure sur ma vie.

LE DUC AÎNÉ

                    Sois le bienvenu, jeune homme.
Tu apportes de beaux cadeaux au mariage de tes
    frères :
À l'un, ses terres confisquées, et à l'autre

A land itself at large, a potent Dukedom.
First, in this forest, let us do those ends
That here were well begun and well begot :   175
And after, every of this happy number
That have endur'd shrewd days and nights with
    us,
Shall share the good of our returned fortune,
According to the measure of their states.
Meantime, forget this new-fall'n dignity   180
And fall into our rustic revelry :
Play, music, and you, brides and bridegrooms
    all,
With measure heap'd in joy, to th' measures fall.

JAQUES

Sir, by your patience : if I heard you rightly,
The Duke hath put on a religious life   185
And thrown into neglect the pompous court ?

[JAQUES DE BOYS]

He hath.

JAQUES

To him will I : out of these convertites,
There is much matter to be heard and learn'd.

[To Duke senior.]

You to your former honour I bequeath,   190
Your patience, and your virtue, well deserves it.

Un grand territoire, un puissant duché.
D'abord, dans cette forêt, menons à bonne fin
Ce qui fut ici bien commencé et bien conçu ;
Ensuite, chacun de ceux qui, dans cette heureuse
    assemblée,
Ont enduré l'âpreté des jours et des nuits avec
    nous,
Aura sa part des biens qui nous sont revenus,
Chacun dans la mesure de son rang.
En attendant, oublions ces dignités qui viennent
    de nous échoir,
Et livrons-nous à nos fêtes champêtres :
Que la musique joue, et vous, jeunes mariés,
Comblés de joie outre mesure, en mesure dansez.

JAQUES

Monsieur, avec votre permission. Si je vous entends
    bien,
Le Duc a embrassé une vie religieuse
Et rejeté les fastes de la Cour ?

[JAQUES DES BOIS]

C'est cela.

JAQUES

Je veux allez le rejoindre : de ces convertis,
Il y a beaucoup à entendre et à apprendre.

[Au Duc Aîné.]

Vous, je vous lègue à vos anciens honneurs,
Votre patience et votre vertu en sont dignes.

[To Orlando.]

You to a love that your true faith doth merit.

[To Oliver.]

You to your land, and love, and great allies.

[To Silvius]

You to a long and well-deserved bed.

[To Clown.]

And you to wrangling, for thy loving voyage   195
Is but for two months victuall'd. So, to your
    pleasures,
I am for other than for dancing measures.

DUKE SENIOR

Stay, Jaques, stay.

JAQUES

To see no pastime, I : what you would have,
I'll stay to know at your abandon'd cave.   200

Exit.

DUKE SENIOR

Proceed, proceed : we will begin these rites,
As we do trust, they'll end in true delights.

[A dance.] Exeunt [all but Rosalinde].

[À Orlando.]

Vous, à un amour que mérite votre loyale fidélité.

[À Olivier.]

Vous, à votre terre[1], votre amour, et votre glorieuse
    parenté.

[À Silvius.]

Vous, à un lit longtemps et bien mérité.

[Au Bouffon.]

Et vous, à vos querelles, car ta traversée d'amour
N'a que deux mois de vivres. Allez à vos plaisirs.
Je vais vers d'autres harmonies que celles de la
    danse.

LE DUC AÎNÉ

Restez, Jaques, restez.

JAQUES

Pour voir ces fêtes ? Non. J'attends vos volontés
Dans la grotte que vous venez d'abandonner.

Il sort.

LE DUC AÎNÉ

Poursuivez, poursuivez. Que nos rites commencent,
Comme ils se finiront, en vraies réjouissances.

*[Une danse.] Ils sortent [tous sauf Rosa-
linde].*

[EPILOGUE]

ROSALIND

It is not the fashion to see the lady the Epilogue ; but it is no more unhandsome than to
see the lord the Prologue. If it be true that
good wine needs no bush, 'tis true that a good
play needs no epilogue. Yet to good wine they   5
do use good bushes : and good plays prove the
better by the help of good epilogues. What a
case am I in then, that am neither a good epilogue, nor cannot insinuate with you in the
behalf of a good play ? I am not furnish'd like a   10
beggar, therefore to beg will not become me.
My way is to conjure you, and I'll begin with
the women. I charge you, O women, for the love
you bear to men, to like as much of this play as
please you. And I charge you, O men, for the   15
love you bear to women — as I perceive by your
simpering, none of you hates them — that
between you and the women, the play may
please. If I were a woman, I would kiss as many
of you as had beards that pleas'd me, com-   20
plexions that lik'd me and breaths that I defi'd
not. And I am sure, as many as have good beards,

[ÉPILOGUE]

ROSALINDE

Ce n'est pas l'habitude de voir la dame dire l'épilogue ; mais ce n'est pas plus inconvenant que
de voir le Monsieur dire le prologue. S'il est vrai
que bon vin n'a pas besoin d'enseigne, il est vrai
également qu'une bonne pièce n'a pas besoin
d'épilogue. Pourtant, pour annoncer le bon vin,
on met de belles enseignes ; et les bonnes pièces
semblent meilleures à l'aide de bons épilogues.
Dans quel embarras suis-je donc, moi qui ne suis
pas un bon épilogue, et qui ne peux pas non plus
plaider en faveur d'une bonne pièce[1] ? Je ne suis
pas habillée en mendiant, aussi mendier ne me
conviendrait pas. Ma façon sera de vous conjurer,
et je commencerai par les femmes. Je vous ordonne,
ô femmes, au nom de l'amour que vous portez aux
hommes, d'aimer dans cette pièce ce qui vous fait
plaisir. Et vous, hommes, je vous ordonne, au nom
de l'amour que vous portez aux femmes — et je
perçois à vos sourires qu'aucun de vous ne les
déteste — de vous entendre avec les femmes pour
que cette pièce ait du succès. Si j'étais une femme[2],
j'embrasserais tous ceux d'entre vous qui ont des
barbes qui me plaisent, des visages qui sont à mon
goût, et une haleine qui ne me ferait pas fuir. Et je
suis sûre que tous ceux qui ont une bonne barbe,

or good faces, or sweet breaths, will for my
kind offer, when I make curtsy, bid me farewell.

25

Exit.

FINIS

ou une bonne figure, ou une haleine douce, voudront bien, pour la gentillesse de mon offre, quand
je ferai ma révérence, me dire adieu.

Elle sort.

FIN

DOSSIER

CHRONOLOGIE [1]

(1564-1616)

1564-1574. Naissance vers le 23 avril 1564 de William, fils de John Shakespeare et de Mary Arden, à Stratford-upon-Avon. Baptême le 26 avril suivant. Famille de commerçants, de fermiers, de notables aisés (John est maire de Stratford en 1568) qui connaît des revers de fortune successifs dus à une crise économique ou à des opinions religieuses dissidentes. William est le troisième de huit enfants. Christopher Marlowe naît la même année à Canterbury. Naissance de Galilée dont les travaux scientifiques vont révolutionner l'optique et favoriser une nouvelle perception du monde. Mort de Calvin. En 1565 paraît la première tragédie anglaise pour la scène, *Gorboduc*, écrite par Lord Sackville et Thomas Norton. Des livres comme *Le Gouverneur* (1531) de Thomas Elyot ou *Le Courtisan* (trad. 1561) de Baldassare Castiglione, ou encore *Le Miroir des Magistrats* (1559) de William Baldwin conservent une très grande influence. Les guerres de religion commencent en France, alors qu'elles ont cessé en Angleterre : Élisabeth Iʳᵉ, la reine protestante, gouverne

---

1. La date de composition des pièces ne peut jamais être tenue pour certaine, même lorsqu'une publication *in-quarto* a eu lieu à une date plus rapprochée que celle de l'*in-folio* de 1623.

depuis 1558 (elle sera excommuniée par Pie V en 1570). Le « sermon contre la désobéissance et la rébellion » est prononcé vers 1571. La bible calviniste dite « Bible de Genève » sera la source de nombreux emprunts faits par Shakespeare. Une comédie pastorale du Tasse, *L'Aminte,* paraît en 1572.

1575. Shakespeare fréquente la *grammar school* de Stratford où l'on enseigne le latin. Comme Montaigne avant lui, il apprend sans doute à lire dans *Les Métamorphoses* d'Ovide. À moins qu'il ne lise ce texte fondateur pour l'imaginaire de son temps dans la première traduction faite en anglais par Arthur Golding en 1567.

1577-1578. Première édition des *Chroniques de l'Angleterre, de l'Écosse et de l'Irlande* de Holinshed dont la réédition de 1587 servira de source directe à Shakespeare pour écrire ses pièces historiques. Elles s'inspirent d'une chronique d'Edward Hall, *L'Union des deux nobles et illustres familles de Lancastre et York* (1542). John Lyly écrit *Euphues, l'anatomie de l'esprit* (1578) dans le style précieux connu à partir de 1589 sous le nom d'euphuisme : on y trouve ornements, oxymores et figures complexes mis au service de sentiments élevés, qui influenceront l'écriture des premières comédies, encore que Shakespeare en subvertisse l'esprit par de subtiles parodies. Ronsard publie les *Sonnets pour Hélène.*

1580. Montaigne fait paraître la première édition des *Essais* où il analyse les « bigarrures » de l'être et du moi. Publication des *Annales* de John Stow.

1581. Publication en traduction de *Dix tragédies* de Sénèque, sanglants drames de vengeance.

1582. Mariage avec Anne Hathaway, fille de propriétaires aisés, de huit ans son aînée. Il en naîtra une fille, Susanna, en 1583, puis, en 1585, des jumeaux, Judith et Hamnet. Cette même année se joue à Londres une tragédie de vengeance inspirée de Sénèque et attribuée à Thomas Kyd, *La Tragédie espagnole.* Publication en 1584 de *Campaspe*, première comédie de John Lyly jouée en 1581, et de *Sapho et Phao*, comédie dont Lyly emprunte le sujet à Ovide.

1585-1592. Période obscure : certains critiques datent de ces « années perdues » les premiers longs poèmes et quelques œuvres dramatiques de Shakespeare. Précepteur dans une famille catholique du Lancashire, chez Lord Alexander Hoghton, ou travaillant auprès de son père à Stratford ? Il fréquenterait déjà à l'occasion des troupes d'acteurs de passage en composant poèmes et pièces de théâtre. Dans cet intervalle, Marlowe écrit et fait jouer *Tamerlan*, manifeste poétique d'une idéalisation des pouvoirs humains, *Édouard II*, réflexion sur le pouvoir et la légitimité des rois, *Le Dr Faust*, qui concrétise l'impossible utopie du surhomme, *Le Juif de Malte* où se mêlent l'antijudaïsme le plus caricatural et une satire mordante du monde chrétien. L'historien Camden publie *Britannia*. Giordano Bruno est présent à Londres de 1583 à 1585, dans des cercles proches de Sidney et de Fulke Greville, et il y publie ses ouvrages majeurs en italien, dont *Le Souper des cendres, L'Infini, l'Univers et les Mondes*. En 1586 paraît le *Traité de la mélancolie* du médecin Timothy Bright, dont on retrouve des échos dans *Hamlet*, peut-être aussi dans la tristesse inexplicable d'Antonio, le Marchand de Venise, et, sous une forme parodique, dans Jaques, le mélancolique de *Comme il vous plaira*. Mort de Ronsard (1585). Mort de Sir Philip Sidney (1586).

1587. Sur l'ordre d'Élisabeth Ire, exécution de Marie Stuart, reine d'Écosse et mère du successeur de la reine, le futur Jacques Ier. Construction à Londres du théâtre de la Rose.

1588. La flotte espagnole de Philippe II d'Espagne qui devait envahir l'Angleterre, l'Invincible Armada, est repoussée en 1588 par une providentielle tempête.

1589. Pamphlet de Robert Greene, *The Spanish Masquarado*. En France, le protestant Henri de Navarre devient Henri IV, roi d'une France qui reste catholique : il abjurera sa religion réformée en 1593.

1590-1991. Sont publiés en 1590 *La Reine des fées* d'Edmund Spenser, *L'Arcadie* de Sir Philip Sidney (mort en 1586) et ses Sonnets, *Astrophel et Stella*, le roman pastoral de Thomas Lodge, *Rosalynde, ou le Legs d'or d'Euphues*, source principale de *Comme il vous plaira*. Guarini publie *Le Berger fidèle*. En 1591, John Lyly publie *Endymion*, comédie pastorale sous-titrée *or, the Man in the Moon* que Shakespeare ne manquera pas de parodier, en particulier dans *Le Songe d'une nuit d'été*.

1592. Un pamphlet de Robert Greene dénonce la présence à Londres d'un « acteur à tout faire » se mêlant d'écrire pour le théâtre, un certain « shake-scene » qui voudrait « ébranler la scène ». Mais Shakespeare a déjà une réputation d'auteur : représentation du premier volet de *Henry VI*, pièce historique en trois parties, au théâtre de la Rose (les deux autres l'ont été en 1591), et d'*Édouard III*. De Marlowe, *Massacre à Paris*, pièce incomplète sur le massacre de la Saint-Barthélemy (1572). La comédie *Galathée* de Lyly est publiée. Mort de Montaigne.

1592-1594. Shakespeare écrit des poèmes : *Le Phénix et la Tourterelle*, *Vénus et Adonis*, *Le Viol de Lucrèce*, dédicacés au duc de Southampton, ami du comte d'Essex ; des comédies et des pièces historiques : *Le Dressage de la rebelle* [*The Taming of the Shrew*], *Titus Andronicus*, *Richard III*, malgré une épidémie de peste qui entraîne la fermeture des théâtres. *La Comédie des méprises* s'inspire des jeux de sosies chez Plaute et commence la série des pièces à imbroglios créés par des couples de jumeaux. Mort en 1593 d'Arcimboldo, le peintre maniériste des portraits étranges ou burlesques.

1594-1595. Le nom de Shakespeare apparaît dans une liste d'acteurs professionnels exerçant à Londres. La troupe d'acteurs à laquelle il appartient est placée sous la protection du Lord Chambellan. Sont jouées *Le Roi Jean*, *Peines d'amour perdues*, *Le Songe d'une nuit d'été*, *Roméo et Juliette*, à l'écriture encore dominée par une certaine forme d'*euphuisme*, tout comme *Richard II*, tragédie de la vulnérabilité du pouvoir. Inscription au Registre des Libraires, en 1595, des *Quatre Premiers Livres de la guerre civile* par Samuel Daniel. Traduction par Thomas North des *Vies parallèles des hommes illustres*, de Plutarque, qui serviront de sources à Shakespeare pour ses tragédies romaines. Naissance du peintre des lumières classiques à venir, Poussin (1594). Le Tasse, poète italien de la subjectivité et du pétrarquisme détourné, meurt à Rome (1595).

1596-1598. Mort du jeune fils de Shakespeare, Hamnet (1596). Installation à Stratford où Shakespeare achète une maison, « New Place », dans laquelle il réside désormais. Construction à Londres du théâtre le Swan (le Cygne). Jacques VI d'Écosse, futur Jacques Ier d'Angleterre, publie un traité de *Démonologie* ; Francis Bacon, des *Essais*. Shakespeare publie *Henry IV (première et deuxième parties)*, pièces qui évoquent la jeunesse débauchée du futur Henry V, alors Prince Hal, *Le Marchand de Venise*, *Les Joyeuses Commères de Windsor* où réapparaît Falstaff et où se prolonge sur un mode burlesque la féerie du *Songe d'une nuit d'été*. En 1597, Lyly fait jouer *Sapho et Phao*, pastorale mythologique. Paraît *Un choix d'emblèmes* de Geffrey Whitney, suite de vignettes accompagnées de leur « morale » en forme de poème qui illustrent tous les lieux communs de l'imaginaire contemporain. Le comte d'Essex remporte à Cadix une victoire pleine de panache, mais sans grand profit politique. Sir Walter Raleigh découvre la Guyane. Naissance de Descartes (1596).

1598-1599. Des comédies, *Beaucoup de bruit pour rien*, *Comme il vous plaira*, subvertissent avec esprit le lyrisme et les conventions amoureuses hérités du pétrarquisme. *Henry V*, dernier emprunt à l'histoire anglaise, est joué sans doute pour l'inauguration du théâtre du Globe en 1599. Composition de *Comme il vous plaira*, inscrite au Registre des Libraires en 1600. Avec *Jules César* débute le cycle des grandes tragédies. Des dramaturges écrivent pour la scène à Londres : Ben Jonson, Dekker, Marston. George Chapman commence sa traduction de l'*Iliade* d'Homère. Dans *Palladis Tamia ou les Trésors de l'esprit* (1598), Francis Meres commente la célébrité de nombreux contemporains dont Shakespeare déjà, et lui attribue une pièce intitulée *Le Juif de Venise*. Référence par Samuel Daniel au *Traité de la monarchie*, œuvre en vers de Fulke Greville (publié en 1670). Mort du poète Spenser ; naissance d'Oliver Cromwell qui prendra le pouvoir en 1642 et imposera la fermeture des théâtres réclamée depuis longtemps par les Puritains.

1600. Le thème de la vengeance, déjà influent grâce à Thomas Kyd et à sa *Tragédie espagnole* (imprimée en 1594), revient en force avec *La Vengeance d'Antonio* (pièce en deux parties) de Marston. *Hamlet*, tout en se conformant au schéma imposé du drame de vengeance, crée une forme tragique originale et marque un tournant dans l'écriture et l'esthétique dramatiques de Shakespeare. Des découvertes astronomiques importantes continuent de se faire, mais un philosophe comme Giordano Bruno est brûlé vif à Rome : influencé par Lucrèce, il affirmait l'existence d'une pluralité des mondes et soutenait la vision héliocentrique de Copernic contre la cosmologie d'un monde clos, celle de l'aristotélisme médiéval. Naissance de Calderón de la Barca (le dramaturge espagnol écrira *La vie est un songe*, thème central de la poétique baroque de l'illusion, en 1635, moment où Corneille concevra aussi *L'Illusion comique* et Descartes son *Discours de la méthode*).

1601. Mort du père de Shakespeare. Une dernière comédie brillante, *La Nuit des rois*, met en scène des jumeaux dont la ressemblance crée de facétieux quiproquos et d'imprévisibles dénouements. Publication d'une comédie de Lyly, *La Métamorphose de l'amour*, créée sans doute en 1590. Un *Richard II*, peut-être celui de Shakespeare, est représenté quelques jours avant l'arrestation puis l'exécution d'Essex accusé d'avoir comploté contre Élisabeth. Ben Jonson et Dekker écrivent pour la scène londonienne.

1602. *Troïlus et Cressida*, pièce déroutante, cynique, qui emprunte à Chaucer le héros troyen et prend à contre-pied l'héroïsme homérique. Fondation à Oxford de la première bibliothèque publique par Sir Thomas Bodley.

1603. Mort d'Élisabeth Iʳᵉ. Jacques VI d'Écosse, fils de Marie Stuart (prétendante légitime, exécutée en 1587), lui succède en devenant Jacques Iᵉʳ d'Angleterre. La dénomination de Serviteurs du Roi remplace celle de Troupe du Lord Chambellan. Une tragédie romaine de Ben Jonson, *Séjan*, réflexion sur la nature du pouvoir politique, et une pièce grinçante de John Marston, *Le Malcontent*, satire sombre de la corruption et de la malfaisance politiques, dénotent la nouvelle sensibilité « jacobéenne ». Le théâtre du Phénix ouvre, avec la troupe des enfants de la cathédrale Saint-Paul. Parution en Angleterre des *Essais* de Montaigne dans la traduction de John Florio.

1603-1604. Avec *Tout est bien qui finit bien* et *Mesure pour mesure*, Shakespeare inaugure un style de comédie plus proche du cynisme désabusé de *Troïlus et Cressida* que des jeux avec le pétrarquisme : les ambivalences du désir sous ses aspects les plus charnels occupent ouvertement le centre des intrigues, comme dans la tragédie contemporaine *Othello*. George Chapman écrit sa première tragédie à sujet français tiré de l'histoire contemporaine, *Bussy d'Amboise*, où politique et transgression sexuelle tissent ensemble les intrigues.

1605. *Le Roi Lear* est représenté tandis que le nom de
Shakespeare est cité par l'historien Camden au
nombre des plus grands poètes de son temps. Le
Complot des Poudres contre Jacques Ier, fomenté
par des catholiques, est découvert le 5 novembre.
L'ancien favori d'Élisabeth et grand navigateur, Sir
Walter Raleigh, est compromis et arrêté. Publication
de *The Advancement of Learning* (*Du Progrès des sciences*)
de Francis Bacon.

1606-1607. *Macbeth*. Poursuites pénales à l'encontre de
catholiques ayant refusé de prêter serment, parmi
lesquels, peut-être, la fille aînée de Shakespeare.
Tourneur écrit, sans doute en collaboration avec
Thomas Middleton, *La Tragédie du vengeur*, pièce
marquée déjà de l'érotisme noir qui se développera
au cours du XVIIe siècle et culminera avec John Ford.
Middleton écrit cette même année une pièce au titre
emblématique de l'esprit satirique qui s'installe, *Messieurs, le monde est fou*, tandis qu'une collaboration
fructueuse s'établit entre le dramaturge Ben Jonson
et l'architecte décorateur Inigo Jones pour élaborer
des spectacles de cour, des « masques », aux décors
recherchés et aux allégories mythologiques favorisant la mise en scène de la métamorphose et du
merveilleux. Mort de John Lyly en 1606.

1607. *Antoine et Cléopâtre*, pièce décentrée, baroque à bien
des égards. Au même moment, l'astronome allemand
Kepler découvre et formule la loi du mouvement
elliptique. Ben Jonson fait jouer *Volpone*, toujours dans
la veine satirique. Susanna, la fille aînée de Shakespeare, épouse John Hall, médecin à Stratford.

1607-1608. *Timon d'Athènes*, pièce sarcastique et amère ;
Coriolan, tragédie révélatrice d'une crise des valeurs
et de la pensée humaniste. *Périclès*, première des
comédies romanesques de la dernière période où
des retrouvailles imprévisibles laissent croire au
merveilleux. En France, Honoré d'Urfé publie
L'Astrée, selon un autre courant influent, celui de la

pastorale aristocratique dont on retrouve bien des aspects dans des tragi-comédies de Beaumont et Fletcher, comme *La Fidèle Bergère*. Ces deux auteurs se distinguent pourtant d'abord avec une parodie de comédie romanesque, *Le Chevalier au pilon ardent*. Tandis que Dekker et Middleton, dans *L'Enragée* (*The Roaring Girl*), mettent en scène les bas-fonds de Londres où une femme émancipée fume la pipe mais défend, l'épée à la main, sa féminité sinon sa virginité. George Chapman écrit *La Conspiration et la Tragédie de Biron*, sur des événements français contemporains : en 1602, Henri IV faisait décapiter pour « raison d'État » le maréchal de Biron qui l'avait porté au pouvoir. Mort de la mère de Shakespeare ; naissance d'une petite-fille. Naissance de John Milton.

1609. Première édition des *Sonnets*. *Cymbeline*, nouvelle comédie romanesque qui mêle le merveilleux et la cruauté. Lope de Vega (1562-1635), dramaturge espagnol que l'on a souvent rapproché de Shakespeare, rejette l'allégorie médiévale comme les excès de la préciosité dans *Le Nouvel Art de faire des comédies*, prônant un art très proche de la pratique shakespearienne, ne se fiant à aucune règle et rejetant Aristote. Attribuée à Tourneur, et toujours structurée par le thème de la vengeance, *La Tragédie de l'athée*. La troupe des Serviteurs du Roi a acquis un nouveau théâtre, couvert et privé, Blackfriars (couvent de dominicains désaffecté), dont la nouvelle scène permet des expérimentations théâtrales, des « masques » en particulier. Galilée invente la première lunette astronomique.

1610. *Le Conte d'hiver*, où le merveilleux n'est qu'un artifice de la nature pour réparer ce qui aurait pu être une tragédie de la violence et de la jalousie. *L'Alchimiste* de Ben Jonson. En Italie, développement d'un nouvel art de la scène, l'opéra, avec un *Orpheo* de

Giacobbi. Shakespeare se retire à Stratford. En France, assassinat d'Henri IV.

1611. John Donne, dans *Une anatomie du monde*, se fait l'écho d'une remise en question des cosmogonies traditionnelles et de la percée d'une « nouvelle philosophie », sceptique, inspirée de Lucrèce. Publication de la « Version autorisée » de la Bible. Dans *La Tempête*, souvent perçue comme une œuvre testamentaire, Shakespeare radicalise la poétique de l'illusion, rendant toute relation au réel subjective et sujette à caution : « Nous sommes de l'étoffe dont les rêves sont faits, et notre petite vie est entourée par un sommeil. » Une tragédie désabusée, *Catilina*, de Ben Jonson. Avec Fletcher, Middleton, Dekker et Heywood s'épanouissent les nouveaux courants dramatiques, comédies de mœurs, tragi-comédies, « masques » allégoriques. Rubens est déjà célèbre.

1612. Mort du prince héritier, Henry : élégies, pièces musicales, témoignent de l'importance de l'événement. Chapman publie sa traduction de l'*Iliade*, Thomas Shelton, la traduction de la première partie du *Don Quichotte* de Cervantès, paru en Espagne en 1605. Webster écrit sa première tragédie où se mêlent machiavélisme et sensualité, *Le Démon blanc*. Des sorcières sont condamnées à la pendaison dans le Lancashire.

1613. Élisabeth, fille de Jacques Ier, épouse l'Électeur palatin. *Henry VIII*, œuvre historique de circonstance, écrite en collaboration avec John Fletcher. Au cours d'une représentation, le théâtre du Globe brûle. Parution des *Solitudes* de Gongora, dans un style, le « gongorisme », apparenté à l'euphuisme et aux poétiques maniéristes.

1614. Une tragédie sombre d'où toute transcendance est absente, *La Duchesse d'Amalfi*, de Webster, est jouée par la troupe de Shakespeare (elle sera publiée en 1623). Sir Walter Raleigh publie une *Histoire du Monde*, écrite en prison où il mourra en 1618. Chapman traduit l'*Odyssée*. Le Globe est reconstruit, mais Shakespeare a cessé d'écrire.

1615. Cervantès : deuxième partie de *Don Quichotte*. Harvey décrit la circulation du sang. Procès de Galilée devant le Saint-Office à Rome (il sera emprisonné en 1633, à une époque où Descartes conçoit son *Discours de la méthode* publié en 1637).

1616. Mariage de Judith, deuxième fille de l'auteur. Shakespeare fait un testament. Il meurt le 23 avril. Cervantès meurt la même année, voire le même jour. Publication du premier *in-folio* des œuvres de Ben Jonson, alors aussi célèbre que Shakespeare, ce qui signale l'entrée du texte de théâtre au nombre des œuvres littéraires à part entière. En France, le poète protestant Agrippa d'Aubigné publie son long poème polémique, *Les Tragiques*, et François de Sales son *Traité de l'amour de Dieu* dont la mystique s'exprime dans une relation sensuelle et charnelle avec Dieu et influence les « Poètes métaphysiques » Donne et Crashaw. En 1618, Sir Walter Raleigh, fondateur de la Virginie, colonie américaine, est exécuté après quelque douze années en prison pour participation jamais prouvée au Complot des Poudres contre Jacques Ier.

1619-1622. Un monument funéraire à l'effigie de Shakespeare est érigé dans l'église de Stratford avec une épitaphe à la gloire du poète. Les premiers Puritains chassés d'Angleterre, les « Pères pèlerins », installent des colonies en Amérique à partir de 1620. En 1621, le théologien philosophe Robert Burton publie l'*Anatomie de la Mélancolie* et la nièce de Sidney, Mary Wroth, une pastorale de la mélancolie, *Urania*. Cette année-là, naissance en France de La Fontaine et, l'année suivante, de Molière. Le mariage du prince de Galles, le futur Charles Ier, avec Henriette-Marie de France, princesse catholique, fille d'Henri IV, se prépare. Ils monteront sur le trône d'Angleterre en 1625, à la mort de Jacques Ier, et Charles Ier mourra

décapité en 1649, lors de la révolution puritaine
sous Cromwell.

1623. Première édition *in-folio* regroupant toutes les œuvres
dramatiques attribuées à Shakespeare à cette date.
Périclès n'y figure pas, ni les pièces longtemps consi-
dérées comme apocryphes : *Édouard III*, *Thomas
More*. *Cymbeline* est classée parmi les tragédies. Dix-
huit pièces sont imprimées pour la première fois, ou
pour la première fois sous le nom de Shakespeare.
Naissance de Pascal.

NOTICE

LA DATE

Comme il vous plaira est inscrite sous ce titre le 4 août 1600 au Registre des Libraires, mais, bien que la mention « un livre » accompagne cette entrée, elle figure sur une liste de pièces dont la parution est notée « à différer » (« to be staied ») par la Société des Libraires chargée d'autoriser les éditions des œuvres. L'autorisation différée pouvait signifier soit que l'œuvre devait être protégée de tout abus de piratage, soit qu'elle avait retenu l'attention de la censure. De fait, aucun *in-quarto* n'est paru ni ne paraîtra avant sa première édition en 1623, dans l'*in-folio* rassemblant les œuvres dramatiques de Shakespeare, alors que deux autres pièces figurant sur cette même liste de publications à différer, *Henry V* et *Beaucoup de bruit pour rien*, seront publiées en *in-quarto* dans le courant de cette même année 1600.

Une explication à ce long délai est parfois avancée qui, sans paraître déterminante, restitue la comédie dans une phase particulièrement active de l'écriture satirique, celle de la génération des Malcontents, autour de 1600, et dans un moment de très grande vulnérabilité du pouvoir d'Élisabeth Ire, menacée de plus près par le complot d'Essex. Dans

Henry V, Shakespeare se fait l'écho dans l'un des chœurs du retour triomphal à Londres qui attendrait Essex rentrant d'Irlande tel un nouveau César ; n'était qu'il ne revint pas vainqueur, et que la reine le fit décapiter en 1601 pour complot avéré contre sa personne. De fait, l'*in-quarto* d'*Henry V*, après suspension, paraîtra en 1600, mais sans ses chœurs, imprimés seulement dans la version plus complète de l'*in-folio*, vingt ans après la mort d'Élisabeth Ire.

Dans *Comme il vous plaira*, la transgression, si tel était le motif de la suspension, paraît plus anodine, mais touche peut-être à nouveau à la présence d'Essex dans les affaires publiques et littéraires. Le choix du nom donné au malcontent mélancolique, Jaques, cacherait une allusion à un cousin de la reine, John Harington, bénéficiaire des largesses d'Essex. Un écrit de Harington, en apparence purement descriptif, *Discours nouveau sur un vieux sujet, intitulé la Métamorphose d'Ajax* [*A New Discourse of a Stale Subject, called the Metamorphosis of Ajax* (1596)], pouvait être lu comme une satire politique du pouvoir royal, sous couvert de décrire sa propre invention, un water-closet, qui lui avait valu le surnom d'Ajax, de même prononciation que le mot anglais désignant cette pièce intime — *a jakes* — et que celui de Jaques, nom du personnage de *Comme il vous plaira*. Mais Harington n'est pas seulement célèbre pour son usage ironique et satirique de la *lingua latrina*[1] : il est aussi traducteur de l'Arioste et de son *Orlando furioso* dont il donne une version en vers en 1592 à laquelle Shakespeare aurait pu emprunter le nom de son jeune amant, à moins qu'il ne s'inspire de *L'Histoire d'Orlando furioso* traduite et mise en scène par Robert Greene la même année. Harington est de plus auteur versatile de poèmes maniéristes dont il ponctue les moments futiles ou marquants de

---

1. Nathalie Vienne-Guérin cite l'expression et la controverse autour de John Harington dans « "Castalian King Urinal" : La "Langue Latrine" dans *The Merry Wives of Windsor* », in *Langue et altérité dans la culture de la Renaissance, Language and Otherness in Renaissance Culture*, Ann Lecercle et Yan Brailowsky (éd.), Presses Universitaires de Paris Ouest, 2008, p. 21.

sa vie. Ainsi, lors de la naissance de leur premier fils, en 1589, il fait présent à sa femme d'un diamant, qu'il accompagne d'une « élégie » : la pierre précieuse y devient la « pierre de touche » de leur amour mutuel[1], et nouvelle tentation pour la critique d'y voir plus qu'une rencontre accidentelle avec le nom du bouffon dans la comédie, ce Pierre de Touche dont un Jaques précisément commente avec extase la présence dans la Forêt d'Ardenne.

Toujours est-il que le seul texte de la comédie qui nous soit parvenu est celui qui figure dans l'*in-folio* de 1623, où sont rassemblées les œuvres dramatiques de Shakespeare après sa mort en 1616. La date de composition remonterait au plus tôt à la fin de 1598, sans doute juste après la parution de *Palladis Tamia* par Francis Meres : cet auteur n'y fait pas référence, bien qu'il donne avec enthousiasme les titres de comédies de Shakespeare déjà connues comme preuves de l'excellence de son génie dans le genre de la comédie comme de la tragédie. Toujours en 1598, un *Premier livre d'airs* publié par le compositeur Thomas Morley contient l'air chanté dans *Comme il vous plaira*, « Y avait un amant et sa mie[2] ».

Un autre emprunt à une œuvre publiée en 1598 milite également pour une date assez précoce de composition de la comédie, entre fin 1598 et 1599 : un vers de *Héro et Léandre*, texte publié en 1598, de Christopher Marlowe, également auteur d'un poème sur l'hédonisme pastoral, « Le berger passionné à son amante[3] » paru en 1599, est explicitement attribué à ce « berger disparu[4] », Marlowe étant mort en 1593. Le vers cité est ironiquement détourné de sa source pour faire dire à une bergère, Phébé, subjuguée par la vue de Rosalinde qu'elle prend pour un garçon sous son

---

1. « The touch will try this ring of purest gold, / My touch tries thee, as pure though softer mold », dans *An Elegy of a Pointed Diamond Given by the Author to His Wife at the Birth of his Eldest Son*, 1589, vv. 5-6.
2. *Comme il vous plaira*, V, III, 16-33.
3. « The Passionate Shepherd to His Love », écrit dans les années 1590.
4. *Comme il vous plaira*, III, v, 81-82.

travestissement en Ganymède : « Qui a jamais aimé, aime au premier regard[1]. »

LE TEXTE ET SON ÉTABLISSEMENT

Il en est du texte de cette comédie comme des autres textes de Shakespeare : aucun manuscrit n'en a été retrouvé à ce jour pour authentifier les interprétations des premiers compositeurs, les seules traces manuscrites du dramaturge retrouvées concernant une pièce très lacunaire, écrite de plusieurs mains et longtemps considérée comme apocryphe, *Sir Thomas More*[2].

Le principe éditorial qui guide cet établissement du texte anglais est celui d'une fidélité aussi grande que possible à la première version imprimée et donc ici, en l'absence de tout *in-quarto* qui aurait pu la précéder, au texte qui figure pour la première fois dans l'*in-folio* de 1623 et qui servira de texte de base. La qualité assez exceptionnelle de ce texte est sans doute le signe que les compositeurs de 1623 ont utilisé un exemplaire déjà préparé en vue de son édition et non, comme pour d'autres pièces, un « brouillon » d'auteur (*foul papers*) encore mal stabilisé et parfois contredit par quelque exemplaire de souffleur (*prompt book*) annoté lors de mises en scène.

Le texte de *Comme il vous plaira* tel qu'il est publié dans l'*in-folio* de 1623 montre en effet qu'il a été préparé avec soin et complété sans hiatus à l'aide d'un exemplaire de souffleur ayant déjà régularisé les jeux de scène. Il reste quelques passages qui se concilient mal, résidus peut-être d'anciennes rédactions, dont les tailles variables de Rosa-

---

1. *Ibid.*, III, v, 82.
2. Voir « Sir Thomas More », Jean-Pierre Villquin et Gilles Bertheau (éd.), *in* Shakespeare, *Œuvres Complètes* (IV), *Histoires* (II), Gallimard, Bibliothèque de la Pléiade, 2008, Notice, p. 1686 en particulier.

linde, la plus grande en I, III, 113, tandis que Célia l'est en I, II, 269 ; ou encore une confusion possible sur « le Duc Frédéric », titre tantôt assigné au Duc en exil, tantôt au père de Célia, le Duc usurpateur, bien que la nomination des personnages soit faite avec cohérence et les indications scéniques assez précises pour suggérer jusqu'à l'apparence extérieure des personnages. Ainsi Rosalinde est-elle annoncée comme travestie « en Ganymède », le Duc banni et ses commensaux « en hors-la-loi », ou encore « en forestiers ». La comédie a également déjà été divisée à ce stade en actes et scènes, et les entrées et sorties de personnages en cours de dialogue sont assez clairement signalées.

L'utilisation tantôt de la prose tantôt de formes versifiées, elles-mêmes jouant de choix mobiles entre pentamètres usuels et formes à vers courts et rimés, voire chantés, semble répondre à une poétique bien spécifique dans cette comédie, mais elle est parfois perturbée dans certains passages du vers à la prose, ou vice versa, par des alinéas manifestement non pertinents, soit résiduels d'une possible rédaction antérieure soit introduits dans la prose par les compositeurs de l'*in-folio*[1].

L'orthographe a été ici modernisée mais les élisions archaïques et les contractions traditionnelles de mots sont toutes préservées pour des raisons de métrique. Ainsi de la plus fréquente, *'tis* (une seule syllabe) pour *it is* (deux syllabes) ; ou encore de l'élision en -*'d* des prétérites ou des participes passés à finale en -*ed* non sonore qui figure partout ailleurs dans l'*in-folio*, aide précieuse pour des lecteurs français cherchant à scander des vers anglais, qu'il s'agisse des pentamètres anglais à cinq accents ou des formes courtes parodiques ou chantées. Les éditions anglo-saxonnes optent parfois pour une modernisation radicale sans élision, se contentant quand la finale en -*ed* est sonore de l'affecter d'un accent -*éd* — mais la solution serait perturbante pour

---

1. Pour un relevé développé, voir Stanley Wells et Gary Taylor, « Lineation Notes », in *William Shakespeare. A Textual Companion*, Oxford University Press, 1987, pp. 637, et 647-648.

un lecteur français dont la langue contient elle-même des accents. La ponctuation a été également modernisée, c'est-à-dire surtout allégée de virgules et de signes manifestement redondants. Les crochets droits ou italiques signalent notre intervention éditoriale dans le texte, le plus souvent pour corriger ou compléter des noms de personnages ou des didascalies (entrées et sorties de personnages, surtout).

LES SOURCES

Thomas Lodge et Rosalynde

Comme pour la majorité de ses pièces, Shakespeare procède à la réécriture d'une œuvre connue empruntée à un auteur dont il adapte l'histoire et les personnages aux exigences de la scène. Il n'en va pas autrement de *Comme il vous plaira* dont la source, identifiée dès le XVIIIe siècle, est un roman pastoral, *Rosalynde*, publié par son contemporain Thomas Lodge en 1590, et déjà assez célèbre pour avoir connu au moins trois rééditions avant 1598.

Lodge annonce lui-même ses propres sources par un sous-titre éclairant : *le Legs d'or d'Euphues* (*Euphues Golden Legacy*), autrement dit une écriture à la manière de John Lyly, le plus maniériste des maniéristes anglais et auteur d'un roman d'apprentissage, *Euphues, ou l'Anatomie de l'esprit*, publié en 1578. De fait, l'écriture maniériste, dans son attention extrême au style mais aussi dans son jeu insolent avec les règles mêmes de l'écriture poétique, est un fait dominant de la pastorale de Lodge comme elle le restera dans la comédie de Shakespeare.

Mais un autre emprunt passera dans sa pastorale et sera repris par Shakespeare dans *Comme il vous plaira* : Lodge emprunte le début mouvementé de la querelle entre les frères à un lai breton ou chanson de geste, le *Conte de Gamelin*. Ce conte aurait été trouvé au XIVe siècle au milieu d'autres manuscrits de Geoffrey Chaucer, sans qu'il ait jamais été authentifié ni imprimé comme tel : récit d'un exil, on y voit le jeune Gamelin poussé à s'enfuir après l'avoir emporté à la lutte contre un lutteur professionnel soudoyé par son frère aîné pour le tuer. Le vieux serviteur de sa famille, Adam Spenser, l'accompagne en exil malgré son épuisement. Ils trouvent refuge au fond d'une forêt, auprès de hors-la-loi qui tout d'abord les nourrissent. Une violente querelle a opposé Gamelin à son frère aîné pour un testament transgressé par l'aîné, « testament de Jean de Bordies » dans le conte médiéval qui sera changé en « testament de Jean de Bordeaux » dans la pastorale, puis deviendra celui de « Sire Roland des Bois » dans la comédie, avec toutes les conséquences qui en découlent pour le cadet rebelle dans les trois textes : il est non seulement privé de son maigre héritage mais surtout des études et de l'éducation aristocratique qui lui étaient dues.

Les mêmes changements d'humeur et brusques décrets d'exil passent également du conte dans la pastorale de Lodge où ils contraignent Rosader (nom d'Orlando dans la pastorale de Lodge), puis Rosalynde et Alinda (qui deviendra Célia dans Shakespeare) à la fuite en Arden ou Ardenne. Les mêmes épisodes où l'on voit Adam mourant de faim secouru par Rosader reviennent dans la comédie. De même du travestissement de Rosalynde en Ganymède, de l'achat de la chaumière de Coridon par les jeunes femmes — un Coridon soutenant un jeune berger, Montanus chez Lodge, malade d'amour pour Phébé, ravissante bergère dans la pastorale, moins avantageusement traitée dans la comédie, mais toutes deux tombant follement éprises de Ganymède « au premier regard ».

Des poèmes seront placardés sur des arbres dans le texte de Lodge comme dans la comédie. De même, le vieux Duc exilé, père de Rosalynde, est déjà dans la forêt chez Lodge, et y vit comme un « hors-la-loi ». Un épisode le montre aussi, comme dans la comédie, tout près de reconnaître sa fille sous les traits de Ganymède. Bien sûr, Shakespeare emprunte à la Rosalynde de Lodge l'idée de contraindre son amant à la courtiser alors qu'elle est travestie en Ganymède. De même, ce qui relie intimement la pastorale de Lodge à la comédie de Shakespeare est l'étroit parallélisme de la rédemption des usurpateurs dès lors qu'ils entrent en Ardenne : Lodge se donne plus d'espace pour faire naître le lien amoureux entre Aliéna et Saladin (Olivier dans la comédie), et se donne tout loisir de le changer en héros la sauvant d'une attaque de bandits dans la forêt avant de précipiter leur mariage, célébré comme dans la comédie en même temps que celui du berger Montanus et de Phébé, et celui de Rosader et de Rosalynde. Et non sans que Rosader, comme plus tard Orlando dans la comédie, n'ait surmonté sa rancune envers son frère et ne l'ait sauvé des griffes d'une lionne et d'un serpent. Seul Shakespeare sera plus généreux avec le Duc usurpateur : dans la pastorale de Lodge, sous son identité de Torismond, il subit une défaite finale devant une coalition de pairs de France, et meurt dans la bataille, tandis que Gérismond, père de Rosalynde, retrouve son trône à Paris (les noms de Torismond et Gérismond venaient eux-mêmes d'une pièce du Tasse, de 1587 : *Le Roi Torismond*). Dans *Comme il vous plaira*, l'usurpateur Frédéric, venu lui aussi en Ardenne avec une armée importante pour lancer un dernier assaut contre son frère, se voit au contraire « converti » par un vieil ermite, et rend tous leurs biens à ceux qu'il avait bannis.

HISTORIQUE DE LA MISE EN SCÈNE

« L'amour en forêt »

Des indices laissent imaginer une création sur scène de *Comme il vous plaira* contemporaine de sa conception, mais aucune vérification matérielle n'est venue corroborer à ce jour les hypothèses. Ainsi d'une légende transmise au xviiie siècle par l'érudit George Steevens, éditeur avec Samuel Johnson de l'œuvre dramatique de Shakespeare en 1778, rapportant les souvenirs soit d'un des frères de William encore vivant sous la Restauration, soit d'un très vieil habitant de Stratford, l'ayant vu dans ce qui pourrait être le rôle du vieil Adam entrant dans la Forêt d'Ardenne en « vieillard décrépit » et porté par une autre personne jusqu'à une table de festin où quelqu'un chantait une chanson[1]. D'autres supputations voudraient qu'une nouvelle tournure de bouffon philosophe ait été donnée à la création de Pierre de Touche pour l'adapter au nouvel arrivant dans la troupe, Robert Armin, remplaçant après 1600 un Will Kemp plus spécialisé dans le burlesque ; encore que d'autres hypothèses voient dans le rappel à l'acte III de la « controverse de Marprelate » (le puritain moqué en Martext ou Brouille-Prêche), qui avait agité les théâtres, l'indice que Kemp, actif dans cette controverse, aurait créé le rôle en 1599[2].

Une lettre écrite par John Harington le 20 avril 1605 et alléguant la supériorité éventuelle du théâtre sur des écrits plus traditionnels pour en tirer des préceptes moraux semble paraphraser le discours de Jaques sur les sept âges de l'homme et pourrait donc témoigner de représentations mémorisées par les contemporains à cette date[3]. Elle n'en est pas pour autant une preuve certaine tant la vision de la vie comme théâtre que contient le passage de Shakespeare répète elle-même celle des moralistes inspirés par les stoïciens, au premier rang desquels figure au xvie siècle Épictète (son *Manuel* est traduit du grec en anglais en 1567) voyant la vie comme une pièce de théâtre où chacun joue

---

1. Voir Samuel Schoenbaum, *William Shakespeare*, trad. Anne-Dominique Balmès, Flammarion, 1996, pp. 202-203.
2. Voir Alan Brissenden (éd.), Oxford World's Classics 1993, p. 26.
3. Voir Andrew Gurr, se demandant que les contemporains mémorisaient et réutilisaient des pièces entendues et citant à ce propos le monologue de Jaques sur les âges de la vie et la correspondance de 1605 entre John Harington et Lord Cecil, « Learned ears », in *Playgoing in Shakespeare's London*, Cambridge, 1987, p. 98.

son rôle avant de quitter la scène sans en connaître le pourquoi.

Pourtant, bien que *Comme il vous plaira* soit inscrite dès
le 4 août 1600 au Registre des Libraires, aucune mise
en scène contemporaine n'en est répertoriée, ni sur la toute
nouvelle scène du Globe où se produit depuis 1599 la
troupe du grand chambellan pour laquelle Shakespeare
écrit, ni à la cour, malgré des hypothèses intéressantes mais
non confirmées d'une représentation devant Élisabeth Ire
au palais de Richmond, pour les fêtes de la Chandeleur le
20 février 1599[1], ou devant le nouveau roi, Jacques Ier, en
1603, à Wilton House où vivait Mary Sidney, sœur du
poète, selon une lettre de cette dernière qu'aurait vue un
visiteur en 1865 mais jamais retrouvée[2]. Du moins un
document de 1669 atteste-t-il que la pièce avait bien été
programmée pour être jouée du vivant de Shakespeare :
Comme il vous plaira figure sur la liste des pièces que les
Comédiens du Roi ont eu l'autorisation de jouer dans l'ancien théâtre des Blackfriars, pièces qui sont désormais
dévolues à John Killigrew pour son Théâtre Royal à Drury
Lane[3].

Il faut donc attendre le XVIIIe siècle pour qu'une première
représentation de la comédie soit attestée sans réserve. Après
l'abandon d'une éphémère tentative de Charles Johnson,
en 1723, d'en tirer une adaptation à partir d'éléments hété-
rogènes empruntés à la pièce et à d'autres comédies sous le
titre *Love in a Forest* (*L'Amour en forêt*), la comédie est jouée
le 20 décembre 1740, sous son titre original *As You Like It*
(*Comme il vous plaira*) tel qu'il figure dans l'*in-folio* de 1623,
au théâtre de Drury Lane, où la pièce restera pour long-

---

1. Voir Juliet Dunsiberre, « Pancakes and a Date for *As You Like It* »,
Shakespeare Quarterly, n° 54 (4), 2003, pp. 371-405. La supposition,
qui repose sur la découverte d'un texte manuscrit en forme d'épilogue
de 1598 qui pourrait avoir conclu la pièce, est reprise dans son édition
Arden 3, 2006, p. 37-41 et appendix I.
2. Voir Samuel Schoenbaum, *op. cit.*, pp. 169-170.
3. Public Records Office, LC 5/12, pp. 212-213, reproduites dans
l'édition Dunsiberre Arden 3, pp. 44-45.

temps à l'affiche. Elle y est donnée dans une distribution nécessairement révolutionnaire — et qui parfois paraîtra révoltante à certains — puisque désormais des comédiennes et non plus de jeunes acteurs jouent les rôles féminins, selon le goût nouveau rapporté de Versailles en 1660 lors du retour des Stuart sur le trône, une fois terminé l'épisode de la république de Cromwell et des Puritains qui avaient fait fermer les théâtres anglais en 1642.

Ainsi la première Rosalinde connue en scène sera la très spirituelle Hannah Prichard qui crée le rôle en 1740 au théâtre de Drury Lane, tandis que la déjà célèbre Peg Woffington le reprend à Covent Garden dès 1741. Nombre d'actrices s'y essaieront après elles avec des fortunes diverses mais toujours avec pour résultat de focaliser l'attention des critiques presque exclusivement sur ce rôle lorsqu'ils rendent compte d'une mise en scène jusqu'à une date récente. Célia retient parfois l'attention, comme en 1740 : non seulement elle est incarnée par l'excellente Kitty Clive, mais celle-ci y reprend le chant du coucou déjà entendu à la fin moqueuse de *Peines d'amour perdues* ironisant sur les amants cocus avant le mariage.

Déjà développée à Drury Lane où *Comme il vous plaira* sera la plus souvent jouée des comédies, une tradition va se confirmer de lui ajouter toujours plus de chants et de musiques de scène. Dès *L'Amour en forêt*, la musique de Thomas Arne accompagnait le chant d'Amiens, « Souffle, souffle, vent d'hiver », mais en 1824, à Covent Garden, la pièce a pris des allures de comédie musicale avant la lettre sous la direction de Frederic Reynolds. En 1842, la *Symphonie pastorale* de Beethoven accompagne la mise en scène profuse en effets réalistes de Macready. Pourtant, si les airs ont toujours tenté les compositeurs, un seul opéra a été tiré de la pièce, écrit par un violoniste italien, Francesco Veracini, qui avait peut-être exécuté un interlude dans la comédie, en tout cas avait joué dans *L'Opéra du gueux*, écrit par John Gay en 1728. Veracini compose *Rosalinda* d'après *Comme il vous plaira* en 1744, opéra repris à Weimar en

2002 lors du congrès de la Société allemande Shakespeare avec dans le rôle de Rosalinda la soprano Heike Porstein.

« Que vais-je faire de mon pourpoint et de mes chausses ? »

Le déguisement de Rosalinde prend un tout autre sens maintenant que les rôles de femmes sont confiés non plus à de jeunes garçons mais à des actrices, et la métamorphose en Ganymède devient ambiguë tout autrement. Il ne s'agit plus de profiter légalement d'une levée temporaire de l'interdit biblique[1] sur le travestissement lors de fêtes carnavalesques, ou de jouir de cet attrait propre aux sensibilités maniéristes du même pour le même qui jouait sur les incertitudes du « genre[2] » à la fin du XVIe siècle, mais d'une manipulation tout autre des apparences, à double visée et aux effets parfois contradictoires : le travestissement en homme sera perçu tantôt comme occasion de scandale voyeuriste, tantôt vécu comme attraction sexuelle supplémentaire au siècle de l'hédonisme masculin ; quand ces effets ne se cumulent pas à l'ère romantique avec la troublante émotion devant la féminité qui s'exprime en Rosalinde malgré l'habit de Ganymède et sur laquelle Shakespeare jouait déjà en faisant rougir son héroïne apprenant l'arrivée d'Orlando en Forêt d'Ardenne : « Malheureux jour, que vais-je faire de mon pourpoint et de mes chausses ? »

L'obsession d'exprimer une « nature » féminine ira de pair avec la montée du naturalisme dans les mises en scène de la « Forêt d'Ardenne » qui sert de cadre à la comédie, si complètement assimilée au localisme de la culture anglaise qu'on en fera une Forêt d'Arden intimement liée au patrimoine national et même, pour le peu qu'on sache de la bio-

---

1. L'interdiction de se travestir dans les vêtements du sexe opposé figure dans le Deutéronome, XXII, 5.
2. Voir Préface, p. 19.

graphie shakespearienne, à la mère du dramaturge portant le nom d'Arden. Si ce n'est même le lieu précis auquel mène le jeu de piste de Célia, « au fond du val voisin », une fois « la rangée d'osiers… / laissée à main droite », vous conduisant en plein cœur du Warwickshire, à tel cottage à l'angle d'une rue de Stratford, à cette « bergerie entourée d'oliviers » qui de tout temps ont poussé « aux confins de cette forêt[1] »… d'Arden, souvenir déjà nostalgique d'une ancienne Forêt d'Arden. Ironie de la géographie sinon de l'histoire : les premières représentations datées de la pièce semblent avoir été données en France non loin de la forêt des Ardennes, au Collège anglais de Douai, catholique de surcroît, comme en témoigne un exemplaire de *Comme il vous plaira* de 1694 déposé à la bibliothèque de cette ville.

Les commentaires sur les actrices vont donc souligner leur talent à jouer le jeu de la simulation masculine tantôt pour dévoiler un corps aux charmes féminins sans équivoque, tantôt pour montrer jusqu'au sentimentalisme l'affleurement de la « nature féminine » sous les oripeaux virils. Tantôt, plus rarement ou plus récemment, pour révéler le « garçon manqué » censé sommeiller en toute fille quand celle-ci regimbe aux travaux d'aiguilles. Quand les confidences des actrices sur ce rôle ne serviront pas l'exploration féministe du moi, comme lorsque Helena Faucit, l'une des Rosalindes les plus prisées au XIXe siècle pour avoir su concilier grâce féminine et raillerie amoureuse, analyse ce rôle[2], « forme oblique d'autobiographie[3] » écrira une critique à ce propos ; ou lorsque Ellen Terry évoque au contraire le manque cruel ressenti jusqu'à la fin de sa vie pour n'avoir jamais incarné à la scène le rôle que tous à la ville lui attribuaient, confessant en avoir rêvé « pendant des

1. *Comme il vous plaira*, IV, III, 77-81.
2. Helena Faucit se livre dans *On some of Shakespeare's Female Characters*, W. Blackwood & sons, 1888.
3. Julie Hankey, citée dans « Helen Faucit and Shakespeare : Womanly Theatre », in Mariane Novy, *Cross-cultural Performances : Differences in Women's Re-Visions of Shakespeare*, Urbana et Chicago, p. 58, cité dans Juliet Dunsiberre (éd.), Arden 3 Shakespeare, Londres, 2006, p. 120.

siècles[1] », s'appuyant sur la conception qu'il implique d'une féminité libérée pour défendre Shakespeare de tout antiféminisme.

L'ambiguïté originelle du travestissement en Ganymède semble si bien oubliée que l'épilogue lui-même en perd sa pertinence et que l'unique moment où Shakespeare se montrait conscient des enjeux du « genre » de ses acteurs en faisant dire à Rosalinde « Si j'étais une femme » est souvent modifié en ces paroles banales, voire inutiles : « Si j'étais au milieu de vous[2] ».

Une Rosalinde américaine, Ada Rehan, restera dans les mémoires pour avoir réussi à bouleverser le caustique George Bernard Shaw lors de représentations à Londres, au Lyceum, en 1890, avant de jouer le spectacle au Vaudeville à Paris, en 1891. On célébrait en elle le cœur battant au féminin sous le justaucorps viril, sa *womanliness*[3] ou façon d'être femme ! Ce qui aurait manqué précisément à Lily Brayton en 1907, au théâtre His Majesty's mais qu'aurait compensé pour le bonheur du spectateur de l'époque le vérisme de la mise en scène : Rosalinde y paraissait pour la première fois en authentique « berger » avec braies et houlette, besace et peau de bête[4], devant deux mille pots de fougères et autres plantes forestières, couches de feuilles mortes au sol et mousse épaisse sur les souches. Un vérisme qui avait son coût en termes d'esthétique théâtrale : la pièce avait dû être redécoupée en « tableaux » eux-mêmes regroupés en trois actes pour éviter les retours à la cour de Frédéric qui auraient impliqué de désinstaller chaque fois les deux mille pots.

Le vérisme forestier ne s'en tiendra pas aux fougères : en 1885, au théâtre St. James, un ruisseau courait entre les

1. Lettre à Horace Howard Furness, écrite en 1894.
2. Voir Alan Brissenden et son commentaire de V, Épilogue, 19-20, p. 228 de son édition (*As You Like It*, The Oxford Shakespeare, Oxford, Clarendon Press, New York, Oxford University Press, 1993).
3. Mot d'un journaliste en 1897, cité par Alan Brissenden dans son édition (*ibid.*, p. 60).
4. Voir la gravure reproduite par Alan Brissenden, *ibid.*, p. 61.

joncs. Bientôt, de vrais cerfs viendraient y boire, en 1908, dans la mise en scène de Richard Flannagan, à Manchester : l'acteur William Harcourt, qui jouait Orlando, raconte dans ses Mémoires son expérience d'Actéon imprévu poursuivi non par ses chiens mais par les cerfs eux-mêmes. Toujours en 1885, à Stratford, on vit même Audrey manger en scène un authentique navet natif d'un jardin d'Arden, tradition qui se serait installée dès 1825. Jaques, quant à lui, aux mêmes dates, se devait de dire son célèbre monologue sur les sept âges de l'homme en croquant à belles dents dans une pomme issue des vergers du Warwickshire.

« Un tréteau nu »

Enfin William Poel vint. Non qu'il mît jamais lui-même en scène *Comme il vous plaira* — comédie qu'il ne mentionne même pas dans son ouvrage de 1911, *Shakespeare au théâtre*. Mais en créant la Société du théâtre élisabéthain [the Elizabethan Stage Society] en 1894 avec la volonté de retrouver les conditions les plus proches du jeu des comédiens du temps de Shakespeare sur une scène élisabéthaine libérée de tout encombrement, il permet de rompre avec les opulentes mises en scène qui interdisaient tout retour à une diction du texte autre qu'exagérément naturaliste ou psychologisante, et surtout empêchaient toute fluidité dans les enchaînements d'une scène à l'autre pourtant si typiques de la poétique scénique de Shakespeare et de ses contemporains.

C'est donc une tout autre relation au texte lui-même qui s'établit, et aux personnages, et au rythme de jeu — Poel préconisait même de ne plus tenir compte des découpages en actes et scènes de l'*in-folio* quand il y avait un *in-quarto* à disposition, comme il le fit lui-même en recourant au premier *in-quarto* d'*Hamlet* pour sa mise en scène de la tragédie, restaurant jusqu'à la ponctuation d'origine pour retrouver les rythmes et la diction au plus près de la pulsation des textes. La révolution du retour à l'histoire esthétique du théâtre aboutit à de nouvelles expérimentations dont, prioritairement, le retour du plateau nu de théâtre, sans décor. Ce moment d'extrême attention au style que favorise la révolution de Poel rencontre l'autre courant lui aussi attentif aux désencombrements de l'écriture ou de l'expression esthétique : un élève de Poel, Harley Granville Barker, fait la jonction avec le courant moderniste et la recherche d'une simplification des formes.

Ce n'est qu'en 1921, toutefois, qu'un autre élève de Poel, et toujours dans la veine du dépouillement moderniste, Nugent Monck, monte *Comme il vous plaira* à la manière élisabéthaine, dans un théâtre de Norwich qu'il a tout spécialement adapté d'après le modèle de la Fortune, théâtre londonien du XVIe siècle. La comédie sert de pièce inaugurale. Sans avoir été remarquable en tous points, la mise en scène le reste pour la fluidité extrême des entrées et sorties de scène obtenue par l'empiétement rapide de l'une sur l'autre, sans laisser le moindre intervalle. Une expérience moins élisabéthaine, plus moderniste, à Stratford, en 1919, avait conduit Nigel Playfair à tirer la comédie vers le music-hall avec une volonté de casser les codes de représentation, optant pour une stylisation mélangeant médiévalisme et couleurs clinquantes.

Des expériences aussi radicales sont menées en France par Jacques Copeau qui dit vouloir toujours donner la priorité au texte dramatique, à mettre en scène sur un « tréteau nu ». Albert Camus souligne légitimement qu'au théâtre il y aura un avant et un après Copeau[1]. De fait, lorsque Copeau monte *Comme il vous plaira* sous le titre de *Rosalinde* le 11 octobre 1934 au théâtre de l'Atelier, le plateau est débarrassé de tout tronc d'arbre et autres obstacles à l'imaginaire du spectateur et aux mouvements rapides des acteurs, et le texte est au centre de ses préoccupations. C'est une adaptation, et non une traduction, qui en avait été confiée à Jules Delacre, lequel se justifie longuement

1. Dans « Copeau, seul maître », in *Théâtre, Récits, Nouvelles*, Gallimard, Bibliothèque de la Pléiade, 1962, p. 1698.

dans le programme de ses interventions dans le texte, visant une paradoxale « ressemblance » avec la comédie qui ne devrait rien au vérisme d'une traduction trop fidèle, comme un tableau ne doit rien à la photographie, écrit-il. Quand Delacre fait état à regret des « larges coupures » qu'il a dû opérer, il a toutefois conscience d'avoir agi pour préserver « l'action capricieuse[1] » de la comédie.

Selon lui, tout oppose son travail d'adaptation aux « invraisemblances » romanesques qu'avait introduites dans la pièce George Sand pour la création d'un *Comme il vous plaira* « en trois actes et en prose » le 12 avril 1856 à la Comédie-Française. George Sand, de fait, revendique dans sa préface les modifications qu'elle fait subir au « plus doux de ses drames romanesques » pour le rendre plus romanesque encore : « c'est là mon roman à moi dans le roman de Shakespeare », revendique-t-elle ouvertement. Elle va en effet, entre autres manipulations, « saisir au vol cette magistrale figure de Jacques, si sobrement esquissée, cet Alceste de la Renaissance, qui est venu murmurer quelques douloureuses paroles à l'oreille de Shakespeare avant de venir révéler toute sa souffrance à l'oreille de Molière » pour en faire l'époux d'une Célia méritant mieux que le traître Olivier hâtivement converti. L'adaptation de George Sand participe néanmoins de ce grand mouvement qui porte les romantiques français vers Shakespeare et commence à irriguer tout un imaginaire. La traduction de ses œuvres complètes par le fils de Victor Hugo, dans les années 1860, fera le reste.

Le travail de Copeau résiste à la déchéance du romantisme en romanesque. Un article de Pierre-Aimé Touchard paru dans *Esprit*[2] en novembre 1934 insiste sur l'apport de Copeau, avec cette mise en scène de *Comme il vous plaira*,

1. Voir le programme non paginé distribué lors des représentations en octobre 1934, présentation signée Jules Delacre.
2. Article gracieusement communiqué pour cette édition par la rédaction de la revue *Esprit* que nous remercions. Les citations proviennent de cet article.

qu'il saisit d'autant mieux qu'une autre mise en scène de la comédie se donne aux mêmes dates à Paris dans une traduction, beaucoup plus allégée encore, de Supervielle. Pour Touchard, l'Allemand Barnowsky au théâtre des Champs-Élysées ne s'occupe que du mouvement de la pièce, interprétée « comme une aventure naïve et fraîche », dans une forêt « dont on peut compter les troncs d'arbres » et où les jeunes acteurs eux-mêmes coïncident trop bien avec l'optimisme de leur âge. Copeau au contraire, pour qui « la poésie est souveraine », « n'a pas cherché à échapper aux lenteurs du texte », travaillant précisément sur le défi posé par cette « pièce extrêmement lente, sans péripéties, une féerie somnolente avec des bavardages » et, ajoute encore Touchard, « toutes les lourdeurs de l'Euphuisme élisabéthain », conscient aussi que le public est « habitué à d'autres spectacles ». La musique de scène conçue par Georges Auric ne tirait pas davantage la pièce vers le vérisme romanesque : le compositeur avait déjà derrière lui l'écriture du ballet moderniste sur livret de Cocteau, *Les Mariés de la tour Eiffel*, de 1921, conçu avec Milhaud, Honneger, Poulenc, et écrit pour Copeau dans le même esprit.

Vérisme et cinéma

Si le danger du retour des fougères semble écarté, ou du moins momentanément suspendu, en ce qui concerne les plateaux de théâtre, la tentation de filmer la pièce « en plein air » pourrait être le désir inavoué de les y retrouver, avec force veaux, vaches, cochons, couvées, quand bien même l'effet campagnard serait soigneusement reconstruit en studio, comme pour la comédie filmée par Paul Czinner en 1936 : opposant un château d'opérette hollywoodien du XVe siècle avec cygnes étincelants et escaliers pour contes de Perrault aux épaisses frondaisons et à la rusticité fermière du sous-bois en Ardenne, le cinéaste hongrois donne le rôle d'Orlando à un Laurence Olivier de vingt-neuf ans, superbe jeune premier qui mériterait les reproches de

Rosalinde contre les amoureux trop bien mis tant ses costumes sont tirés à quatre épingles ; il attribue celui de Rosalinde à sa propre épouse, juive allemande fuyant déjà les persécutions nazies, Élisabeth Bergner. Très critiquée à cette date pour son accent étranger et sa diction artificielle, elle campe en fait, avec le recul du temps, un délicieux travesti dans le goût des chérubins de Mozart, amoureuse avec espièglerie. Jaques y croque encore sa pomme en récitant les âges de l'homme.

La technique du théâtre filmé semble porter à toujours plus de vérisme comme tendrait à le prouver la version tournée par Basil Coleman en 1978 pour la BBC où ne manquent ni un détail historique dans le château de Glamis lui-même chargé d'histoires, dont celle de Macbeth, ni un brin d'herbe, ni surtout une fougère dans une Forêt d'Ardenne plus luxuriante que jamais, ni même une expression sur les visages pour mimer le texte dit. Le charme androgyne d'Helen Mirren en Rosalinde opère, mais dans un monde saturé de signes où le mimétisme gestuel redouble le texte : elle caresse tendrement l'herbe quand Célia lui décrit comment elle a trouvé Orlando « étendu de tout son long, comme un chevalier blessé » et que ses propres mots en font déjà le commentaire : « Si pitoyable que soit ce spectacle, il devait ennoblir le sol.[1] »

Une rupture radicale avec les fougères est pourtant tentée au cinéma en 1992 : Christine Edzard situe la Forêt d'Ardenne dans une zone taguée d'entrepôts délabrés, dans ces docks de Londres pas encore réhabilités en zone de luxe, avec cartons éventrés pour SDF et uniforme unisexe des jeunes en jogging à capuche qui sera celui de Rosalinde (Emma Croft) en Ganymède. Tout un travail de doublage de rôles vient souligner de l'intérieur le contraste entre deux mondes, celui des exilés et celui des nantis (ainsi de Don Henderson en Duc Frédéric oppresseur et en Duc Aîné subissant la déchéance ; Andrew Tieman en Olivier et en Orlando). Si le naturalisme qui semble coller à la

1. III, II, 250-251.

pièce est absorbé ici dans un hyperréalisme social et économique, la poétique amoureuse héritée de Pétrarque et les
tours d'esprit de Rosalinde n'en sont pas plus faciles à
incorporer sans hiatus dans une modernisation visuelle de
l'œuvre.

Kenneth Branagh a lui-même cherché à créer une distance en dépaysant Ardenne au Japon, dans sa version fil-
mique de 2006, sans réussir non plus à désengluer les mots
de l'excès de redoublement des images au cinéma. Ainsi, la
scène du combat entre Orlando et Charles est transposée
en une lutte entre sumos. La volonté appliquée désormais
de refléter sur scène les sociétés multiraciales qui sont les
nôtres lui inspire un trio d'hommes noirs pour Orlando et
Olivier (Adrian Lester) ainsi que pour le troisième frère,
Jaques des Bois, sans pour autant lever l'hypothèque d'un
psychologisme vériste : face à eux, Bryce Dallas Howard
reste Rosalinde même lorsqu'elle est déguisée en garçon,
sans jamais trace d'une ambiguïté dans les interférences
avec l'identité de Ganymède.

Tout autre avait été l'expérience à laquelle avait participé
Adrian Lester en 1990-1991 lorsqu'il incarnait non plus
un frère banal et génétiquement vraisemblable d'Orlando
mais Rosalinde elle-même, employant « le vocabulaire plas-
tique féminin avec une grâce subtile[1] » dans la troupe Cheek
by Jowl dirigée par Declan Donnellan dont la composition
est entièrement masculine : le travail sur le corps, les attitudes, les répartitions en aires de jeu (une simple corde
retenait ensemble les acteurs dans un cercle symbolique les
excluant ou les intégrant dans le jeu collectif) visaient plus
que la restauration du plateau nu et des conditions de jeu
élisabéthains. Plus aussi qu'une reprise des jeux déjà fami-
liers avec le travestissement : une véritable dissociation
entre le sexe du rôle et celui de l'acteur donnait lieu à la
plus magistrale leçon d'insoumission au théâtre, réalisant

1. Georges Banu, *Les Voyages du comédien*, Gallimard, « Pratique du
théâtre », 2012, p. 118.

ce qu'avait été le projet d'Antoine Vitez dans les années 1970 — rendre les corps réversibles au théâtre[1].

Une comédie si anglaise

Le XXᵉ siècle avait eu ses mémorables Rosalindes — Peggy Ashcroft, en 1957, avec Richard Johnson en Orlando au Shakespeare Memorial Theatre à Stratford ; Katherine Hepburn, en 1950, exhibant ses interminables jambes à Broadway face à William Prince, Orlando lui aussi en collant de danseur. Vanessa Redgrave « était » Rosalinde, en 1961, au Shakespeare Memorial Theatre de Stratford. Des expériences seront tentées pour sortir de la rusticité d'Ardenne avec des mises en scène en costumes contemporains ou décalés, comme en 1985, à Stratford, sous la direction d'Adrian Noble : Juliet Stevenson arpente la forêt en frac avec un chapeau huit reflets tandis que Fiona Shaw, en Célia, la suit enveloppée de châles superposés, dans un décor sans trace de chlorophylle : de grands lés de soie blanche comme la neige à l'arrivée se relèvent dans les cintres comme un arbre quand arrive le moment de l'aménité pastorale[2].

Des échos venus d'ailleurs montrent pourtant combien cette comédie réputée si « anglaise » épouse à l'occasion des moments singuliers de l'imaginaire d'autres nations. En France, *Comme il vous plaira*, sans être aussi souvent joué que *La Nuit des rois* ou *Le Songe d'une nuit d'été*, est monté à intervalles réguliers : la pièce fascine par les jeux de théâtre dans le théâtre et sur le théâtre qu'elle permet, l'amour juvénile, le violent contraste entre cour et forêt profonde, les ambiguïtés du masculin-féminin. Benno Besson,

---

1. *Ibid.*, p. 117-119.
2. Voir Russell Jackson et Robert Smallwood (éd.), *Players on Shakespeare 2. Further Essays on Shakespearean Performance*, Cambridge University Press, 1988, chap. « Fiona Shaw and Juliet Stevenson : Celia and Rosalind », p. 63, en particulier.

en 1976, monte *Comme il vous plaira* pour le Festival d'Avignon. Un grand sol blanc irrégulier délimite l'espace de jeu sur l'immense scène de la cour d'honneur du palais des Papes. De gros tuyaux bruns à usages multiples l'entourent qui permettent entrées et sorties de scène pour conserver ce qu'il nomme la « dramaturgie rapide » de la scène shakespearienne. Bien avant Kenneth Branagh, il transpose la lutte d'Orlando contre Charles en combat entre deux sumos de tailles inégales, mais sur le mode parodique : Charles, en bibendum gonflé prêt à exploser, reste d'une souplesse et d'une mobilité de clown mais finit le combat au fond d'un des grands tuyaux bruns. Coline Serreau est Rosalinde, Nicole Jamet, sa Célia et Anne Bellec, Audrey. Orlando est incarné par Dominique Serreau, Jaques par Jean-Claude Jay, le bouffon par Mario Gonzalès.

En 1988, Ariel Garcia-Valdès monte la comédie au TNP de Villeurbanne dans des décors somptueux de Jean-Pierre Vergier et avec la talentueuse troupe de Georges Lavaudant : Gilles Arbona dans le rôle de Jaques, Marc Betton en Pierre de Touche, Claude Bouchery en Corin, le regretté Charles Schmitt dans le rôle du Duc Aîné et du Duc Frédéric, Eric Elmosnino en Orlando, Annie Perret en Phoebe, autour de l'interprétation fragile mais sensible d'Hélène Lapiower. La même année, la Comédie-Française en confie la mise en scène à Lluis Pasqual. Un entretien avec Michèle Vénard, metteur en scène elle-même, le révèle un peu frustré de ne pas avoir pu « casse[r] la boîte à illusion lointaine du théâtre à l'italienne » et rompre avec « le rapport frontal » qu'elle implique, faute d'avoir pu investir totalement l'espace du Français et utiliser la salle elle-même pour y créer des circulations[1] au-delà du plateau de scène. Pour corriger ce qui lui apparaît statique dans les lieux, il compense par un immense miroir qui s'incline pour dédoubler l'espace de la scène et renforcer, s'il le fallait,

---

1. Le système d'alternance des spectacles au Français aurait obligé à désinstaller puis réinstaller les fauteuils ou les installations chaque soir.

la perception d'intrigues multiples, montrant un Orlando barbouillant un mur de graffitis. Pasqual s'adapte aussi au style des comédiens du Français, ce qui revient, dit-il plaisamment, à « danser un tango sur une musique de valse[1] » pour ce très espagnol metteur en scène formé de plus chez Giorgio Strehler. Il reste des images d'enchantement[2], dont la dernière apparition de Rosalinde (Valérie Dréville) en béret rouge, bien qu'elle ait retrouvé jupe longue et bustier pour confirmer une féminité jamais perdue malgré le veston croisé et les pantalons droits, forme moderne du pourpoint et des hauts-de-chausses, sans lesquels on ne voit plus désormais Ganymède.

L'imaginaire de la comédie peut aussi s'impliquer dans les contextes politiques de nations, fussent-elles « de nulle part » : en 1960-1961, à Bucarest, Shakespeare rejoignait Botticelli et Rosalinde devenait l'incarnation de la *Primavera* (*Le Printemps*) tandis que Rosalinde et Célia « empruntaient la sinuosité maniériste du maître toscan[3] », venant *de facto* bouleverser « les données officielles d'une esthétique dite encore du "réalisme socialiste" ». C'est au contraire une « apocalypse grotesque » où l'espace de la forêt « se convertit en véritable espace psychiatrique » que donne à voir le *Comme il vous plaira* dirigé par Petrika Ionesco, au théâtre de Bochum : des hommes y tiennent tous les rôles. Le spectacle s'achevait « par l'apparition d'un immense cerveau dégoulinant de sang tandis que les hommes se marient entre eux[4] ». Tout autre est le *Comme il vous plaira* d'Andrei Serban à La Rochelle en 1976 : une

1. *In* « Rencontre autour de *Comme il vous plaira*, avec Lluis Pasqual, metteur en scène à la Comédie-Française », organisée par Jean-Michel Déprats, in M.-T. Jones-Davies (éd.), *Shakespeare et le corps à la Renaissance*, Actes du Congrès 1990, Touzot, 1991, p. 207.
2. Voir le site de la BNF : http://gallica.bnf.fr/ark :/12148/btv1b 9064257p
3. Georges Banu, « En Roumanie, c'est-à-dire nulle part », *in* William Shakespeare, *Comme il vous plaira*, traduction de Jean-Michel Déprats, Sand, 1988, Dossier, p. 151.
4. Georges Banu, *ibid.*, p. 152.

longue marche conduit les spectateurs jusqu'au lieu de la forêt, pour les amener à découvrir que « l'exil était le lieu de la réconciliation avec soi dans l'attente de l'autre réconciliation, avec le monde », cheminement qui faisait de la comédie « un subtil récit d'initiation accompli sous le contrôle de Rosalinde, véritable précurseur de Prospéro[1] ».

En 1977, Peter Stein donne une adaptation spectaculaire de la comédie à la Schaubühne am Halleschen Ufer dans Berlin Ouest, encore environné par l'Allemagne de l'Est. Une expérience théâtrale singulière avait précédé la mise en scène, sous un titre anglais, *Shakespeare's Memory* : elle dispersait des moments de mémoire culturelle différents reliés par un parcours labyrinthique pour un public à tout moment mobile. *Comme il vous plaira* prolonge l'expérience avec un public toujours ambulatoire : une première partie, compartimentée dans des espaces en forme de cubes montre à la fin de chaque scène qui s'y donne les acteurs transformés en statues de glace. Un labyrinthe éclairé d'une lumière bleue elle aussi glaciale conduit le public à l'autre lieu qui, vu l'interdit frappant les accès extérieurs en RDA, ne peut déboucher sur une vraie forêt mais conduit à une sorte de studio de cinéma tout éclairé d'une lumière verte où les acteurs vivent librement leur libido : Orlando se maquille en fille après un baiser de Ganymède pour s'engager dans une relation ambiguë avec un personnage viril, violent, vêtu d'une peau de cerf, tandis que Rosalinde et Célia s'embrassent tendrement, serrées dans les bras l'une de l'autre[2].

La volonté d'expérimenter se continue au XXIe siècle autour de la comédie qui reste une des favorites de la scène anglaise, les options de remise en jeu oscillant entre pays de

1. *Ibid.*, p. 153.
2. Voir Michael Patterson, *Peter Stein : Germany's Leading Theatre Director*, Cambridge University Press, 1981, chap. 7, « Confrontation with Shakespeare — Shakespeare's Memory and As You Like It », p. 123-149. Sur la politisation des mises en scène en Angleterre, voir Michael Hattaway, citant Peter Stein à la suite, dans son édition d'*As You Like It*, CUP, p. 53.

rêve comme à Stratford en 2000, sous la direction de Greg
Doran, et pays de cauchemar comme en 2003, au Swan,
toujours à Stratford, sous la direction de Gregory Thompson :
la première Rosalinde noire, Nina Sosanya, y compose un
rôle de « garçon manqué » qui ne manque pas de dérouter
son Orlando (Martin Hutson) mais donne une vivacité singulière au personnage.

La France n'est pas en reste avec une mise en scène
de William Mesguich en décembre 2004, décrite comme
« [é]chevelée, foisonnante, virevoltante », avec « des accélé-
rations et des embardées réjouissantes (ruptures burlesques,
clins d'œil à Chaplin...) [1] ». Un autre article en éclaire la
filiation : « William Mesguich témoigne, comme son père
Daniel, d'un goût excessif pour la provocation. Mais il a
aussi reçu son dynamisme et sa créativité en partage. Sa
mise en scène de la féerie shakespearienne irrite, mais
n'ennuie jamais [2]. » Plus récemment, entre 2009 et 2013,
Catherine Riboli, en tournée avec sa compagnie et un
Comme il vous plaira, recourt à des tréteaux en croix, le
public étant assis dans les angles, pour une proximité encore
plus grande. Pour cette comédie qui a « la réputation d'être
difficile à monter », dit-elle, elle opte pour l'enchantement
et « une forêt comme un théâtre : espace des possibles et
lieu d'expérimentation de la liberté » où le « minimalisme [3] »
des moyens mis en œuvre devient clin d'œil ironique :
des touffes d'herbe sortent directement des planches en
guise de « forêt ». La traduction choisie est celle de Jean-
Michel Déprats, parfois chantée sur des airs traditionnels
connus.

Le grand manque restera à jamais l'interprétation si
attendue de Patrice Chéreau qui devait mettre en scène
Comme il vous plaira à l'Odéon-Théâtre de l'Europe, dans
les Ateliers Berthier, en 2014. L'hommage unanime rendu
à ce « maître des images », lors de sa disparition le 7 octobre

---

1. Paru dans *À nous Paris*, du 6 décembre 2004.
2. *Le Nouvel Observateur*, décembre 2004.
3. Voir propos recueillis par Julie Cadilhac sur le site *Bscnews*.

2013, rend plus nostalgique encore de ce qu'aurait été sa lecture de l'œuvre, avec encore dans les yeux les souvenirs de son *Hamlet* en 1988 à Avignon puis aux Amandiers, ou sa toute récente mise en scène de l'*Elektra* de Richard Strauss pour le Festival d'Aix-en-Provence de 2013, apothéose du travail commencé en 1976 où, mettant en scène Wagner et le *Ring* à Bayreuth sous la direction de Pierre Boulez[1], il le déshabillait de ses pompeuses mythologies et rendait l'opéra à la limpide lisibilité du théâtre et à sa violence.

---

1. Voir le témoignage du maestro, « Le seul metteur en scène avec lequel j'ai eu envie de travailler », dans *Le Monde* du 8 octobre 2013, lors de la disparition de Chéreau, propos recueillis par Marie-Aude Roux.

BIBLIOGRAPHIE SÉLECTIVE

Éditions

In-folio : As You Like It, *Mr. William Shakespeares* / *Come-dies*, / *Histories, & / Tragedies*, London, Isaac Jaggard and Ed. Blount, 1623.

OLIVER, H. J. (éd.), *As You Like It*, Harmondsworth, Penguin, 1968.

LATHAM, Agnes (éd.), *As You Like It*, Arden 2 Shakespeare, Londres, Methuen, 1975.

KNOWLES, Richard (éd.), *As You Like It*, « A New Variorum Edition of Shakespeare », New York, The Modern Language Association of America, 1977.

BRISSENDEN, Alan (éd.), *As You Like It*, The Oxford Shakespeare, Oxford, Clarendon Press, New York, Oxford University Press, 1993.

HATTAWAY, Michael (éd.), *As You Like It*, New Cambridge Shakespeare, Cambridge, Cambridge University Press, 2000.

MARSHALL, Cynthia (éd.), *As You Like It*, Shakespeare in Production, Cambridge, Cambridge University Press, 2004.

DUSINBERRE, Juliet (éd.), *As You Like It*, Arden 3 Shakespeare, Londres, 2006.

Principales éditions et traductions françaises

SAND, George, *Comme il vous plaira*, adaptation jouée le
    12 avril 1856.
GUIZOT, François, *Comme il vous plaira*, Paris, Librairie
    académique, Didier et Cⁱᵉ, 1868.
HUGO, François-Victor, *Comme il vous plaira*, Paris, 1881.
MESSIAEN, Pierre, *Comme il vous plaira*, in *Les Comédies de
    Shakespeare*, Paris, Desclée de Brouwer, 1939.
ANOUILH, Jean, *Comme il vous plaira*, Paris, La Table Ronde,
    1952.
MAYOUX, Jean-Jacques, *Comme il vous plaira*, édition
    bilingue, Paris, Aubier, 1956.
TAVÉRA, Antoine, *Comme il vous plaira*, Paris, Club français
    du livre, 1957.
SUPERVIELLE, Jules, *Comme il vous plaira*, Paris, Gallimard,
    Bibliothèque de la Pléiade, 1959.
DÉPRATS, Jean-Michel, *Comme il vous plaira*, préface de
    Bernard Dort, Paris, SAND / TNP, 1988.
BOURGY, Victor, *Comme il vous plaira*, in *Les Comédies de
    Shakespeare*, Paris, Robert Laffont, coll. « Bouquins », 2000.
BONNEFOY, Yves, *Comme il vous plaira*, précédé de « La
    décision de Shakespeare », Paris, Librairie générale fran-
    çaise, Le Livre de Poche, coll. « Classiques », 2003 (texte
    repris, avec la préface, dans *Orlando furioso, guarito. De
    l'Arioste à Shakespeare. Essais*, Mercure de France, 2013).

Sélection d'études critiques

ALPERS, Paul, « Mode and Genre », in *What Is Pastoral ?*,
    Chicago, University of Chicago Press, 1996, pp. 44-78.
BABB, Lawrence, *The Elizabethan Malady, A Study of Melan-
    cholia in English Literature from 1580 to 1642*, East Lansing,
    MI, Michigan State College Press, 1951.

BAKER, Susan, « Shakespeare and Ritual : The Example of *As You Like It* », *The Upstart Crow*, n° 9, 1989.

BARBER, C. L., *Shakespeare's Festive Comedy, A Study of Dramatic Form and Its Relation to Social Custom*, Princeton, Princeton University Press, 1959, 1966.

BARTON, Anne, « *As You Like It* and *Twelfth Night* : Shakespeare's sense of an ending », in *Essays, Mainly Shakespearean*, Cambridge, Cambridge University Press, 1994.

—, « Parks and Ardens », in *Essays, Mainly Shakespearean*, Cambridge, Cambridge University Press, 1994.

BATE, Jonathan, *Shakespeare and Ovid*, Oxford, Clarendon Press ; New York, Oxford University Press, 1993.

BATH, Michael, « Weeping Stags and Melancholy Lovers : The Iconography of *As You Like It*, II, I », *Emblematica*, n° 1, 1986, pp. 13-52.

—, « Rosalynde and Rosalind », *Shakespeare Quarterly*, n° 31, 1980, pp. 42-52.

BERRY, Edward I., *Shakespeare and the Hunt : A Cultural and Social Study*, Cambridge, Cambridge University Press, 2001 (chap. sur *Comme il vous plaira*).

BLOOM, Harold (éd.), « Shakespeare's *As You Like It* », *Modern Critical Interpretations*, New York, Chelsea House, 1988.

BRISSENDEN, Alan, « The Dance in *As You Like It* and *Twelfth Night* », *Cahiers Élisabéthains*, n° 13, 1978, pp. 25-34.

BROWN, John Russell (éd.), « *Much Ado About Nothing* and *As You Like It* », Casebook Series, Londres, Macmillan, 1979.

BRUNON, Hervé, « *Locus secretus* : topique et topophilie », in Domenico Luciani et Monique Mosser (éd.), *Petrarca e i suoi luoghi. Spazi reali e paesaggi poetici alle origini del moderno senso della natura*, Trévise, Edizioni Fondazione Benetton Studi Ricerche / Canova, coll. « Memorie », 2009, pp. 41-55.

BULMAN, James C., « Bringing Cheek by Jowl's *As You Like It* Out of the Closet : The Politics of Gay Theater », *Shakespeare Bulletin*, n° 22, 2004, pp. 31-46.

CALVO, Clara, « In Defence of Celia : Discourse Analysis

and Women's Discourse in *As You Like It* », *Essays and Studies*, n° 47, 1994, pp. 91-115.

CAMPBELL, Oscar J., *Shakespeare's Satire*, Oxford et New York, Oxford University Press, 1943.

CRUNELLE-VANRIGH, Anny, « "What a case am I in then", Himen and Limen in *As You Like It* », QWERTY, n° 7, 1997, pp. 5-14.

DALEY, A. Stuart, « The Dispraise of the Country in *As You Like It* », *Shakespeare Quarterly*, n° 36, 1985.

—, « To Moralize a Spectacle : *As You Like It*, Act 2, Scene 1 », *Philological Quarterly*, n° 65, 1986.

—, « The Tyrant Duke in *As You Like It* : Envious Malice Confronts Honour, Pity, Friendship », *Cahiers Élisabéthains*, n° 34, octobre 1988.

DIGANGI, Mario, *The Homoerotics of Early Modern Drama*, Cambridge, Cambridge University Press, 1997.

DOEBLER, John, « Orlando, Athlete of Virtue », *Shakespeare Survey*, n° 26, 1973.

DRAPER, R. P., « Shakespeare's Pastoral Comedy », *Études anglaises*, n° 11, 1958, pp. 1-17.

DUSINBERRE, Juliet, « As Who Liked It ? », *Shakespeare Survey*, n° 46, 1993.

—, Juliet, « Pancakes and a Date for *As You Like It* », *Shakespeare Quarterly*, n° 54 (4), 2003, pp. 371-405.

ELAM, Keir, « As They Did in the Golden World : Romantic Rapture and Semantic Rupture in *As You Like It* », in Jonathan Hart (éd.), *Reading the Renaissance : Culture, Poetics and Drama*, New York, Garland Publishing, 1996, pp. 163-176.

EMCK, Katy, « Female Transvestism and Male Self-Fashioning in *As You Like It* and *La vida es sueño* », in Jonathan Hart (éd.), *Reading the Renaissance : Culture, Poetics and Drama*, New York, Garland Publishing, 1996, pp. 75-88.

FRAIL, David, « To the Point of Folly : Touchstone's Function in *As You Like It* », *The Massachusetts Review*, vol. XXII, n° 4, Winter, 1981, pp. 695-717.

Gamelyn, in *Middle English Verse Romances*, Donald B. Sands (éd.), New York, 1966.

GIAVARINI, Laurence, « Représentation pastorale et guérison mélancolique au tournant de la Renaissance : questions de poétique », *Études Epistémè*, n° 3, avril 2003, pp. 1-27.

GREG, W. W., *Pastoral Poetry and Pastoral Drama*, Oxford, 1905.

HALIO, Jay L., « No Clock in the Forest : Time in *As You Like It* », *Studies in English Literature 1500-1900*, n° 2, 1962.

— (éd.), *Twentieth Century Interpretations of* As You Like It *: A Collection of Critical Essays*, Prentice-Hall, 1968.

JANKOWSKI, Theodora A., *Pure Resistance, Queer Virginity in Early Modern English Drama*, Philadelphia, University of Pennsylvania Press, 2000.

JENKINS, Harold, « *As You Like It* », *Shakespeare Survey*, n° 8, 1955, pp. 40-51.

KER, W. P., « Cervantes, Shakespeare, and the Pastoral Idea », *Form and Style in Poetry, Lectures and Notes*, R. W. Chambers (éd.), Londres, Macmillan, 1928.

KNOWLES, Richard C., « Myth and Type in *As You Like It* », *English Literary History*, n° 33, 1966.

KOTT, Jan, *The Gender of Rosalind*, Evanstons, IL, Northwestern University Press, 1992.

KRONENFELD, Judy Z., « Social Rank and the Pastoral Ideals of *As You Like It* », *Shakespeare Quarterly*, n° 29, 1978.

LAROQUE, François, « No Assembly but Horn-Beasts. A Structural Study of Arden's Animal Farm », *Cahiers Élisabéthains*, n° 11, avril 1977.

LODGE, Thomas, *Rosalynde, Euphues' Golden Legacy*, Londres, 1590.

MCCABE, Richard A., « Elizabethan Satire and the Bishops' Ban of 1599 », *Yearbook of English Studies*, n° 11, 1981, pp. 188-194.

MCFARLAND, Thomas, *Shakespeare's Pastoral Comedy*, Chapel Hill, University of North Carolina Press, 1972.

MINCOFF, Marco, « What Shakespeare Did to *Rosalynde* », *Shakespeare Jarhbuch*, n° 96, 1960, pp. 78-89.

MONTROSE, Louis Adrian, « The Place of a Brother in *As You Like It* : Social Process and Comic Form », *Shakespeare Quarterly*, nº 32, 1981.

—, « "Elisa, Queen of Shepheardes", and the Pastoral of Power », *English Literary Review*, nº 10, 1980, pp. 153-182.

NEVO, Ruth, « Existence in Arden », in *Comic Transformations in Shakespeare*, Londres et New York, Methuen, 1980.

ORGEL, Stephen, *Impersonations, The Performance of Gender in Shakespeare's England*, Cambridge, Cambridge University Press, 1996.

OWENS, Anne, « *As You Like It* or, "The Anatomy of Melancholy" », QWERTY, nº 7, 1997, pp. 15-26.

PALMER, D. J., « Art and Nature in *As You Like It* », *Philological Quarterly*, nº 49, 1970.

PARKER, Patricia, « On the Tongue : Cross Gendering, Effeminacy and the Art of Words », *Style*, nº 23, 1989, pp. 445-465.

—, « Barbers and Barbary : Early Modern Cultural Semantics », *Renaissance Drama*, nº 33, 2004, pp. 201-244.

PEYRÉ, Yves, « *"Femmina masculo e masculo femmina"* : Shakespeare's Reworking of the Myth of Ganymede », *in* Agnès Lafont (éd.), *Shakespeare's Erotic Mythology and Ovidian Renaissance Culture*, Aldershot, Ashgate, 2013.

REYNOLDS, Peter, *As You Like It*, Penguin Critical Studies, Harmondsworth, Penguin, 1988.

SHAPIRO, Michael, *Gender in Play on the Shakespearean Stage*, Ann Arbor, University of Michigan Press, 1996.

SHAW, John, « Fortune and Nature in *As You Like It* », *Shakespeare Quarterly*, nº 6, 1955.

STALLYBRASS, Peter, « Transvestism and "the Body Beneath" : Speculating on the Boy Actor », *in* Susan Zimmerman (éd.), *Erotic Politics : Desire and the Renaissance Stage*, Londres, Routledge, 1992, pp. 64-83.

SUHAMY, Henri, *Première leçon sur* As You Like It, Paris, Ellipses, 1997.

— (éd.), *As You Like It*, Paris, Ellipses, 1997.

TAYLOR, Gary, « Touchstone's Butterwomen », *Review of English Studies*, n.s., 32, 1981, pp. 187-193.

TOMARKEN, Edward, éd., « *As You Like It* » *from 1660 to the Present : Critical Essays*, Londres, Routledge, 1997.

VENET, Gisèle, « Monde vert ou pastorale noire ? », *Actes des congrès de la Société française Shakespeare*, n° 13, 1995, pp. 77-93. URL : http ://shakespeare.revues.org/1295.

WATSON, Robert N., « As You Liken It, Simile in the Wilderness », *Shakespeare Survey*, n° 56, 2003, pp. 79-92.

WHITWORTH, Charles, « Wooing and Wedding in Arden, Rosalynde and *As You Like It* », *Études anglaises*, n° 50, 1997, pp. 387-399.

WILLIAMS, Gordon, *A Dictionary of Sexual Language and Imagery in Shakespearean and Stuart Literature*, 3 vol., Londres et Atlantic Highlands, NJ, Athlone Press, 1994.

WILLIS, Paul G., « Tongues and Trees, the Book of Nature in *As You Like It* », *Modern Language Studies*, n° 18, III, Summer 1988.

WILSON, J. Dover, « Marlowe and *As You Like It* », *Times Literary Supplement*, n° 6, January 1927, p. 12.

WILSON, Rawdon, « The Way to Arden, Attitudes Towards Time in *As You Like It* », *Shakespeare Quarterly*, n° 26, 1975.

WILSON, Richard, « "Like the Old Robin Hood" : *As You Like It* and the Enclosure Riots », Shakespeare Quarterly, n° 43, 1, 1992, pp. 1-19.

WOLK, Antony, « The Extra Jaques in *As You Like It* », *Shakespeare Quarterly*, n° 23, 1, 1972, pp. 101-105.

YOUNG, David, *The Heart's Forest, A Study of Shakespeare's Pastoral Plays*, New Haven, Yale University Press, 1972.

NOTES

Page 65.

1. « Forêt d'Ardenne » : afin de préserver la pluralité des interprétations (cf p. 83, n. 1), nous avons choisi délibérément d'orthographier Ardennes sans « s » pour ne pas réduire la polysémie à la référence aux Ardennes françaises dans les Vosges. Comme toujours chez Shakespeare la géographie est imaginaire (NdT).

Page 69.

1. Orlando : dans *Rosalynde*, le roman de Thomas Lodge, le héros se prénomme Rosander. Orlando est plus romanesque par référence à l'Arioste et à son *Orlando furioso* (1516 ; 1562) qui avait été récemment traduit de l'italien en 1591 par sir John Harington, mais déjà pillé à cette date dans toutes les langues d'Europe.

2. Adam : ce personnage, avec sa fidélité exemplaire, est conservé à la fois du roman de Lodge et de sa source, le *Conte de Gamelin*, où il se nomme Adam Spencer, Adam le serviteur. Un témoignage du XVIIIe siècle voudrait que Shakespeare ait incarné le rôle, voir Samuel Shoenbaum, *William Shakespeare*, trad. Anne-Dominique Balmès, Flammarion, 1996, p. 202-203.

3. Jaques : à distinguer du personnage également nommé Jaques et rencontré dans la forêt, dont le nom se prête au jeu de mot sur Ajax et *a jakes* (voir Notice, p. 422).

Page 71.

1. Olivier : nommé d'après le meilleur ami de Roland dans la chanson de geste, malgré l'humeur de malcontent qui lui est prêtée ici.

Page 73.

1. « Fils prodigue » : voir Luc (XV, 11-32), une des paraboles évangéliques les plus souvent citées par Shakespeare, voir en particulier la deuxième partie *d'Henry IV* (II, i, 139-140.).

Page 75.

1. « Vous êtes trop jeune à ce jeu » : jeu sur le renversement entre âge et compétences emprunté à Lodge.

Page 77.

1. Le legs du père d'Orlando à ses fils provient du *Conte de Gamelin*, conservé par Lodge (voir Notice p. 426-427).

Page 83.

1. « Forêt d'Ardenne » : voir la toute première note. Cette forêt, que les Anglais ne pouvaient manquer d'associer à la forêt d'Arden, dans le comté natal de Shakespeare, le Warwickshire, ou au nom de famille de la mère de Shakespeare, est celle du massif des Ardennes (belges et françaises), telle qu'elle est transmise à la suite de diverses migrations littéraires, de *La Chanson de Roland* à l'*Orlando innamorato* de Boiardo (canto III), avant d'être empruntée par l'Arioste pour son *Orlando furioso* (XLII, 44). Surtout, elle figure dans le titre d'un sonnet de Pétrarque, voir Préface, p. 12.

2. Robin des Bois : déjà cité dans *Pierre le laboureur* (*Piers Plowman*) de William Langland (1377). Au XVe siècle, une *Geste de Robin des Bois* rassemble diverses légendes. Le personnage ne s'ennoblit qu'au XVIe siècle, en 1601, dans deux pièces de Munday et Chettle, *La Chute* puis *La Mort de Robert, comte de Huntingdon,* drames très populaires du noble dépossédé qui devient hors-la-loi pour aider les petites gens.

3. Idéalisation pastorale de « l'Âge d'Or » tirée d'Hésiode et de sa représentation des âges du monde dans *Les Travaux et les Jours*.

Page 85.

1. La référence à la France, ici, corrobore la localisation à venir dans les Ardennes françaises et fait fonction de didascalie.

2. « Si je devais te le disséquer » : le mot *anatomize* en anglais est encore attaché à la théorie des humeurs, utilisé pour expliquer la psycho-physiologie des passions et toujours employé en ce sens par Robert Burton pour son *Anatomie de la mélancolie* (1621).

Page 91.

1. La roue de la Fortune, avant d'être une figure du tarot, représente le hasard, sous la forme de la déesse aux yeux bandés. Héritage classique via Boccace, l'iconographie la représente faisant tourner une roue et filant le fil de la vie, à la manière des Parques. Voir « l'aveugle bienfaitrice » dans la réplique suivante.

Page 93.

1. « Idiot de nature » : jeu de mots sur le bouffon, à l'origine censé être un simple d'esprit, en anglais *natural*, qui interrompt les jeux d'esprit des deux jeunes femmes sur la Nature par sa venue inopinée — par hasard ou selon la Fortune.

2. « La bêtise obtuse du fou est toujours la pierre à aiguiser de l'esprit » : jeu sur le nom du bouffon, Pierre de Touche, du nom de la pierre qui sert à tester le titrage en or d'un bijou (voir Notice, p. 423), auquel s'ajoute ici la notion de pierre à aiguiser, soit que le bouffon surenchérisse sur le jeu d'esprit, soit que sa stupidité le déclenche.

Page 95.

1. « Jurer sur vos barbes » : jurer sur ce qu'elles n'ont pas — une barbe — comme le chevalier sans honneur jurait sur son honneur (voir lignes 63 sqq.), mais jeu aussi de Shake-

speare avec les conditions de son théâtre : les rôles de
femmes étaient joués par de jeunes garçons dont la barbe
se mettait à pousser, voir Préface, p. 31.

Page 97.

1. « C'est assez de l'amour de mon père... » : dans F1, la
réplique est attribuée à Rosalinde, mais le bouffon appartient à la cour du Duc Frédéric, et donc le commentaire est
plus susceptible d'être fait par Célia.

2. « Folies que font les sages » : paradoxe de la folie des
sages hérité de l'Écclésiaste, I, 17, sur lequel Érasme fonde
son *Éloge de la folie* en 1511.

3. « Le maigre esprit des fous a été bâillonné » : allusion
possible à des répressions contre des œuvres satiriques entre
1597 et 1599 qui valurent à plusieurs dramaturges, dont
Ben Jonson, de faire de la prison.

4. «Voici venir Monsieur Le Beau » : dans *Henry V*, pièce
contemporaine jouée au Globe en 1599, Shakespeare tourne
en dérision les excès de raffinement à la française.

Page 101.

1. «Tu ne sentirais plus le rance » : transposition de la
polysémie du mot *rank* en anglais, à la fois « rang » social et
mauvaise odeur.

Page 103.

1. « Avec une pancarte à leur cou » : allusion moqueuse
sans doute à la mode liée aux pastorales contemporaines
(John Lyly, Lodge) de suspendre des écussons et des devises
décrivant les intentions des amants.

Page 105.

1. « Concert discordant » : jeu de mots fréquent dans la
poésie maniériste ; en anglais, *broken music* est aussi une
musique « divisée » en parties concertantes à plusieurs voix
ou instruments mais « unifiée » en une œuvre unique. Shakespeare joue beaucoup sur la « concorde » de cette « discordance », voir *Le Songe d'une nuit d'été*, (V, i, 60).

Page 113.

1. Hercule : demi-dieu à la force physique légendaire ; la référence, banale en soi, explicite peut-être le jeu de mots sexuel moins banal (voir *supra*, ligne 201) : dans son combat avec Antée, fils de Gaïa (la Terre), Hercule reprend force chaque fois qu'il touche terre.

Page 119.

1. « Quintaine » : réduit à l'état de bûche par le coup de foudre qui vient de le frapper, Orlando n'est pas plus réactif que le mannequin de bois, ou quintaine, contre lequel les chevaliers s'entraînent avant leurs joutes en lice (voir *infra* lignes 251-252).

Page 121.

1. « Le Duc est bien changeant » : instabilité des humeurs (*humorous*) qui fait partie de la psychologie maniériste mais laisse aussi présager les conversions finales au dénouement.

Page 123.

1. « La plus petite » : en fait, « la plus grande » dans le texte de l'*in-folio*, soit qu'un compositeur ait mal lu, soit que Shakespeare n'ait pas encore fixé sa conception des deux cousines en cours d'écriture selon les acteurs dont il disposait.

2. Soit que, par économie, des acteurs jouent plusieurs rôles dans une pièce, soit que Shakespeare modifie les rôles à mesure qu'il écrit, Le Beau, ridiculisé plus haut pour ses nouvelles trop anciennes, se révèle ici bien informé de ce qui se passe à la cour.

3. « Étouffoir » : outil pour moucher les chandelles et proverbe contemporain équivalant à tomber de Charybde en Scylla.

Page 127.

1. « S'il suffisait de faire "hem" pour qu'il m'aime » : transposition par l'homophonie *hem*/*aime* du jeu de mots *hem*/*him* dans le texte anglais, *him* désignant bien sûr Orlando ;

mais *hem* signifiant aussi l'ourlet d'une robe a servi de mot relais dans le long jeu d'esprit sur les bardanes en bordure de jupon. Il n'est pas exclu d'entendre également *hem* comme mot de passe secret entre amants que rêverait d'utiliser Rosalinde.

Page 135.

1. « Pareilles aux cygnes de Junon » : plus traditionnellement, ces cygnes tirent le chariot de Vénus, mais l'association avec Junon s'est déjà faite (Thomas Kyd, *Soliman et Perseda* [1588], IV, i, 70). Dans *Le Songe d'une nuit d'été*, une même amitié gémellaire idyllique unit Héléna et Hermia avant que l'amour pour un homme ne les divise (III, ii, 198-214).

Page 141.

1. Ganymède : choix pour le moins surprenant que ce nom appartenant au légendaire amant de Jupiter, mais qui est déjà celui que choisit Rosalynde dans la pastorale de Lodge.

2. Aliéna : ce nom, en son sens d'étrangère (à ce qu'elle fut), est également déjà dans Lodge.

Page 143.

1. « L'habitude et le temps » : semble en contradiction avec l'impression d'une installation récente en forêt en I, i, 118-119.

2. « La punition d'Adam » : Adam chassé du Paradis (Genèse, III, 17) se retrouve sur « la Terre maudite » et, par extension, soumis au cycle du temps et des saisons, thème qui ne paraît pourtant ni dans la Bible ni dans le mythe de l'Âge d'Or d'Hésiode.

Page 145.

1. « Une pierre précieuse dans sa tête » : légende du bestiaire médiéval.

2. « Un style si paisible et si doux » : style « euphuiste » au sens étymologique, selon l'euphuisme créé par John Lyly, renversant la nature en culture livresque.

3. « Jaques le Mélancolique » : comme nous l'avons dit, l'orthographe en Jaques s'impose à cause du jeu de mots sur Ajax (voir Notice p. 422). Allusion non seulement à « l'humeur noire », l'une des quatre humeurs de la théorie héritée de Galien, mais dérision de cette pose à la mode à la fin du XVIᵉ siècle. En 1621, Robert Burton en récapitule tous les aspects dans son *Anatomie de la mélancolie*, rééditée jusqu'en 1651.

Page 147.

1. Sur la position traditionnelle du mélancolique allongé au bord d'un ruisseau, voir l'iconographie à travers les siècles proposée dans Raymond Klibansky, Erwin Panofsky et Fritz Saxl, *Saturne et la Mélancolie*, Gallimard, « Bibliothèque des Histoires », 1989, figures 45 et 46 en particulier.

2. Les pleurs du cerf sont l'un des grands thèmes d'emblèmes qu'on retrouve jusque chez Dürer (1504. Paris, BNF, Estampes, Rés. B13).

3. « N'a-t-il pas tiré la morale de ce spectacle » : dérision possible d'une pratique héritée du Moyen Âge et de la Renaissance tendant à « gloser » les récits mythologiques pour les faire coïncider avec des hiérarchies sociales ou spirituelles plus proches de la tradition chrétienne, comme par exemple, au XIVᵉ siècle, avec l'*Ovide moralisé*.

Page 149.

1. « Il est plein d'idées » : possible allusion moqueuse à l'association entre mélancolie et génie créateur dérivée du « Problème XXX », attribué à Aristote et longuement commenté au Moyen Âge et à la Renaissance.

Page 155.

1. « Leurs qualités sont autant d'ennemies » : symétrique des reproches faits par le Duc usurpateur à Rosalinde (I, III, 75-78), cf. Iago, à propos de Cassio : « Il a une quotidienne beauté dans sa vie / Qui me rend laid » (*Othello*, V, I, 19-20).

Page 157.

1. « Celui qui nourrit les corbeaux » : voir Psaumes (CXLVII, 9) ; Luc (XII, 24) et Job (XXXVIII, 41).

2. « Providence prend soin des moineaux » : voir Matthieu (X, 29) et Luc (XII, 6) ; voir *Hamlet* (V, ii, 165-166) sur la Providence.

Page 161.

1. Rosalinde désormais en costume de Ganymède se doit de jurer par Jupiter dont son prête-nom est l'échanson.

2. « Le vase le plus fragile » : célèbre expression tirée de la première Épître de Pierre (III, 7) pour décrire « la plus grande faiblesse du sexe féminin » comparée à la force supposée du sexe masculin.

Page 163.

1. « Je ne craindrais guère de trébucher si je vous portais, car vous n'avez guère d'espèces trébuchantes dans votre bourse » : jeu verbal en chaîne, bien dans le style du bouffon de cour shakespearien, « corrupteur de mots » comme se décrira Feste dans *La Nuit des rois* : il repose sur les divers sens du verbe *bear* selon sa construction directe — « porter » — ou indirecte — « supporter » ; ou sur les sens indirectement liés par une même métaphore du mot *cross*, « croiser la route » et donc faire trébucher si c'est le verbe, ou « croix », menue pièce de monnaie portant une croix au revers, si c'est un nom.

2. « Je n'en suis que plus fou » : Pierre de Touche ne croit pas si bien dire car c'est une fois dans la forêt qu'il devient pleinement le fou de cour à l'habit bariolé — *motley* — que Jaques lui envie en II, vii.

3. Corin et Silvius : les personnages de cette « pastorale dans la pastorale » sont non seulement opposés par l'âge, l'un jeune, l'autre vieux, comme annoncé par Rosalinde en forme de didascalie, mais leurs noms mêmes les opposent : Corin est le berger rustique dans la tradition de l'églogue (on apprend plus tard qu'il est même berger de louage par nécessité, voir Préface p. 40), tandis que Silvius, nom latin élégant le reliant à *silva*, la forêt, n'aura d'autre activité que d'aimer et souffrir comme tout amant de pastorale, d'autant qu'il est épris d'une Phébé, nommée d'après l'astre

lunaire, et donc à ce titre probablement « lunatique » comme
il sied aux humeurs amoureuses dans cette convention.

4. « Voilà bien le moyen pour qu'elle continue à vous
mépriser » : la « pastorale » proprement dite, si parodique
qu'en soient les différentes formes, commence ici, double-
ment *in medias res* — nouveau départ d'intrigue dans la
nouvelle intrigue commencée en Ardenne et dialogue en
vers dans le dialogue en prose qu'utilisaient Rosalinde,
Célia et Pierre de Touche. Le personnage de Phébé vient de
Lodge dans un contexte où déjà se mêlent vers et prose.

Page 165.

1. « Si tu n'as pas fui la compagnie » : rechercher la soli-
tude caractérise la mélancolie amoureuse depuis Pétrarque,
cf. Roméo se tenant à l'écart de tous en croyant aimer une
Rosaline pour laquelle il pétrarquise, avant de rencontrer
Juliette (*Roméo et Juliette*, I, I, 131-135).

Page 167.

1. « Ta plaie » : allusion à la « plaie d'amour » de la tradition pétrarquiste et à l'ambiguë *voluptas dolendi* ou plaisir
de souffrir qui accompagne le jeu amoureux. Le jeu de
miroir commence aussi entre l'intrigue amoureuse autour
de Rosalinde et Orlando et celle de Silvius et Phébé.

2. « Une tige de petits pois » : *peascod* en anglais appelle
souvent, implicitement ou explicitement, l'inversion en *cod-
piece* (braguette).

3. « De même que tout dans la nature est mortel, de
même, toute nature, quand elle est amoureuse, est mortel-
lement folle » : sous couvert de quasi-syllogisme, propre aux
raisonnements des bouffons, le fou énonce un lieu commun
sur l'amour comme folie qui trouve déjà son origine dans le
Phèdre de Platon (237a-241d).

4. « Lorsque je me serai brisé les tibias dessus » : Pierre
de Touche recycle un proverbe impliquant que les sages justement se brisaient les tibias en tombant sur des tabourets
mis en travers de leur route par les fous (Alan Brissenden
(éd.), *As You Like It*, The Oxford Shakespeare, Oxford, Cla-

rendon Press, New York, Oxford University Press, 1993).
Voir *Peines d'amour perdues* (III, I, 68).

Page 177.

1. « Stances » : l'anglais joue sur la forme *stanzo* encore
non fixée en *stanza*.

2. « Deux babouins » : l'antihumanisme de Timon fera
aussi appel au babouin et au singe pour dire son rejet de
l'humanité (*Timon d'Athènes*, I, I, 252-253).

Page 181.

1. « Une invocation grecque » : c'est-à-dire incompré-
hensible, comme celle que prononceraient de pseudo-sor-
cières invitant des niais crédules à faire cercle autour d'elles.

2. « J'épancherai ma bile contre tous les premiers-nés
d'Égypte » : Exode (XII, 29-30).

Page 183.

1. « Vêtus comme des hors-la-loi » : c'est-à-dire vêtus de
drap vert, *kendal green*, que portaient les habitants des
forêts, et traditionnellement Robin des Bois : Falstaff s'y
réfère dans sa célèbre description des agresseurs qui l'auraient assailli à Gad's Hill (*Henry IV* [première partie], II,
IV, 208).

Page 185.

1. « Pétri de désaccords » : dans le microcosme humain,
à l'image du macrocosme, toute passion disproportionnée
— ici l'humeur noire — menace l'harmonie faite du subtil
équilibre des quatre humeurs.

2. « De la discordance dans les sphères » : jeu cher aux
maniéristes sur l'accord des désaccords (voir *supra*, p. 105,
n. 1) mais aussi sur la musique des sphères, théorie d'une
correspondance mathématique entre les notes de la gamme
occidentale et le mouvement harmonieux des sept ou huit
sphères, chacune affectée à un astre, attribuée par Platon à
Pythagore (*La République*, 530d, 617b ; *Cratyle*, 405c) et
réutilisée par Aristote (*Du ciel*, 290b12), d'où dérive la vision
géocentrique de Ptolémée encore en vigueur au moment

où Shakespeare écrit (voir *Le Marchand de Venise*, V, I, 60-65).

3. « Un fou en costume bariolé » : le bouffon de cour porte un costume fait d'un mélange de tissus divers — *motley* — comme aussi l'Arlequin de la commedia dell'arte contemporaine.

Page 189.

1. « Mettez-moi l'habit bariolé » : la proposition est d'autant plus subversive qu'une querelle oppose les tenants d'un théâtre classique praticien de la satire mordante, dont Ben Jonson, à l'usage semble-t-il plus général du théâtre anglais de mettre en scène des bouffons (voir Gisèle Venet, Introduction aux *Comédies, Shakespeare, Œuvres complètes*, Gallimard, Bibliothèque de la Pléiade, V, 2013, p. XIX-XXII). Sur les rapports de Ben Jonson avec Shakespeare, voir Samuel Schoenbaum, *William Shakespeare, op. cit.* p. 254-256.

Page 195.

1. « J'ai cru que tout ici était sauvage » : déjà dans Lodge, mais voir la description d'Ardenne par Pétrarque (*supra*, p. 83, n. 1).

Page 199.

1. « Le monde entier est un théâtre » : le Cosmos seul est représenté dans les images médiévales du *Theatrum mundi*, mais la conception de la vie humaine comme pièce de théâtre où chacun joue son rôle est déjà familière grâce à sa diffusion par les stoïciens, en particulier Épictète dont le *Manuel* est traduit en anglais en 1567.

Page 201.

1. Pantalon : personnage déjà très familier de la commedia dell'arte, y compris en Angleterre où les « Italiens » sont mal vus mais circulent beaucoup.

2. « Déposez votre vénérable fardeau » : Shakespeare aurait lui-même joué le rôle d'Adam dans cette scène (voir *supra*, p. 69, n. 2).

Page 207.

1. « Cherche-le à la chandelle » : utilisation ironique de la parabole dans Luc (XV, 8).

Page 209.

1. « Et toi, trois fois couronnée, reine de la nuit » : la Lune, alias Phébé ou Cynthia, premier des trois aspects de la déesse au triple visage, la *diva triformis* d'Ovide, *Les Métamorphoses* (VII, 77), les deux autres aspects étant Diane, déesse terrestre, et Hécate, déesse des enfers. La déesse est déjà apparue dans *Le Songe d'une nuit d'été* en Triple Hécate (V, i, 372-373).

2. « Le nom de ta chasseresse qui règne sur ma vie » : Diane, la chasseresse chaste, est aussi l'emblème de la féminité pour les peintres et les poètes de l'école maniériste, qui menace tout homme d'être changé en Actéon dévoré par les chiens de ses désirs, cf. Ovide, *Les Métamorphoses* (III, 143-252).

Page 213.

1. « Damné comme un œuf mal cuit, cuit d'un seul côté » : un proverbe fait référence au fou retournant sans cesse dans la braise des œufs que mange ensuite le sage, les sachant cuits de tous côtés.

Page 215.

1. « Tu es dans une situation critique » : les échanges présumés philosophiques de cette scène entre le bouffon et le berger tournent en dérision le raisonnement logique des universitaires du temps en les radicalisant en déductions absurdes, non sans renverser au passage les hiérarchies sociales.

Page 217.

1. « Homme totalement creux » : suite de la dérision de la logique universitaire opposant vie de cour et vie rustique, culture et nature, ponctuée par l'argument d'invalidité, « creux », *shallow*. Un juge célèbre pour la platitude de

ses propos se nomme Shallow dans *Henry IV* (deuxième
partie) et reparaît dans *Les Joyeuses Commères de Windsor*.

2. « Dieu t'incise, tu es trop bleu » : mélange burlesque
de recours à Dieu et à une probable recette culinaire pour
la préparation de la viande avant de la rôtir.

Page 219.

1. « Je vous rimerai comme cela, huit ans d'affilée » : mise
en abyme d'un « art poétique » à la manière des maniéristes
qui aiment commenter les formes et les savoirs sur leur art
du sein de leur propre outil d'expression, quitte à les « malmener » comme le fait Shakespeare sur le mode burlesque,
ici et plus loin avec Rosalinde (161-163 ; 174-176).

2. « Ça s'enchaîne à la queue leu leu comme des crémières
qui s'en vont au marché » : la drôlerie burlesque de l'image
ravalant les métaphores à des crémières ne serait pas sans
sous-entendus grivois, voir Gary Taylor, « Touchstone's
Butterwomen », *Review of English Studies*, n. s., 32, 1981.

Page 221.

1. « Voilà bien le faux galop des vers ; pourquoi vous en
infecter ? » : double allusion à la fois ponctuelle, visant Nashe
qui utilise « infecter » dans *Strange News*, de 1592, pour critiquer les vers également irréguliers d'un poète mineur,
Gabriel Harvey ; et plus générale, visant l'image pétrarquiste
de la poésie qui, comme la « maladie d'amour », « infecte »
les amants dans d'innombrables textes contemporains, et
chez Shakespeare lui-même, dans les *Sonnets* (par exemple
LVII, 111) ou les comédies (*Beaucoup de bruit pour rien*, II,
III, 119).

2. « Cet arbre-là donne de mauvais fruits » : détournement burlesque de la parabole dans Matthieu (VII, 18).

Page 223.

1. La « nèfle » n'est pas dépourvue de sous-entendus
sexuels, comme lorsque Mercutio, personnage à la fois bouffon et satirique, ironise sur « la nèfle bien ouverte » qui fait
rire les vierges, en prélude à la scène du balcon dans *Roméo
et Juliette* (II, I, 16-18).

2. « Toute la largeur d'une main » : Psaumes (XXXIX, 5).

3. « La quintessence du meilleur » : les alchimistes tentaient d'extraire le meilleur des quatre « essences » composant le monde pour en tirer une cinquième, ou quinte essence.

Page 225.

1. Atalante : voir Ovide, *Les Métamorphoses* (X, 650-651).

2. Lucrèce : Shakespeare a publié son poème, *Le Viol de Lucrèce*, en 1594.

3. « Que je vive et meure son esclave » : lieu commun de la poétique pétrarquiste qui fait de tout amant un être subjugué, au sens propre de mis sous le joug.

Page 227.

1. « Les pieds étaient boiteux et ne pouvaient se porter tout seuls sans le vers, aussi faisaient-ils boiter le vers » : burlesque digne du bouffon qui déconstruit la valeur rythmique du mot « pied » en poésie en réduisant le sens à sa seule valeur anatomique.

2. « Regarde ce que j'ai trouvé sur un palmier » : déjà dans Lodge.

3. « Depuis l'époque de Pythagore où j'étais un rat irlandais » : allusion bouffonne à la métempsycose selon Pythagore, probablement via *Les Métamorphoses* d'Ovide (XV, 186 et sqq.).

Page 229.

1. « Qu'il est difficile aux amis de se rencontrer alors que les montagnes, déplacées par des tremblements de terre, parviennent à se rejoindre » : proverbe déjà illustré dans John Lyly, *Mother Bombie* (V, III, 229-230).

Page 231.

1. « C'est une expédition dans les mers du Sud » : allusion possible aux voyages de Sir Walter Raleigh, dont un récit, *La Découverte de la Guyane*, avait paru en 1595.

Page 233.

1. « La bouche de Gargantua » : allusion au géant de Rabelais, déjà célèbre bien avant que la traduction ne paraisse à la fin du XVIIᵉ siècle.

Page 235.

1. « L'arbre de Jupiter » : voir Ovide, *Les Métamorphoses* (I, 119-121), ou Virgile, *Géorgiques* (III, 332).

Page 237.

1. « Il vient me percer le cœur » : jeu de mots sur l'homophonie dont abusent tous les poètes contemporains entre *heart*, le cœur, et *hart*, le cerf ou la biche.

Page 241.

1. « Les devises de certaines bagues » : dérision à nouveau des métaphores poétiques mises au défi de se renouveler ou de rester assez singulières et comparées dès lors aux lieux communs des clichés tout faits inscrits dans les bagues.

2. « Le style cliché des tapisseries édifiantes » : Shakespeare lui-même abuse du cliché du Fils prodigue en tapisserie dans *Henry IV* (voir *supra*, p. 73, n. 1).

3. « On le croirait fait avec les talons d'Atalante » : hyperbole d'agilité ; Atalante l'emportait à la course sur tous ses prétendants qui en mouraient.

Page 243.

1. « Signor Amour » : personnage type ou « humeur » de comédie dont Ben Jonson fait la critique dans ses deux comédies *Chaque homme dans son humeur* et *Chaque homme hors de son humeur* (1598), ici le mélancolique solitaire ou *Innamorato*, dont l'autre type est le mélancolique satirique, nommé juste après « Monsieur de la Mélancolie ».

Page 245.

1. « La marche rapide du Temps » : voir le sonnet XIX, vers 6.

Page 253.

1. « Tout en vous traduisant l'abandon et le désespoir » : portrait devenu cliché de l'amant pétrarquiste, c'est-à-dire mélancolique, voir Ophélie décrivant Hamlet hagard et les vêtements défaits (*Hamlet*, II, I, 77-83).

Page 255.

1. « L'amour [...] mérite le cachot et le fouet tout autant que les fous » : lieu commun, cf. *La Nuit des rois* où le châtiment est infligé à l'amoureux imprévu Malvolio (IV, II).

Page 257.

1. Le foie était le siège de la passion selon la théorie des humeurs de Gallien encore en vigueur.

Page 261.

1. « Je suis ici avec toi et tes boucs comme jadis le plus cabri des poètes, l'honnête Ovide, au milieu de ses Goths » : Shakespeare, mêlant le savant au burlesque, amplifie une citation sans doute empruntée à Nashe selon laquelle Ovide, incompris, aurait pu lire ses vers devant les Goths (*Pierre Sans-le-Sou*, 1592). Il en profite pour rapprocher l'étymologie de *capricious* — lascif, à la manière du bouc — de l'allusion au poète de *L'Art d'aimer* chez les Goths, mot qui en anglais peut se prononcer comme *goats*, les chèvres, manière de mettre en abyme le maître de son art poétique, Ovide, en le « malmenant » à nouveau à la manière moqueuse des maniéristes.

2. « Ô savoir mal logé, plus mal que Jupiter dans une chaumière » : voir Ovide, *Les Métamorphoses* (VIII, 626 et sqq.) sur l'accueil fait à Jupiter et à Mercure sous leur toit de chaume par Philémon et Baucis.

Page 263.

1. « La poésie la plus vraie est la plus mensongère » : écho des débats du temps et repris mot pour mot de Sir Philip Sidney dans son *Éloge de la poésie*.

Page 267.

1. « Les cornes ont beau être odieuses » : variation sur le thème populaire par excellence des cornes du mari cocu, antinomique s'il en est des idéalisations pétrarquistes.

Page 269.

1. « Monsieur Comment-qu'on-dit-déjà » : façon peut-être d'éviter de prononcer le nom Jaques, de même prononciation que *jakes*, ou water-closet, voir Notice, p. 422.

Page 273.

1. « Ses cheveux sont d'une couleur perfide » : des cheveux roux sans doute, façon traditionnelle de représenter ceux de Judas, qui trahit le Christ avec baisers à l'avenant (ligne suivante), comme le sont ceux de ses descendants juifs, la « race perfide » dans la tradition chrétienne (et jusqu'au concile de 1962 pour le catéchisme catholique). Le jeu de mots, avec tonalité anti-juive au passage, est confirmé par l'allusion au « pain bénit » ou corps du Christ qui sanctifie, ligne 13.

Page 279.

1. « Montrez-nous ce spectacle » : jeu avec les emboîtements de théâtre ; ce qui se prépare est en effet une petite pastorale du dédain amoureux à la manière des courtes pièces de John Lyly où l'on voit toutes les phases des apprentissages amoureux et le mépris dont les hommes sont meurtris.

Page 283.

1. « La force de faire mal » : déconstruction de la métaphore par excellence des poètes pétrarquistes, l'œil qui tue de ses flèches, selon l'autre métaphore essentielle, celle de la belle cruelle devant l'amant transi sans laquelle il n'est pas de psychologie amoureuse dans toute cette poétique liée à la « blessure invisible », comme l'explicite Silvius en réponse, ou Orlando (V, ii, 26).

Page 285.

1. « Ni vos sourcils d'encre, ni vos cheveux de soie noire, / Ni vos prunelles en perles de jais » : anti-modèle de la beauté pétrarquiste qui se doit d'être blonde et claire, c'est pourtant ce qui caractérise la paradoxale beauté de la « dame brune » des *Sonnets* ou de Rosaline dans *Peines d'amour perdues*.

Page 289.

1. « Bouquet d'oliviers » : nouvelle instance du caractère purement littéraire de la Forêt d'Ardenne.

2. « Qui a jamais aimé aime au premier regard » : tiré de *Héro et Léandre* (vers 176) de Christopher Marlowe, mort en 1593, d'où l'allusion au « berger disparu » d'après le titre de son poème *Le Berger passionné à son amante* (*The Passionate Shepherd to his Love*).

Page 291.

1. « N'est-ce pas ce que je dois à mon prochain » : désopilant détournement du deuxième commandement du Décalogue et de l'enseignement chrétien qui l'a repris (Matthieu, XIX, 19).

Page 303.

1. « Cupidon l'a touché à l'épaule, mais je vous garantis son cœur intact » : Cupidon est censé percer le cœur de ses flèches, « sous le sein gauche » dans *Peines d'amour perdues* (IV, III, 21-22).

Page 309.

1. Dérision de deux modèles d'amants tragiques, dont le martyre est dénaturé ici en accident burlesque. La dérision va se poursuivre avec la comédie inclassable *Troïlus et Cressida*, jouée vers 1602. Elle va de pair avec la dérision de mariage, défi en effet aux idéalisations pétrarquistes qui, une fois surmontées, permettront le « vrai » mariage du dénouement.

Page 315.

1. « Les pensées d'une femme courent devant ses actions » :
expression quasi proverbiale mais ici audacieuse confidence de Rosalinde sous le masque de Ganymède.

2. « Plus jalouse de toi qu'un pigeon de Barbarie de sa
femelle » : exemple tiré de Pline, *Histoire naturelle* (X, xxxiv).

Page 317.

1. « Je pleurerai pour un rien, comme Diane à la fontaine » : emprunt possible à la *Diane* de Montemayor (1559,
trad. anglaise 1598) qui, ayant refusé son galant et épousé
un autre homme, pleure son amour perdu près d'une fontaine.

Page 323.

1. « Ma passion a un fond inconnu, comme la Baie du
Portugal » : entre Porto et le cap de Cintra, la profondeur
dépasse 2 500 m.

2. « Ce méchant bâtard de Vénus » : Cupidon aurait dû
être le fils de Vulcain, époux de Vénus.

3. « Cette aveugle petite canaille qui trompe les yeux de
chacun parce que les siens ne voient plus » : Cupidon apparaît les yeux bandés dans toutes les représentations du temps,
voir son portrait moqueur dans *La Métamorphose de l'amour*
de John Lyly (II, i, 59-72), écrite et jouée sans doute vers
1590, et publiée en 1601.

Page 331.

1. « Elle me défie / comme un Turc le Chrétien » : figures
du théâtre populaire.

2. « Ces mots éthiopiens, dont le sens est plus noir / Que
leur visage » : les mots, écrits à l'encre, sont noirs comme
des Éthiopiens.

Page 339.

1. Le serpent et la lionne : écho possible du Psaume XCI,
13, «Tu fouleras le lion et le serpent ». Déjà présents dans
la pastorale de Lodge.

Page 361.

1. « Jolie sœur » : certains commentateurs pensent qu'Olivier a percé à jour la véritable identité de Rosalinde (voir *supra*, IV, III, 165-166 ; 174-175), mais il s'en tient au portrait annoncé (IV, III, 86-88) ; d'autres, qu'il y a attraction grammaticale des derniers mots d'Orlando : «Voici venir ma Rosalinde. »

Page 363.

1. « Je suis venu, j'ai vu, j'ai vaincu » : emprunt à Suétone ou à Plutarque des mots célèbres de César victorieux au Pont — *veni, vidi, vici* — dont Shakespeare s'amuse déjà dans *Peines d'amour perdues* (IV, I, 65), en les citant sous la plume d'un vantard, Don Armado, qualifié, comme César ici, de « thrasonique », du nom d'un matamore, Thraso, déjà caricaturé dans une comédie de Térence.

Page 365.

1. « Un magicien très versé dans son art mais qui ne risque pas la damnation » : ce praticien de la magie blanche par opposition à la magie noire réprouvée est déjà le conseiller de la Rosalynde de Lodge.

2. « Il ne m'est pas impossible [...] de la faire surgir [...] sans aucun danger » : c'est-à-dire sans conjurer les esprits par magie noire.

Page 367.

1. La figure du « berger fidèle » est célèbre dans toute l'Europe depuis la tragi-comédie de Guarini, *Il Pastor fido*, écrite entre 1580 et 1583.

Page 371.

1. « Comme les loups d'Irlande qui hurlent à la lune » : écho de Lodge, dont les loups sont de Syrie, sans qu'il y ait nécessairement ici une allusion à l'enlisement des Anglais dans les rébellions en Irlande à cette date.

Page 375.

1. « Comme deux bohémiens sur un cheval » : image

bouffonne pour illustrer le chant à l'unisson. De fait, la chanson paraît, avec la musique « pour une seule voix », dans le *Premier livre d'airs* de Thomas Morley en 1600.

2. « Au joli temps des anneaux » : en anglais *ring-time*, allusion, soit aux échanges de bagues lors des mariages, soit aux danses en cercle lors des fêtes de printemps.

Page 377.

1. « L'air était faux » : *untuneable*, dit le texte anglais, écho peut-être sur le mode bouffon des querelles entre tenants de l'ancienne polyphonie et amateurs de nouvelles écritures musicales des airs accompagnés aux instruments à plusieurs parties ou *broken music*, avec des dissonances savamment voulues.

Page 383.

1. « Plusieurs sciences dangereuses » : nouvelle allusion à la proximité entre magie blanche et magie noire, en effet dangereuse avec le regain des procès en sorcellerie en Europe entre 1580 et 1630.

2. « Une paire de très étranges animaux » : voir Genèse (VII, 2), avec jeu burlesque sans doute à propos du classement entre animaux « purs » et « impurs » et le statut inclassable du bouffon.

Page 385.

1. « La querelle en était au septième degré » : jeu burlesque sur les degrés de gravité des fautes commises — ici, ce serait pour propos mensonger — permettant de défendre son bon droit par le jugement des armes ou jugement divin, le premier degré étant pour meurtre.

Page 389.

1. « Traités de bonnes manières » : genre en plein développement, en effet, dont l'exemple le plus suivi est sans doute le traité d'Erasme sur l'éducation des enfants publié en 1530 ; mais des traités des mauvaises manières y répondent déjà, dont celui de Friedrich Dedekind, *Grobianus*, de 1549, sous-titré *De morum simplicitate*, qu'un traducteur

récent traduit plus explicitement par *Petit cours de muflerie appliquée pour goujats débutants ou confirmés*, Les Belles Lettres, 2006.

Page 395.

1. « *Junon a pour couronne le saint hyménée* » : sur Junon, déesse du mariage, voir Ovide, *Métamorphose* VI.

Page 401.

1. Olivier avait fait don de ses biens à son frère en souhaitant finir ses jours comme berger dans la forêt (V, ii, 11-14) mais le mariage avec Célia change sans doute la donne.

Page 403.

1. « Dans quel embarras suis-je donc, moi qui ne suis pas un bon épilogue, et qui ne peux pas non plus plaider en faveur d'une bonne pièce ? » : épilogue à la manière de John Lyly dénigrant ses pièces et s'excusant auprès des spectateurs en quémandant leur indulgence.

2. « Si j'étais une femme » : l'équivoque sur le sexe de Rosalinde a entièrement dominé le dénouement. Elle est ici curieusement levée en révélant qu'un acteur masculin jouait ce rôle, non sans introduire une autre forme d'équivoque puisque ce dernier n'invite à s'intéresser qu'aux seuls spectateurs à barbe.

RÉSUMÉ

Orlando, le plus jeune fils de Roland des Bois, contraint de s'enfuir de chez lui à cause de l'oppression de son frère Olivier, arrive à la cour du Duc Frédéric qui lui-même a banni son propre frère, le Duc Aîné, tout en autorisant Rosalinde, la fille de ce dernier, à rester, car elle est la meilleure amie de sa fille Célia. Orlando ose s'y mesurer avec Charles, un imposant lutteur professionnel du Duc Frédéric, malgré les suppliques et les craintes de tous, dont celles de la jeune Rosalinde. Contre toute attente, il l'emporte, non sans faire deux autres victimes : lui-même et Rosalinde, « tombés » amoureux au premier regard. Orlando est contraint de fuir avec un fidèle serviteur de son père, le vieil Adam. Tandis que Frédéric, soudain hostile à Rosalinde, la bannit. Célia, au nom de leur amitié, décide de la suivre, avec le bouffon Pierre de Touche.

Rosalinde et Célia, déguisées la première en garçon sous le nom de Ganymède, la seconde en Aliéna, se risquent dans la Forêt d'Ardenne, où elles achètent une chaumière. Le Duc banni est lui-même déjà réfugié en Ardenne où il vit dans la sobriété pastorale avec ses commensaux, célébrant les bienfaits de l'hiver. Orlando, à son tour égaré en Ardenne, suspend des poèmes d'amour aux arbres sur le tronc desquels il grave le nom de Rosalinde. Mystifié par le déguisement de Rosalinde qu'il ne reconnaît pas, il accepte d'apprendre de l'insolent Ganymède comment guérir de sa « maladie d'amour » en subissant ses moqueries, tandis qu'une bergère, Phébé, poursuivie par les assiduités de Silvius, tombe amoureuse de Ganymède, qui la rejette. Le seul engagement, tout aussi mystificateur, que peut prendre Ganymède auprès d'Orlando est de jurer de n'avoir aucun mari si ce n'est lui, et auprès de Phébé de n'épouser aucune femme si ce n'est elle. Pierre de Touche dans le même temps, et en contrepoint, fait une cour rustique et cocasse auprès d'une naïve paysanne, Audrey, quand il n'est pas occupé à philosopher dans la forêt auprès de Jaques, seigneur mélancolique de la suite du Duc en exil.

Le dénouement devra résoudre plusieurs intrigues commencées à l'acte I : Olivier, poursuivi à son tour par le Duc Frédéric qui veut savoir où est son frère Orlando, est sauvé des griffes d'une lionne et de la morsure d'un serpent dans la Forêt d'Ardenne par ce même Orlando, avec lequel il se réconcilie, avant de tomber amoureux d'Aliéna et de découvrir qu'elle est Célia. Le Duc Frédéric à la poursuite d'Olivier et de son frère banni rencontre aussi son salut en Ardenne, en la personne d'un ermite qui le convertit à la vie solitaire, restituant leurs biens à tous ceux qu'il avait spoliés. Quant à l'imbroglio créé par l'identité de Rosalinde, il ne sera levé que dans l'ultime phase du dénouement, après la rencontre avec le Duc Aîné qui ne reconnaît pas tout de suite en elle sa fille mais auquel elle promet de n'avoir pas de père si ce n'est lui. Rosalinde enfin apparaît en elle-même alors que les noces de sa cousine Célia se préparent, comblant Orlando en acceptant de l'épouser, tandis que Phébé accepte Silvius comme époux. Un masque d'hyménée scelle le dénouement. Et c'est sous son identité retrouvée de femme que Rosalinde dit l'épilogue, sans chercher à cacher qu'elle est en fait un acteur sous l'habit féminin.

DU MÊME AUTEUR

COLLECTION
FOLIO THÉÂTRE

Composition Rosa Beaumont
Impression Maury Imprimeur
45330 Malesherbes
le 4 septembre 2019.
Dépôt légal : septembre 2019.
Numéro d'imprimeur : 239389.
1er dépôt légal dans la collection : mai 2014.
ISBN 978-2-07-040772-9. / Imprimé en France.

359780